#실력향상
#고득점

내신전략
고등 영어

Chunjae
Makes
Chunjae

▼

[내신전략] 고등 영어 어휘

편집개발	최윤정, 김보영, 최미래
디자인총괄	김희정
표지디자인	윤순미, 심지영
내지디자인	박희춘, 조유정
제작	황성진, 조규영

발행일	2022년 2월 15일 초판 2022년 2월 15일 1쇄
발행인	(주)천재교육
주소	서울시 금천구 가산로9길 54
신고번호	제2001-000018호
고객센터	1577-0902
교재 내용문의	(02)3282-8834

시험적중 **내신적중**
고등 영어 어휘

시험에 잘 나오는
개념BOOK 1

천재교육

시험적중
내신전략

고등 영어 어휘

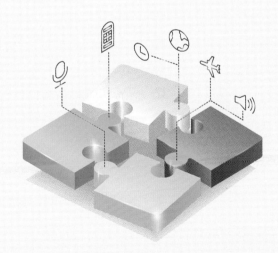

개념BOOK 하나면
영어 공부 끝!

Book ❶

차례

1 accurate vs. inaccurate | convenient vs. inconvenient

- accurate   형 정확한, 틀림없는
- inaccurate   형 [❶   ], 틀린
- convenient   형 편리한, 간편한
- inconvenient   형 [❷   ], 부자연스러운

As soon as the desk arrives, we will telephone you immediately and arrange a [convenient / inconvenient] delivery time.

➡ 우리는 그 책상이 도착하자마자 당신에게 바로 전화해서 편리한 배송 시간을 정할 것입니다.

답 ❶ 부정확한 ❷ 불편한

개념 CHECK

괄호 안에서 알맞은 것을 고르시오.

- Such knowledge may improve existing climate models and provide more (accurate / inaccurate) predictions.

  (그러한 지식은 기존의 기후 모형을 개선하고 더 정확한 예측을 제공할 것이다.)

답 | accurate

dependent vs. independent | legal vs. illegal

- dependent 　　　　형 의존하는, 의지하는
- independent 　　　형 [❶　　　　], 독립적인
- legal 　　　　　　형 합법적인, 적법한
- illegal 　　　　　　형 [❷　　　　], 위법인

> Each year billions of unwanted fish die from inefficient,
> | legal / illegal |, and destructive fishing practices.
>
> ➡ 해마다 수십억 마리의 불필요한 어류들이 비효율적이고
> **불법적**이고 파괴적인 수산업의 관행 때문에 죽어간다.

답 ❶ 독립한 **❷** 불법적인

개념 CHECK

괄호 안에서 알맞은 것을 고르시오.

- Many tend to be (dependent / independent) learners.
  (많은 사람들은 독립적인 학습자인 경향이 있다.)

답 | dependent

3 patient vs. impatient | relevant vs. irrelevant

- patient   형 참을성[인내심] 있는
- impatient   형 ❶ [   ][인내심] 없는
- relevant   형 관계가 있는, 적절한; 유의미한
- irrelevant   형 ❷ [   ], 부적절한

As instruments and music become more complex, learning appropriate playing techniques becomes increasingly relevant / irrelevant .

➡ 악기와 음악이 더 복잡해짐에 따라, 알맞은 연주 기술을 알게 되는 것은 점점 더 유의미해진다.

답 ❶ 참을성 ❷ 관계가 없는

개념 CHECK

괄호 안에서 알맞은 것을 고르시오.

- After some time, his opponent became (patient / impatient) and charged.
  (어느 정도 시간이 지난 뒤, 그의 상대는 조급해졌고 서둘러 공격했다.)

답 | impatient

4 · available vs. unavailable | comfortable vs. uncomfortable

- available 　　형 이용할[구할] 수 있는
- unavailable 　形 [① 　　　][구할] 수 없는
- comfortable 　形 편안한, 쾌적한
- uncomfortable 　形 [② 　　　], 불쾌감을 주는

Hikers are required to wear ｜comfortable / uncomfortable｜ hiking shoes or boots.

➡ 하이킹을 하는 사람들은 **편안한** 하이킹 신발이나 부츠를 착용해야 한다.

답 ❶ 이용할 ❷ 불편한

개념 CHECK

괄호 안에서 알맞은 것을 고르시오.

- Advance tickets are $36 and (available / unavailable) online.

(사전 구매 티켓 가격은 36달러이며 온라인으로 구매 가능합니다.)

답ㅣavailable

5) advantage vs. disadvantage | appear vs. disappear

- advantage 　명 장점, 이점, 유리한 점
- disadvantage 　명 [❶], 약점, 불리한 점
- appear 　동 나타나다, 보이게 되다
- disappear 　동 [❷], 없어지다

Dragons ⎡appear / disappear⎤ in Greek myths, legends about England's King Arthur, Chinese New Year parades, and in many tales throughout human history.

➡ 용은 그리스 신화, 영국 Arthur왕의 전설, 중국의 새해 행렬, 그리고 인류 역사에 걸친 많은 이야기에 **등장한다**.

답 ❶ 단점 ❷ 사라지다

개념 CHECK

괄호 안에서 알맞은 것을 고르시오.

- Using a recorder has some (advantages / disadvantages) and is not always the best solution.
  (녹음기를 사용하는 것은 일부 단점이 있으며 항상 최고의 해결책은 아니다.)

답 | disadvantages

6   adequate vs. inadequate | curable vs. incurable

- adequate   형 적당한, 알맞은; 충분한
- inadequate   형 [❶   ], 불충분한
- curable   형 치료할 수 있는
- incurable   형 불치의, 고칠 수 [❷   ]

> When a doctor pronounces a patient | curable / incurable |,
> he runs to the nearest quack who holds out hope of
> recovery.
>
> ➡ 의사가 환자에게 **치유할 수 없다**고 선고할 때 그는 회복의 가망을 보여 주는
> 근처 돌팔이 의사에게 달려간다.

답 ❶ 부적당한 ❷ 없는

개념 CHECK

괄호 안에서 알맞은 것을 고르시오.

- (Adequate / Inadequate) expectations leave room for many experiences
  to be pleasant surprises.

  (적절한 기대감은 많은 경험들을 즐거운 놀라움이 되도록 하는 여지를 남긴다.)

  답 | Adequate

7 formal vs. informal | valid vs. invalid

- formal 　　　　　 형 공식적인, 격식을 차린
- informal 　　　　 형 [❶ 　　　　], 격식에 얽매이지 않는
- valid 　　　　　　 형 효력이 있는, (법적으로) 유효한
- invalid 　　　　　 형 [❷ 　　　　], (법적으로) 무효한

They had never seen such '｜ formal / informal ｜' paintings before.

➡ 그들은 이전에 그렇게 '**형식에 구애받지 않는**' 그림을 본 적이 결코 없었다.

답 ❶ 비공식적인 ❷ 효력 없는

개념 CHECK

괄호 안에서 알맞은 것을 고르시오.

- All of these systems are equally (valid / invalid), and no system is better than another.

  (이 모든 체계는 똑같이 타당하며 어떤 체계도 다른 체계보다 우수하지 않다.)

답 | valid

- expensive 　　　형 비싼
- inexpensive 　　形 ❶ [　　　　]
- ability 　　　　명 능력, 힘
- inability 　　　명 할 수 없음, ❷ [　　　]

Clothing doesn't have to be | expensive / **inexpensive** | to provide comfort during exercise.

➡ 운동하는 동안 편안함을 제공하기 위해 의류가 **비쌀** 필요는 없다.

답 ❶ 비싸지 않은 ❷ 무능

개념 CHECK

괄호 안에서 알맞은 것을 고르시오.

- We have the (**ability** / inability) to gauge depth and pursue our goals.
(우리는 깊이를 측정하고 목표물들을 추격할 수 있는 능력을 갖추고 있다.)

답 | ability

active vs. inactive | equality vs. inequality

- active 　　　　　　⟨형⟩ 활동적인, 분주한
- inactive 　　　　　⟨형⟩ [**❶** 　　　], 소극적인
- equality 　　　　　⟨명⟩ 평등
- inequality 　　　　⟨명⟩ [**❷** 　　　]

What is needed is ⟨ active / inactive ⟩ engagement with children.

➡ 필요한 것은 자녀들과 함께하는 **적극적인** 참여이다.

답 ❶ 비활동적인 **❷** 불평등

개념 CHECK

괄호 안에서 알맞은 것을 고르시오.

- He had called for (equality / inequality) for African Americans.
  (그는 아프리카계 미국인들을 위한 평등을 요구하였다.)

답 | equality

10 **logic** vs. **illogic** | **mature** vs. **immature**

- logic　　　　　 명 논리, 이론
- illogic　　　　 명 불합리, 부조리, [① 　　　　]
- mature　　　　 형 성숙한
- immature　　　 형 [② 　　　　], 미완성의

Kids have a greater ability to reason as they get older, and
logic / illogic makes sense as they move further into
preadolescence.

➡ 아이들은 나이가 들어감에 따라 추론할 수 있는 더 나은 능력을
가지게 되고, 그들이 사춘기 이전 단계로 접어듦에 따라 **논리**를
갖추게 된다.

답 ① 비논리성 ② 미성숙한

개념 CHECK

괄호 안에서 알맞은 것을 고르시오.

- Chuckwallas weigh about 1.5 kg when (mature / immature).

　(다 자랐을 때, chuckwalla의 무게는 1.5kg가량 나간다.)

답 | mature

- polite 　　　형 예의 바른, 공손한
　　　　　　　(politely 부 예의 바르게)
- impolite 　　형 무례한, ❶ [　　　　]
- practical 　 형 실용적인, 현실적인
- impractical 　형 ❷ [　　　　], 비현실적인

Because most of the plastic particles in the ocean are so small, there is no | practical / impractical | way to clean up the ocean.

➡ 바닷속에 있는 대부분의 플라스틱 조각들은 매우 작기 때문에 바다를 청소할 **실질적인** 방법은 없다.

답 ❶ 불손한 ❷ 비실용적인

개념 CHECK

괄호 안에서 알맞은 것을 고르시오.

- Study participants viewed text chat as more (polite / impolite).
(연구 참여자들은 문자 채팅을 더 예의 바른 것으로 여겼다.)

답 | polite

12 proper vs. improper | rational vs. irrational

- proper   형 적절한, 알맞은
- improper   형 ❶ [_____]
- rational   형 이성적인, 분별 있는
  (rationally 부 이성적으로)
- irrational   형 비이성적인, ❷ [_____]

Great ideas, like great wines, need | proper / improper | aging: time to bring out their full flavor and quality.

➡ 위대한 아이디어들은 훌륭한 포도주와 같이 **적절한** 숙성, 즉 완벽한 풍미와 품질을 만드는 데 걸리는 시간이 필요하다.

답 ❶ 부적절한 ❷ 분별없는

개념 CHECK

괄호 안에서 알맞은 것을 고르시오.

- He passed on to his followers the process of thinking (rationally / irrationally).

  (그는 자신의 추종자들에게 이성적으로 생각하는 과정을 전했다.)

답 | rationally

- regular 　　　　　 형 규칙적인, 순세[질서]가 잡힌
- irregular 　　　　 형 ❶ [　　　　　], 흐트러진
- responsible 　　　 형 책임감 있는
- irresponsible 　　 형 책임감 ❷ [　　　]

The natural river has a very │ regular / irregular │ form.

➡ 자연 발생적인 강은 매우 **불규칙한** 형태를 가지고 있다.

답 ❶ 불규칙적인 ❷ 없는

괄호 안에서 알맞은 것을 고르시오.

- He was a responsible man dealing with a (responsible / irresponsible) kid.
  (그는 무책임한 아이를 다루는 책임감 있는 사람이었다.)

답 │ irresponsible

14 realistic vs. unrealistic | certain vs. uncertain

- realistic 　　　　형 현실적인
- unrealistic 　　　形 ❶ [　　　　　]
- certain 　　　　　形 확실한
- uncertain 　　　　形 ❷ [　　　　　], 변하기 쉬운

| Realistic / Unrealistic | expectations and comparisons to others lead to jealousy.

→ **비현실적인** 기대와 다른 사람들과의 비교는 질투심으로
　 이어진다.

답 ❶ 비현실적인 ❷ 불확실한

개념 CHECK

괄호 안에서 알맞은 것을 고르시오.

- This time I was (certain / uncertain): Something was moving in the tunnels.
  (이번에는 확신했다. 뭔가가 터널 속에서 움직이고 있었다.)

답 | certain

15 common vs. uncommon | complicated vs. uncomplicated

- common 　　　　형 흔한
- uncommon 　　　형 드문, [❶ 　　　　]
- complicated 　　形 복잡한
- uncomplicated 　形 [❷ 　　　　], 단순한

In Dutch bicycle culture, it is | common / uncommon | to have a passenger on the backseat.

➡ 네덜란드의 자전거 문화에서, 뒷좌석에 동승자를 앉히는 것은 흔하다.

© Getty Images Bank

답 ❶ 흔치 않은 ❷ 복잡하지 않은

개념 CHECK

괄호 안에서 알맞은 것을 고르시오.

- The news ecosystem has become so overcrowded and (complicated / uncomplicated).

(뉴스 생태계가 너무나 붐비고 복잡해졌다.)

답 | complicated

16   conscious vs. unconscious | cover vs. uncover

- conscious   형 의식하는, 의식이 있는
  (consciousness 명 의식)

- unconscious   형 의식을 잃은, ❶ ⬚⬚⬚⬚⬚
  (unconsciousness 명 무의식)

- cover   동 덮다, 숨기다

- uncover   동 덮개를 벗기다, ❷ ⬚⬚⬚⬚⬚

People who lie get into trouble when someone threatens
to ⬚ cover / uncover ⬚ their lie.

➡ 거짓말을 하는 사람은 자신의 거짓말을 **폭로하겠다**고 누군가가
    위협하면 곤경에 처하게 된다.

답 ❶ 무의식적인 ❷ 밝히다

개념 CHECK

괄호 안에서 알맞은 것을 고르시오.

- Every human being is affected by (conscious / unconscious) biases.
  (모든 인간은 무의식적인 편견에 의해 영향을 받는다.)

답 | unconscious

17　employment vs. unemployment | fair vs. unfair

- employment　　　　명　고용
- unemployment　　　명　①
- fair　　　　　　　　형　타당한, 공평한
- unfair　　　　　　　형　부당한, ②

Because some people took more toilet paper than their
fair / unfair share, the public resource was destroyed for
everyone else.

➡ 일부 사람들이 자신들의 **온당한** 몫보다 더 많은 휴지를 가져갔기
　때문에 그 외 모두를 위한 공공재가 파괴됐다.

답 ❶ 실업 ❷ 불공평한

개념 CHECK

괄호 안에서 알맞은 것을 고르시오.

- Students will propose a variety of ideas for developing (employment /
unemployment) opportunities.

(학생들은 고용 기회를 만들어 내기 위한 다양한 의견을 제안할 것이다.)

답 | employment

18 familiar vs. unfamiliar | fortunately vs. unfortunately

- familiar 　　　　　 형 익숙한, ~을 아주 잘 아는
- unfamiliar 　　　　 형 ❶ [　　　　　], 낯선
- fortunately 　　　　 부 다행히도
- unfortunately 　　　 부 ❷ [　　　　　]

Fortunately / Unfortunately , a car accident injury forced her to end her career after only eighteen months.

➡ **불행하게도**, 자동차 사고 부상으로 그녀는 겨우 18개월 후에 일을 그만두어야 했다.

답 ❶ 익숙지 않은 ❷ 불행히도

개념 CHECK

괄호 안에서 알맞은 것을 고르시오.

- They each provided help to a(n) (familiar / unfamiliar) and unrelated individual.

(그들 각각은 낯설고 무관한 개체에게 도움을 제공했다.)

답 | unfamiliar

19 agree vs. disagree | order vs. disorder

- agree   통 동의하다; 생각이 일치하다
- disagree   통 동의하지 않다; 생각이 [❶   ]
- order   명 질서
- disorder   명 [❷   ], 혼란

Some people | agree / disagree | with the idea of exposing three-year-olds to computers.

➡ 몇몇 사람들은 세 살 아이를 컴퓨터에 노출시키는 것에 대해 동의하지 않는다.

답 ❶ 일치하지 않다 ❷ 무질서

개념 CHECK

괄호 안에서 알맞은 것을 고르시오.

- Monasteries were the examples of (order / disorder) and routine.
  (수도원은 질서와 규칙적인 일상의 예시였다.)

답 | order

20 regard vs. disregard | connection vs. disconnection

- regard   동 (~을 …로) 여기다   명 관심, 고려
- disregard   동 [❶   ]   명 무시, 묵살
- connection   명 연결, 접속, 연관성
- disconnection   명 [❷   ], 연락 없음, 분리

A patient whose heart has stopped can no longer be
regarded / disregarded as dead.

➡ 심장이 멎은 환자는 더 이상 사망한 것으로 **간주될** 수 없다.

© narin phapnam/shutterstock

답 ❶ 무시하다 ❷ 단절

개념 CHECK

괄호 안에서 알맞은 것을 고르시오.

- Doctors saw the (connection / disconnection) between poor living conditions, overcrowding, sanitation, and disease.

(의사들은 열악한 주거 환경, 인구 과밀, 위생과 질병의 연관성을 알게 되었다.)

답 | connection

- approve　　　　　동 승인하다, 찬성하다
- disapprove　　　동 승인[찬성]하지 않다, ❶ _____
- satisfaction　　 명 만족
- dissatisfaction　명 ❷ _____

Her family did not │ approve / disapprove │ when she decided to become an artist.

➡ 그녀가 화가가 되려고 결심했을 때 그녀의 가족은 **찬성하지** 않았다.

답 ❶ 반대하다 ❷ 불만족

개념 CHECK

괄호 안에서 알맞은 것을 고르시오.

- Oftentimes frustration and (satisfaction / dissatisfaction) are actually the result of unrealistic expectations on our part.

  (흔히 좌절과 불만족은 실제로는 우리에 대한 비현실적인 기대의 결과물이다.)

답 | dissatisfaction

- allow 　　　　[동] 허용하다, 허락하다; 가능하게 하다
- forbid 　　　　[동] [❶　　　　]; 어렵게 하다
- expand 　　　　[동] 확대[팽창]하다; ~을 확장하다
- shrink 　　　　[동] [❷　　　　], 수축하다

We often choose friends as a way of [expanding / shrinking] our sense of identity beyond our families.

➡ 가족의 범위를 넘어서 우리의 정체성을 **확장하는** 방법으로 우리는 종종 친구들을 선택한다.

[답] ❶ 금지하다 ❷ 축소되다

개념 CHECK

괄호 안에서 알맞은 것을 고르시오.

- After the seizure of power by the Nazi Party, she was (allowed / forbidden) to exhibit her artwork in Germany.

(나치당의 권력 장악 이후, 그녀는 독일에서 자신의 작품 전시를 금지 당했다.)

[답] forbidden

23 improve vs. decline | admit vs. deny

- improve   통 향상되다, 개선하다
- decline   통 ❶ [　　　　], 저하하다   명 쇠퇴
- admit   통 ~을 인정하다, ~을 시인하다
- deny   통 ❷ [　　　　], 부정하다

To [improve / decline] your choices, leave good foods like apples and pistachios sitting out instead of crackers and candy.

➡ 당신의 선택을 개선하기 위해, 크래커와 사탕 대신 사과와 피스타치오 같은 좋은 음식이 나와 있도록 해라.

답 ❶ 쇠퇴하다 ❷ 부인하다

개념 CHECK

괄호 안에서 알맞은 것을 고르시오.

- He eventually (admitted / denied) to leaving his post to visit his girlfriend.
  (그는 결국 여자 친구를 만나기 위해 그의 자리를 떠났음을 인정했다.)

답 | admitted

24 gather vs. scatter | follow vs. ignore

- gather   동 모으다, 모이다
- scatter   동 ❶   , 흩뿌리다
- follow   동 따르다, 추종하다
- ignore   동 ❷   , 묵살하다

In case of nearing tornados or hurricanes, people can seek safety with the help of the data ⏐gathered / scattered⏐ by drones.

➡ 토네이도나 허리케인이 접근하는 경우에 사람들은 드론에 의해 **수집된** 정보의 도움으로 안전을 추구할 수 있다.

답 ❶ 흩어지다 ❷ 무시하다

개념 CHECK

괄호 안에서 알맞은 것을 고르시오.

- We often (follow / ignore) small changes because they don't seem to matter very much in the moment.

(우리는 흔히 작은 변화들이 당장은 크게 중요한 것 같지 않아서 무시한다.)

답 | ignore

25 reveal vs. conceal | continue vs. cease

- reveal   통 드러내다, 밝히다
- conceal   통 [❶], 숨기다
- continue   통 계속하다, 계속되다
- cease   통 [❷], 그치다, 중지하다

A study of the history | reveals / conceals | that mathematicians had thought of all the essential elements of calculus before Newton or Leibniz came along.

➡ 역사 연구는 수학자들이 Newton 또는 Leibniz가 나타나기 전에 미적분학의 모든 주요한 요소들에 대해 생각했었다는 것을 보여 준다.

답 ❶ 감추다 ❷ 그만두다

개념 CHECK

괄호 안에서 알맞은 것을 고르시오.

- He (continued / ceased) his research there until his death in 1962.
  (그는 1962년 사망할 때까지 그곳에서 자신의 연구를 계속했다.)

답 | continued

26 optional vs. obligatory | promote vs. prevent

- optional　　　　　형　임의의, 선택의 (option 명 선택)
- obligatory　　　　형　[① 　　　　]; 필수의 (obligation 명 의무)
- promote　　　　　동　~을 조장하다, 촉진하다
- prevent　　　　　동　[② 　　　　], 방지하다

Questions can　promote / prevent　students' search for
evidence and their need to return to the text to deepen
their understanding.

➡ 질문은 학생들의 이해를 심화시키기 위해 그들의 증거 탐색과
텍스트로 되돌아가야 할 필요를 촉진할 수 있다.

답 ❶ 의무적인 ❷ ~을 막다

개념 CHECK

괄호 안에서 알맞은 것을 고르시오.

- Rights imply (options / obligations), but obligations need not imply rights.

(권리는 의무를 수반하지만, 의무가 권리를 수반할 필요는 없다.)

답 | obligations

27 abundant vs. scarce | float vs. sink

- abundant 　　　 형 풍부한
- scarce 　　　　 형 ❶ [ ]
- float 　　　　　 동 뜨다
- sink 　　　　　　동 ❷ [ ]

Few people had access to books, which were handwritten,
abundant / scarce , and expensive.

➡ 책에 접근할 수 있는 사람은 거의 없었는데, 그 책들은 손으로
　쓰였고 드물고 비쌌다.

답 ❶ 부족한 ❷ 가라앉다

개념 CHECK

괄호 안에서 알맞은 것을 고르시오.

- Plastic is extremely slow to degrade and tends to (float / sink).
  (플라스틱은 매우 느리게 분해되고 물에 떠다니는 경향이 있다.)

답 | float

28 common vs. rare | production vs. consumption

- common 형 흔한
- rare 형 **①**
- production 명 생산
- consumption 명 **②**

Moderate aerobic exercise can more than halve your risk for respiratory infections and other common / rare winter diseases.

➡ 적당한 에어로빅 운동은 여러분이 호흡기 감염과 다른 **흔한** 겨울 질병에 걸릴 위험을 반감시켜주는 것 그 이상을 해줄 수 있다.

답 **①** 드문 **②** 소비

개념 CHECK

괄호 안에서 알맞은 것을 고르시오.

- The earlier manager had only taken care of the goal of (production / consumption) and ignored the machinery.

(이전의 관리자는 생산 목표만을 신경 썼고 기계를 무시했다.)

답 | production

29 identical vs. opposite | benefit vs. loss

- identical ⊙형 동일한
- opposite ⊙형 [❶]
- benefit ⊙명 이익, 이점, 혜택
- loss ⊙명 [❷], 줄임, 감소

When children are allowed to develop their language play, a range of | benefits / losses | result from it.

➡ 아이들이 자신의 언어 놀이를 발전시키도록 허용될 때,
다양한 **이점**이 생긴다.

답 ❶ 반대의 ❷ 손실

개념 CHECK

괄호 안에서 알맞은 것을 고르시오.

- Consider (identical / opposite) twins; both individuals are given the same genes.
(일란성 쌍둥이를 생각해 보자. 두 사람은 모두 똑같은 유전자를 부여받는다.)

답 | identical

- sensitive   형 민감한, 예민한
- numb   형 [❶]
- absence   명 부재
- presence   명 [❷]

The creative act is never "complete" in the | absence / presence | of a second position — that of an audience.

➡ 창작 행위는 제2의 입장의 **부재**, 다시 말해 관객이 **부재**한 상황에서는 결코 "완전"하지 않다.

답 ❶ 무감각해진 ❷ 존재

개념 CHECK

괄호 안에서 알맞은 것을 고르시오.

- As a habit becomes automatic, you become less (sensitive / numb) to feedback.

  (습관이 자동화되면서 여러분은 피드백에 덜 민감해지게 된다.)

답 | sensitive

31 · absolute vs. relative | abstract vs. concrete

- absolute · 형 절대적인
- relative · 형 [❶]
- abstract · 형 추상적인
- concrete · 형 [❷]

The [absolute / relative] value of the discount affects how people perceive its value.

➡ 할인의 **상대적인** 가치가 사람들이 그 가치를 어떻게 인식하는 지에 영향을 미친다.

답 ❶ 상대적인 ❷ 구체적인

개념 CHECK

괄호 안에서 알맞은 것을 고르시오.

- He used (abstract / concrete) forms to shape the players in such an unexpected way.

  (그는 예상치 못한 방식으로 연주자들을 형상화하려고 추상적인 형태를 사용했다.)

답 | abstract

32 | accept vs. refuse | mental vs. physical

- accept 　　　　　동 받아들이다
- refuse 　　　　　동 [❶ 　　　　], 거부하다
- mental 　　　　　형 마음의, 정신의
- physical 　　　　형 [❷ 　　　　], 육체의; 물질적인

All improvement in your life begins with an improvement in mental / physical pictures.

➡ 당신 삶에서의 모든 향상은 당신의 **머릿속** 그림에서의 향상으로 시작 된다.

답 ❶ 거절하다 ❷ 신체의

개념 CHECK

괄호 안에서 알맞은 것을 고르시오.

- She sustained a stress fracture in her foot because she (accepted / refused) to listen to her overworked body.

(그녀는 혹사당한 몸에 귀 기울기를 거부해서 자신의 발에 피로 골절을 입었다.)

답 | refused

33 natural vs. artificial | acknowledge vs. deny

- natural 　　　　형 자연적인
- artificial 　　　　형 [❶ 　　　　]; 인조의
- acknowledge 　　　동 인정하다
- deny 　　　　동 [❷ 　　　　]

Chances are you are reading this sentence under some kind of | natural / artificial | light.

➡ 아마 여러분은 어떤 유형의 **인공**조명 아래에서 이 문장을 읽고 있을 것이다.

© vvoe/shutterstock

답 ❶ 인공적인 ❷ 부인하다

개념 CHECK

괄호 안에서 알맞은 것을 고르시오.

- A. Y. Jackson was (acknowledged / denied) as a painting genius and a pioneer of modern landscape art.

  (A. Y. Jackson은 천재 화가이자 현대 풍경화의 개척자로 인정받았다.)

답 | acknowledged

ancestor vs. **descendant** | **initial** vs. **final**

- ancestor 　　　　　명 조상
- descendant 　　　 명 ❶ 　　　　
- initial 　　　　　　형 처음의
- final 　　　　　　　형 ❷ 　　　　

Scientists believe that the frogs' | ancestors / descendants | were water-dwelling, fishlike animals.

➡ 과학자들은 개구리의 **조상**이 물에 사는, 물고기 같은 동물이
　었다고 믿는다.

답 ❶ 후손 ❷ 최후의

개념 CHECK

괄호 안에서 알맞은 것을 고르시오.

- Even with sophisticated artificial intelligence, the (initial / final) programming must be done by humans.

(심지어 정교한 인공 지능조차, 초기의 프로그래밍은 인간에 의해 수행되어야 한다.)

답 | initial

35   ancient vs. modern | compliment vs. blame

- ancient   형 고대의, 옛날의
- modern   형 [❶   ]
- compliment   동 칭찬하다   명 칭찬
- blame   동 [❷   ]   명 비난

In everyday life we ⌈compliment / blame⌉ people for "creating" their own problems.

➡ 매일의 삶에서 우리는 사람들이 자신의 문제를 '만들어' 내는 것을 비난한다.

답 ❶ 현대의 ❷ 비난하다

개념 CHECK

괄호 안에서 알맞은 것을 고르시오.

- (Ancient / Modern) insect communities are highly diverse in tropical forests.

(현대 곤충 군집들은 열대 우림 지역에서 매우 다양하다.)

답 | Modern

arrest vs. release | attack vs. defend

- arrest   동 체포하다
- release   동 풀어주다, ❶ [＿＿＿＿] 명 석방
- attack   동 공격하다 명 공격
- defend   동 ❷ [＿＿＿＿], 지키다 명 방어

One day when the dogs jumped the fence, they 〔attacked / defended〕 and severely injured several of the lambs.

➡ 그 개들이 울타리를 뛰어넘은 어느 날, 그들은 새끼 양 중 몇몇을 **공격해서** 심하게 다치게 했다.

답 ❶ 석방하다 **❷** 방어하다

개념 CHECK

괄호 안에서 알맞은 것을 고르시오.

- In some cases captive-bred individuals may be (arrested / released) back into the wild.

(어떤 경우에는 포획 사육된 개체가 다시 야생으로 방생된다.)

답 | released

37 offensive vs. defensive | respect vs. scorn

- offensive   형 공격적인
- defensive   형 [❶   ]; (운동 경기에서) 수비의
- respect   동 존경하다   명 존경
- scorn   동 [❷   ]   명 경멸

Rats are considered pests in much of Europe and North America and greatly ⌈ respected / scorned ⌋ in some parts of India.

➡ 쥐는 유럽과 북아메리카의 많은 지역에서 유해 동물로 여겨지고, 인도의 일부 지역에서는 매우 **중시된다**.

답 ❶ 방어적인 ❷ 경멸하다

개념 CHECK

괄호 안에서 알맞은 것을 고르시오.

- Curiosity is associated with a less (offensive / defensive) reaction to stress.
 (호기심은 스트레스에 대한 덜 방어적인 반응과 관련이 있다.)

답 | defensive

38 diligent vs. lazy | innocent vs. guilty

- diligent   형 부지런한, 근면한
- lazy   형 [❶   ], 나태한
- innocent   형 무죄의
- guilty   형 [❷   ]

Between 1989 and 2007, 201 prisoners in the United States were proven ⟨ innocent / guilty ⟩ on the basis of DNA evidence.

➡ 1989년과 2007년 사이, 미국에서는 201명의 수감자들이 DNA 증거에 기초하여 **무죄**라고 밝혀졌다.

답 ❶ 게으른 ❷ 유죄의

개념 CHECK

괄호 안에서 알맞은 것을 고르시오.

- We know Mr. Turner to be alert and (diligent / lazy).
  (우리는 Turner 씨가 기민하고 부지런함을 알고 있다.)

답 | diligent

39   destroy vs. construct | cause vs. effect

- **destroy**   동   파괴하다
- **construct**   동   [❶   ]
- **cause**   명   원인
- **effect**   명   [❷   ], 영향, 효과

A bridge is normally | destroyed / constructed | to last one
hundred years in a natural or manmade environment.

➡ 다리는 보통 자연적이거나 인공적인 환경에서 백년 간 지속되
도록 **건설된다**.

답 ❶ 건설하다 ❷ 결과

개념 CHECK

괄호 안에서 알맞은 것을 고르시오.

- The first domino is the (cause / effect), or primary problem.

  (최초의 도미노가 원인, 즉 가장 중요한 문제이다.)

답 | cause

employ vs. fire | fake vs. genuine

- employ   통 고용하다
- fire   통 ❶ [　　　]
- fake   형 가짜의, 모조의
- genuine   형 ❷ [　　　]

Much of the spread of ┃fake / genuine┃ news occurs through irresponsible sharing.

➡ **가짜** 뉴스 확산의 많은 부분은 무책임한 공유를 통해 일어난다.

답 ❶ 해고하다 ❷ 진짜의

개념 CHECK

괄호 안에서 알맞은 것을 고르시오.

- Jenny Hernandez is the manager of a mediumsized company that (employs / fires) about 25 people.

(Jenny Hernandez는 약 25 명을 고용한 중간 규모 회사의 관리자이다.)

답 | employs

- memorable　　　형 기억할 만한
- forgettable　　　형 **①**
- general　　　형 일반적인
- specific　　　형 **②**

Amory got his first puppy as a child, an event that Amory remembered seventy years later as the most | memorable / forgettable | moment of his childhood.

➡ Amory는 어린 시절에 처음으로 강아지를 갖게 되었고, 이는 70년이 지난 후 그가 가장 **기억에 남는** 순간으로 기억하는 일이었다.

답 ① 잊혀지기 쉬운 ② 특정한

개념 CHECK

괄호 안에서 알맞은 것을 고르시오.

- There has been a (general / specific) belief that sport is a way of reducing violence.
  (스포츠가 폭력을 감소시키는 방법이라는 일반적인 믿음이 있어 왔다.)

답 | general

42　shortage vs. excess | voluntary vs. compulsory

- shortage　　　명 부족, 결핍
- excess　　　　명 [❶], 과잉
- voluntary　　　형 자발적인
- compulsory　　형 [❷], 의무적인

They might benefit from being involved in a [voluntary / compulsory] program.

➡ 그들은 **자원봉사** 프로그램에 참여하는 것으로부터 혜택을 받을지도 모른다.

답 ❶ 초과 ❷ 강제적인

개념 CHECK

괄호 안에서 알맞은 것을 고르시오.

- Food (shortages / excesses) caused by global warming could force people to leave their homes.

(지구 온난화로 야기된 식량 부족은 사람들이 집을 떠나게 만들 수 있다.)

답 | shortages

memo

memo

memo

시험적중
내신전략

고등 영어 어휘

BOOK 1

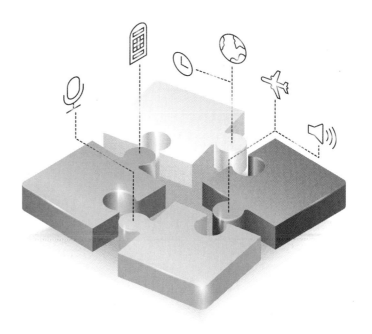

이 책의
구성과 활용

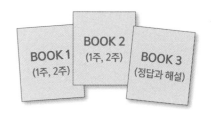

BOOK 1
(1주, 2주)

BOOK 2
(1주, 2주)

BOOK 3
(정답과 해설)

이 책은 3권으로 이루어져 있는데 본책인 BOOK 1·2의 구성은 아래와 같아.

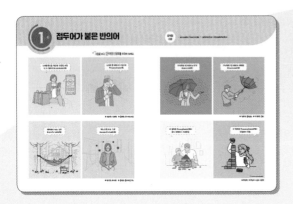

주 도입 1주·2주 + 1주·2주

이번 주에 배울 내용이 무엇인지 안내하는 부분입니다. 재미있는 만화를 통해 앞으로 공부할 내용을 미리 살펴봅니다.

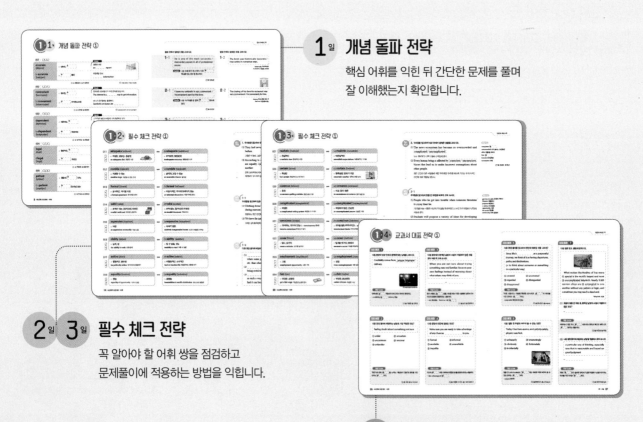

1일 개념 돌파 전략

핵심 어휘를 익힌 뒤 간단한 문제를 풀며 잘 이해했는지 확인합니다.

2일 3일 필수 체크 전략

꼭 알아야 할 어휘 쌍을 점검하고 문제풀이에 적용하는 방법을 익힙니다.

4일 교과서 대표 전략

교과서 문장으로 구성된 대표 유형의 문제를 풀어 볼 수 있습니다. 문제에 접근하는 것이 어려울 때는 '개념 Guide'를 참고할 수 있습니다.

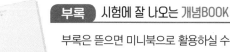
주 마무리와 권 마무리의 특별 코너들로 영어 실력이 더 탄탄해 질 거야!

주 마무리 코너

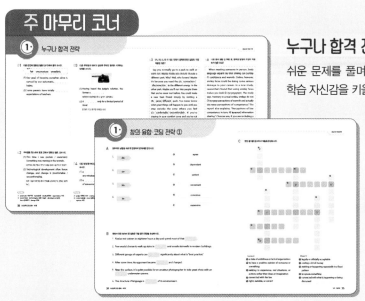

누구나 합격 전략

쉬운 문제를 풀며 공부한 내용을 정리하고
학습 자신감을 키울 수 있습니다.

창의·융합·코딩 전략

융복합적 사고력과 해결력을 길러 주는 문제를
풀며 한 주의 학습을 마무리합니다.

권 마무리 코너

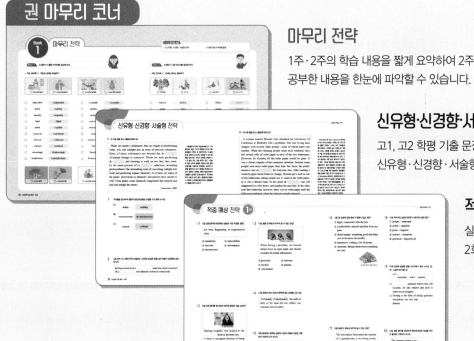

마무리 전략

1주·2주의 학습 내용을 짧게 요약하여 2주 동안
공부한 내용을 한눈에 파악할 수 있습니다.

신유형·신경향·서술형 전략

고1, 고2 학평 기출 문장을 바탕으로 한
신유형·신경향·서술형 문제를 제공합니다.

적중 예상 전략

실제 시험에 대비할 수 있는 모의 실전 문제를
2회로 구성하였습니다.

이 책의 차례

BOOK 1

1_주 형태가 비슷한 혼동어

• attract / attack ~
obtain / retain

2_주 의미가 혼동되는 파생어

• affect / affection ~
value / valuable

권 마무리 코너

주 1 접두어가 붙은 반의어

그림을 보고, **단어의 의미를** 추측해 보세요.

스마트폰으로 필요한 것들을 바로 살 수 있어서 ❶convenient해.

스마트폰 배터리가 없으면 ❷inconvenient해.

❶ 편리한, 간편한 ❷ 불편한, 부자연스러운

해먹에서 쉬는 것은 ❸comfortable해!

마스크를 쓰는 것은 ❹uncomfortable해!

❸ 편안한, 쾌적한 ❹ 불편한, 불쾌감을 주는

기상청의 일기예보는 대개 ❺accurate해!

기상청의 일기예보는 때때로 ❻inaccurate해!

❺ 정확한, 틀림없는 ❻ 부정확한, 틀린

이 블럭은 ❼complicated해서 혼자 조립하기 어려워요.

이 블럭은 ❽uncomplicated해서 조립하기 쉬워.

© Vectorium/shutterstock

❼ 복잡한 ❽ 복잡하지 않은, 단순한

개념 돌파 전략 ①

001 ☐☐☐

		Quiz
accurate [ǽkjurət]	*a.* 정확한, ❶ ☐	정확한 보도 an _____ report
inaccurate [inǽkjərit]	*a.* ❷ ☐, 틀린	부정확한 정보 _____ information

답 ❶ 틀림없는 ❷ 부정확한　　　　　　　　답 accurate, inaccurate

002 ☐☐☐

		Quiz
convenient [kənví:njənt]	*a.* 편리한, ❶ ☐	인터넷은 정보를 얻기 위한 **편리한** 방법이다. The Internet is a _____ way to get information.
inconvenient [ìnkənví:njənt]	*a.* ❷ ☐, 부자연스러운	버스의 안전벨트는 **불편하**다. Seatbelts on buses are _____.

답 ❶ 간편한 ❷ 불편한　　　　　　　　답 convenient, inconvenient

003 ☐☐☐

		Quiz
dependent [dipéndənt]	*a.* 의존하는, ❶ ☐	그 지역은 농업과 어업에 크게 **의존하고** 있다. The area is heavily _____ on agriculture and fishing.
independent [ìndipéndənt]	*a.* ❷ ☐, 독립적인	독립국 an _____ country

답 ❶ 의지하는 ❷ 독립한　　　　　　　　답 dependent, independent

004 ☐☐☐

		Quiz
legal [lí:gəl]	*a.* 합법적인, ❶ ☐	미국에서 이혼은 1969년에 **합법화**되었다. Divorce became _____ in the U.S. in 1969.
illegal [ilí:gəl]	*a.* ❷ ☐, 위법인	흡연은 **불법화**되어야 하는가? Should smoking be _____?

답 ❶ 적법한 ❷ 불법적인　　　　　　　　답 legal, illegal

005 ☐☐☐

		Quiz
patient [péiʃənt]	*a.* 참을성 [❶ ☐] 있는	아이들에게 **참을성 있게** 대해야 한다. One must be _____ with children.
impatient [impéiʃənt]	*a.* ❷ ☐ [인내심] 없는	그는 그의 손녀를 만나고 싶어서 **안달**이었다. He was _____ to see his granddaughter.

답 ❶ 인내심 ❷ 참을성　　　　　　　　답 patient, impatient

괄호 안에서 알맞은 것을 고르시오.

1-1

He is one of the most (accurate / inaccurate) passers in all of professional soccer.

Guide 그는 프로축구 리그에서 가장 ❶ ⬜ 패스를 하는 선수 중 하나이다.

답 ❶ 정확한

2-1

I leave my umbrella in a(n) (convenient / inconvenient) spot by the door.

Guide 나는 내 우산을 문 옆의 ❶ ⬜ 장소에 둔다.

답 ❶ 편리한

3-1

He is too (dependent / independent) on his parents.

Guide 그는 그의 부모에게 지나치게 ❶ ⬜.

답 ❶ 의존적이다

4-1

Euthanasia is only (legal / illegal) in the state of Oregon.

Guide 안락사는 Oregon 주에서만 ❶ ⬜ 이다.

답 ❶ 합법

5-1

He is sometimes too (patient / impatient) and act too hastily.

Guide 그는 가끔 너무 ❶ ⬜ 이 없어서 너무 성급하게 행동을 한다.

답 ❶ 참을성

괄호 안에서 알맞은 것을 고르시오.

1-2

The book was historically (accurate / inaccurate) in numerous ways.

historically 역사적으로
numerous 수많은, 다수의

2-2

The closing of his favorite restaurant was very (convenient / inconvenient) for him.

closing 마감, 문을 닫는 것
favorite 가장 좋아하는

3-2

India became (dependent / independent) in 1947.

India 인도

4-2

(Legal / Illegal) immigration remains a controversial issue in the U.S.

immigration 이민
controversial 논쟁의, 쟁점이 되는
issue 문제, 쟁점

5-2

Guide dogs must love people and be gentle and (patient / impatient).

gentle 순한

006 ☐☐☐

relevant
[réləvənt]

a. 관계가 있는, [❶_____]; 유의미한

Quiz
적절한 제안
a _____ suggestion

irrelevant
[iréləvənt]

a. [❷_____], 부적절한

저 증거는 사건과 **무관하다**.
That evidence is _____ to the case.

답 ❶ 적절한 ❷ 관계가 없는 　　　답 relevant, irrelevant

007 ☐☐☐

available
[əvéiləbl]

a. 이용할 [❶_____] 수 있는

Quiz
이 페이지는 다음 언어로 **이용할 수 있다**: 영어, 한국어, 불어.
This page is _____ in the following languages:
English, Korean, French.

unavailable
[ʌ̀nəvéiləbl]

a. [❷_____][구할] 수 없는

지금 컴퓨터를 **이용할 수 없다**.
The computer is _____ now.

답 ❶ 구할 ❷ 이용할 　　　답 available, unavailable

008 ☐☐☐

comfortable
[kʌ́mfərtəbl]

a. 편안한, [❶_____]

Quiz
이 소파는 **편안하고** 안락하다.
This sofa is _____ and cozy.

uncomfortable
[ʌ̀nkʌ́mfərtəbl]

a. [❷_____], 불쾌감을 주는

불편한 침묵
an _____ silence

답 ❶ 쾌적한 ❷ 불편한 　　　답 comfortable, uncomfortable

009 ☐☐☐

advantage
[ædvǽntidʒ]

n. 장점, 이점, [❶_____]

Quiz
서울에서 사는 것의 **장점**
an _____ of living in Seoul

disadvantage
[dìsədvǽntidʒ]

n. [❷_____], 약점, 불리한 점

재료로서 철의 주요한 **단점**
the main _____ of iron as a material

답 ❶ 유리한 점 ❷ 단점 　　　답 advantage, disadvantage

010 ☐☐☐

appear
[əpíər]

v. 나타나다, [❶_____]

Quiz
그 바이러스는 우한에서 처음 **나타났다**.
The virus first _____ed in Wuhan.

disappear
[dìsəpíər]

v. [❷_____], 없어지다

대부분의 꽃은 겨울동안 **보이지 않게 된다**.
Most flowers _____ during the winter.

답 ❶ 보이게 되다 ❷ 사라지다 　　　답 appear, disappear

괄호 안에서 알맞은 것을 고르시오.

6-1

(Relevant / Irrelevant) documents were presented in court.

Guide ❶ [   ] 자료들이 법정에서 제출되었다.

❶ 관련

괄호 안에서 알맞은 것을 고르시오.

6-2

His age is completely (relevant / irrelevant) if he can do the job.

completely 완전히

7-1

Help is (available / unavailable) for people who have lost their job.

Guide 일자리를 잃은 사람들을 위한 도움을 ❶ [   ].

❶ 구할 수 있다

7-2

Clean water is (available / unavailable) in most poor countries.

poor 빈곤한

8-1

Silk is very (comfortable / uncomfortable) to wear.

Guide 실크는 입기에 아주 ❶ [   ].

❶ 편하다

8-2

The security issues of the messenger services make users (comfortable / uncomfortable).

security 보안

9-1

One (advantage / disadvantage) of this team is our flexibility.

Guide 이 팀에 한 가지 ❶ [   ] 이 있다면 바로 우리의 유연성이다.

❶ 장점

9-2

The (advantages / disadvantages) of city life include traffic and crowds.

include 포함하다
traffic 교통

10-1

Two faces (appeared / disappeared) at our window.

Guide 우리 유리창에 두 개의 얼굴이 ❶ [   ].

❶ 나타났다

10-2

The sun had (appeared / disappeared) behind a cloud.

behind ～ 뒤로

A

영어 또는 우리말 뜻 쓰기

1. dependent _____
2. available _____
3. patient _____
4. convenient _____
5. advantage _____
6. legal _____
7. accurate _____

8. 독립한, 독립적인 _____
9. 이용할[구할] 수 없는 _____
10. 참을성[인내심] 없는 _____
11. 불편한, 부자연스러운 _____
12. 단점, 약점, 불리한 점 _____
13. 불법적인, 위법인 _____
14. 부정확한, 틀린 _____

B

영영 풀이에 해당하는 낱말 쓰기

1. _____ : able to be used or can be bought or found

2. _____ : something good that helps you to be more successful

3. _____ : connected with what is happening or being talked about

4. _____ : to suddenly go somewhere and be impossible to see or find any longer

5. _____ : relaxed and free from any pain

suddenly 갑자기

impossible ❶ [_____]

relaxed 편안한

free (걱정·고통 등이) 없는

pain 통증, ❷ [_____]

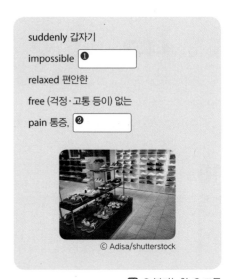

© Adisa/shutterstock

답 ❶ 불가능한 ❷ 고통

C

빈칸에 알맞은 표현 고르기

1. The university is making all of its 2,000 courses _____ online.

   ① reliable   ② bearable   ③ available

2. It is important to be financially _____ of your parents.

   ① independent   ② indefinite   ③ indispensable

3. What _____ would a robot have over a human teacher?

   ① addict   ② advantage   ③ adversity

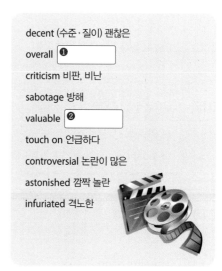

reliable 신뢰할 만한

bearable ❶ ☐

indefinite 무기한의

indispensable 없어서는 안 될, 필수적인

addict 중독자

adversity ❷ ☐

© Getty Images Bank

답 ❶ 견딜 만한 ❷ 역경

D

밑줄 친 부분과 의미가 같은 표현 고르기

1. Despite the drawbacks, the movie is pretty decent overall.

   ① criticism   ② disadvantages   ③ sabotage

2. The book is quite valuable for touching on so many related themes.

   ① relevant   ② regular   ③ controversial

3. I felt uneasy that it was my fault.

   ① astonished   ② infuriated   ③ uncomfortable

decent (수준·질이) 괜찮은

overall ❶ ☐

criticism 비판, 비난

sabotage 방해

valuable ❷ ☐

touch on 언급하다

controversial 논란이 많은

astonished 깜짝 놀란

infuriated 격노한

답 ❶ 전반적으로 ❷ 가치 있는

011 **adequate** [ǽdikwət]

☐☐☐ *a.* 적당한, 알맞은; 충분한

an **adequate** diet 충분한 식단

⟷ **inadequate** [inǽdikwət]

a. 부적당한, 불충분한

inadequate resources 불충분한 자원

---

012 **curable** [kjúərəbl]

☐☐☐ *a.* 치료할 수 있는

curable stage 치료할 수 있는 단계

⟷ **incurable** [inkjúərəbl]

a. 불치의, 고칠 수 없는

an **incurable** disease 불치병

---

013 **formal** [fɔ́ːrməl]

☐☐☐ *a.* 공식적인, 격식을 차린

a **formal** agreement 공식적인 합의

⟷ **informal** [infɔ́ːrməl]

a. 비공식적인, 격식에 얽매이지 않는

an **informal** discussions 비공식적인 협의

---

014 **valid** [vǽlid]

☐☐☐ *a.* 효력이 있는, (법적으로) 유효한

a **valid** credit card 유효한 신용카드

⟷ **invalid** [invǽlid]

a. 효력 없는, (법적으로) 무효한

an **invalid** document 무효 문서

---

015 **expensive** [ikspénsiv]

☐☐☐ *a.* 비싼

an **expensive** commodity 비싼 상품

⟷ **inexpensive** [ìnikspénsiv]

a. 비싸지 않은

relatively **inexpensive** houses 비교적 저렴한 저택들

---

016 **ability** [əbíləti]

☐☐☐ *n.* 능력, 힘

the **ability** to walk 보행 능력

⟷ **inability** [ìnəbíləti]

n. 할 수 없음, 무능

inability to read 읽을 수 없음

---

017 **active** [ǽktiv]

☐☐☐ *a.* 활동적인, 분주한

be politically **active** 정치적으로 활발하다

⟷ **inactive** [inǽktiv]

a. 비활동적인, 소극적인

lead an **inactive** life 비활동적인 생활을 하다

---

018 **equality** [ikwáləti]

☐☐☐ *n.* 평등

equality of opportunity 기회의 균등

⟷ **inequality** [ìnikwáləti]

n. 불평등

inequalities in wealth distribution 부의 분배 불평등

1. 우리말을 참고하여 네모 안에서 알맞은 낱말을 고르시오.

(1) They had never seen such ' formal / informal ' paintings before.

그들은 이전에 그렇게 '형식에 구애받지 않는' 그림을 본 적이 결코 없었다.

(2) According to cultural relativism, all of these systems are equally valid / invalid , and no system is better than another.

문화 상대주의에 따르면, 이 모든 체계는 똑같이 타당하며, 어떠한 체계도 다른 체계보다 우수하지 않다.

Words

such 그와 같은, 그런
cultural ❶ _____
relativism 상대주의
system 체계
equally ❷ _____ , 동등하게

❶ 문화의 ❷ 똑같이

1-1

우리말을 참고하여 밑줄 친 부분을 바르게 고쳐 쓰시오.

(1) Clothing doesn't have to be <u>inexpensive</u> to provide comfort during exercise.

운동하는 동안 편안함을 제공하기 위해 의류가 비쌀 필요는 없다.

(2) We have the <u>inability</u> to gauge depth and pursue our goals.

우리는 깊이를 측정하고 목표물들을 추적할 수 있는 능력을 갖추고 있다.

Words

provide 제공하다
comfort 편안함
gauge 측정하다
depth 깊이
pursue ~을 뒤쫓다, 추적하다

© lzf/shutterstock

1-2

다음 영영 풀이에 해당하는 낱말을 각각 쓰시오.

(1) _____ : the unfair situation in society when some people have more opportunities, money, etc. than other people

(2) _____ : relaxed and friendly without being restricted by rules of correct behavior

(3) _____ : (of a disease) able to be treated in such a way that it will go away and the person who had it can become well again

Words

unfair 부당한, 불공평한
opportunity 기회
relaxed 편안한
restrict 제한하다
treat 치료하다
go away 사라지다

© Getty Images Bank

019 **logic** [ládʒik]

☐
☐ *n.* 논리, 이론
☐ legal **logic** 법 논리

↔

illogic [illádʒik]

n. 불합리, 부조리, 비논리성
hypocrisy and **illogic** 위선과 부조리

---

020 **mature** [mətjúər]

☐
☐ *a.* 성숙한
☐ **mature** attitude 성숙한 태도

↔

immature [imətjúər]

a. 미성숙한, 미완성의
immature political vendetta 미성숙한 정치적 복수

---

021 **polite** [pəláit]

☐
☐ *a.* 예의 바른, 공손한 (*ad.* politely 예의 바르게)
☐ **polite** conversation 공손한 대화

↔

impolite [ìmpəláit]

a. 무례한, 불손한
an **impolite** attitude 무례한 태도

---

022 **practical** [præktikəl]

☐
☐ *a.* 실용적인, 현실적인
☐ the **practical** problems 현실적인 문제들

↔

impractical [impræktikəl]

a. 비실용적인, 비현실적인
impractical advice 비현실적인 조언

---

023 **proper** [prápər]

☐
☐ *a.* 적절한, 알맞은
☐ **proper** medical attention 적절한 의료 조치

↔

improper [imprápər]

a. 부적절한
improper diagnosis 오진

---

024 **rational** [ræʃənl]

☐
☐ *a.* 이성적인, 분별 있는 (*ad.* rationally 이성적으로)
☐ **rational** approach 이성적인 접근

↔

irrational [iræʃənl]

a. 비이성적인, 분별없는
irrational rages 비이성적인 분노

---

025 **regular** [régjulər]

☐
☐ *a.* 규칙적인, 순서[질서]가 잡힌
☐ **regular** meals 규칙적인 식사

↔

irregular [irégjulər]

a. 불규칙적인, 흐트러진
irregular heartbeats 부정맥

---

026 **responsible** [rispánsəbl]

☐
☐ *a.* 책임감 있는
☐ to be legally **responsible** 법적 책임이 있다

↔

irresponsible [ìrispánsəbl]

a. 책임감 없는
irresponsible decision-making 무책임한 의사 결정

2. 우리말을 참고하여 네모 안에서 알맞은 낱말을 고르시오.

(1) They weigh about 1.5 kg when | mature / immature |.

다 자랐을 때, 그들의 무게는 1.5kg가량 나간다.

(2) The natural river has a very | regular / irregular | form.

자연 발생적인 강은 매우 불규칙한 형태를 가지고 있다.

(3) Great ideas, like great wines, need | proper / improper | aging: time to bring out their full flavor and quality.

위대한 아이디어는 훌륭한 포도주와 같이 적절한 숙성, 즉 완벽한 풍미와 품질을 만드는 데 걸리는 시간이 필요하다.

Words

weigh 무게가 나가다
natural ❶
form 형태
aging ❷
bring out (색·성질을) 뚜렷이 나타내다
flavor 맛, 풍미
quality 품질

답 ❶ 자연의 ❷ 숙성

 2-1

우리말을 참고하여 밑줄 친 부분을 바르게 고쳐 쓰시오.

(1) Study participants viewed text chat as more impolite.

연구 참여자들은 문자 채팅을 더 예의 바른 것으로 여겼다.

(2) Because most of the plastic particles in the ocean are so small, there is no impractical way to clean up the ocean.

바닷속에 있는 대부분의 플라스틱 조각들은 매우 작기 때문에, 바다를 청소할 실질적인 방법은 없다.

(3) He was a responsible man dealing with a responsible kid.

그는 무책임한 아이를 다루는 책임감 있는 사람이었다.

Words

view A as B A를 B로 여기다
text chat 문자 채팅
particle (아주 작은) 조각
deal with ～을 다루다, 처리하다

 2-2

다음 영영 풀이에 해당하는 낱말을 각각 쓰시오.

(1) _____ : based on clear thinking and reason

(2) _____ : existing or happening repeatedly in a fixed pattern, with equal or similar amounts of space or time between one and the next

(3) _____ : having or showing the mental and emotional qualities of an adult

Words

reason 이성
exist 존재하다
happen 발생하다
repeatedly 반복적으로
pattern 패턴, 양식
mental 정신적인
emotional 감정적인

© Piyapong89/shutterstock

1 주 **2** 일 필수 체크 전략 ②

1 다음 글의 네모 안에서 문맥에 맞는 낱말을 고르시오.

Your body stores as much energy as you need: for thinking, for moving, for doing exercises. The more active / inactive you are today, the more energy you spend today and the more energy you will have to burn tomorrow. Exercising gives you more energy and keeps you from feeling exhausted.

Words

store 저장하다   energy 에너지   need 필요로 하다   do exercise 운동하다   spend 소비하다
burn 태우다; 소비하다   exhausted 기진맥진한

Tip

오늘 더 **❶** ⬚ 일수록 더 많은 에너지를 소비하게 되고, 그러면 내일 소비할 더 **❷** ⬚ 에너지를 갖게 될 것이라는 내용이다.

目 **❶** 활동적 **❷** 많은

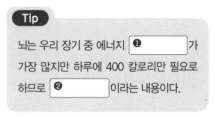

2 다음 글의 밑줄 친 부분 중, 문맥상 낱말의 쓰임이 적절하지 않은 것은?

Per unit of matter, the brain uses by far more energy than our other organs. That means that the brain is the most ① expensive of our organs. But it is also marvelously ② inefficient. Our brains ③ require only about four hundred calories of energy a day—about the same as we get from a blueberry muffin.

Words

per ~당   unit 단위   matter 물질   by far 훨씬   organ (인체 내의) 장기[기관]
marvelously 놀라울 만큼, 놀랍도록   inefficient 비효율적인 (↔ efficient)   require 필요로 하다
calory 칼로리

Tip

뇌는 우리 장기 중 에너지 **❶** ⬚ 가 가장 많지만 하루에 400 칼로리만 필요로 하므로 **❷** ⬚ 이라는 내용이다.

目 **❶** 소모 **❷** 효율적

© kotikoti/shutterstock

[3~4] 다음 글을 읽고, 물음에 답하시오.

From the beginning of human history, people have asked questions about the world and their place within it. For early societies, the answers to the most basic questions were found in religion. Some people, however, found the traditional religious explanations (A) adequate / inadequate , and they began to search for answers based on reason. This shift marked the birth of philosophy, and the first of the great thinkers that we know of was Thales of Miletus. He used reason to inquire into the nature of the universe, and encouraged others to do likewise. He passed on to his followers not only his answers but also the process of thinking (B) _____, together with an idea of what kind of explanations could be considered satisfactory.

Words

religion 종교
traditional 전통적인
explanation 설명
reason 이성
mark 보여 주다
philosophy 철학
inquire into ~을 조사하다
nature 본질
universe 우주
likewise 똑같이
pass on to ~에게 전하다
follower 추종자
satisfactory 만족스러운

3 윗글의 (A)의 네모 안에서 문맥에 맞는 낱말을 골라 쓰시오.

➡ _____

Tip

몇몇 사람들이 의문에 대한 전통적인 종교의 설명이 ❶ _____ 는 것을 깨닫고, ❷ _____ 에 근거하여 세상에 대한 답을 찾기 시작했다는 내용이다.

🔑 ❶ 충분하지 않다 ❷ 이성

4 다음 영영 풀이를 참고하여 윗글의 빈칸 (B)에 들어갈 알맞은 낱말을 〈보기〉에서 골라 쓰시오.

• 보기 •

politely　　impolitely
rationally　　irrationally

in a way that is based on reason and clear thought, rather than emotions

➡ _____

Tip

'감정보다는 ❶ _____ 과 명확한 ❷ _____ 에 기초한 방식으로'라는 의미의 단어를 생각해 본다.

🔑 ❶ 이성 ❷ 사고

1주 3일 필수 체크 전략 ①

027 realistic [rìːəlístik] ↔ **unrealistic** [ʌ̀nriːəlístik]

- *a.* 현실적인
- a **realistic** view 현실적인 관점

- *a.* 비현실적인
- **unrealistic** expectations 비현실적인 기대들

028 certain [sə́ːrtn] ↔ **uncertain** [ʌnsə́ːrtn]

- *a.* 확실한
- feel **certain** 확실하다고 생각하다

- *a.* 불확실한, 변하기 쉬운
- **uncertain** weather 변덕스러운 날씨

029 common [kámən] ↔ **uncommon** [ʌnkámən]

- *a.* 흔한
- a **common** spelling mistake 흔한 철자 오류

- *a.* 드문, 흔치 않은
- an **uncommon** occurrence 흔치 않은 일

030 complicated [kámpləkèitid] ↔ **uncomplicated** [ʌnkámpləkeitid]

- *a.* 복잡한
- a **complicated** voting system 복잡한 선거 제도

- *a.* 복잡하지 않은, 단순한
- an **uncomplicated** person 단순한 사람

031 conscious [kánʃəs] ↔ **unconscious** [ʌnkánʃəs]

- *a.* 의식하는, 의식이 있는 (*n.* consciousness 의식)
- become **conscious** 제정신이 들다

- *a.* 의식을 잃은, 무의식적인 (*n.* unconsciousness 무의식)
- **unconscious** desire 무의식적인 욕망

032 cover [kʌ́vər] ↔ **uncover** [ʌnkʌ́vər]

- *v.* 덮다, 숨기다
- **cover** a mistake 과오를 숨기다

- *v.* 덮개를 벗기다, 밝히다
- **uncover** a secret 비밀을 폭로하다

033 employment [implɔ́imənt] ↔ **unemployment** [ʌ̀nimplɔ́imənt]

- *n.* 고용
- **employment** opportunity 고용 기회

- *n.* 실업
- mass **unemployment** 대량 실업

034 fair [fɛər] ↔ **unfair** [ʌnfɛ́ər]

- *a.* 타당한, 공평한
- get a **fair** wage 적당한 임금을 받다

- *a.* 부당한, 불공평한
- **unfair** criticism 부당한 비난

필수 예제

3. 우리말을 참고하여 네모 안에서 알맞은 낱말을 고르시오.

(1) The news ecosystem has become so overcrowded and
보기 complicated / uncomplicated .

뉴스 생태계가 너무나 붐비고 복잡해졌다.

(2) Every human being is affected by conscious / unconscious
biases that lead us to make incorrect assumptions about
other people.

모든 인간은 다른 사람들에 대한 부정확한 추측을 하도록 이끄는 무의식적인
편견에 의해 영향을 받는다.

Words

ecosystem
overcrowded 너무 붐비는, 초만원인
affect 영향을 미치다
bias ❷
incorrect 부정확한
assumption 추측

❶ 생태계 ❷ 편견

확인 문제

3-1

우리말을 참고하여 밑줄 친 부분을 바르게 고쳐 쓰시오.

(1) People who lie get into trouble when someone threatens
to <u>cover</u> their lie.

거짓말을 하는 사람은 자신의 거짓말을 폭로하겠다고 누군가가 위협하면 곤경에
처하게 된다.

(2) Students will propose a variety of ideas for developing
<u>unemployment</u> opportunities for the youth within the
community.

학생들은 우리 지역에 있는 청년들을 위한 고용 기회를 만들어 내기 위한 다양한
의견을 제안할 것이다.

Words

get into trouble 곤경에 처하다
threaten 위협하다
propose 제안하다
a variety of 다양한
opportunity 기회
the youth 청년들
community 지역 공동체

확인 문제

3-2

다음 영영 풀이에 해당하는 낱말을 각각 쓰시오.

(1) _____ : not seen, happening, or experienced
often

(2) _____ : feeling doubt about something;
not sure

(3) _____ : accepting things as they are in
fact and not making decisions based on unlikely hopes
for the future

Words

doubt 의심
accept 받아들이다
decision 결정
based on ~에 근거한
unlikely 가망이 없는

© Ollyy/shutterstock

035 **familiar** [fəmíljər]

☐
☐
☐

a. 익숙한, ～을 아주 잘 아는

to taste **familiar** 익숙한 맛이 나다

⟷

unfamiliar [ʌnfəmíljər]

a. 익숙지 않은, 낯선

unfamiliar surroundings 익숙지 않은 환경

036 **fortunately** [fɔ́:rtʃənətli]

☐
☐
☐

ad. 다행히도

Fortunately, nobody was injured.

다행히도, 아무도 다치지 않았다.

⟷

unfortunately [ʌnfɔ́:rtʃənətli]

ad. 불행히도

Unfortunately, she didn't make it.

불행히도, 그녀는 성공하지 못했다.

037 **agree** [əgríː]

☐
☐
☐

v. 동의하다; 생각이 일치하다

to **agree** with an opinion

의견에 **동의하다**

⟷

disagree [dìsəgríː]

v. 동의하지 않다; 생각이 일치하지 않다

to **disagree** with a subject

어떤 주제에 관해 **생각이 일치하지 않다**

038 **order** [ɔ́:rdər]

☐
☐
☐

n. 질서

law and **order** 법과 질서

⟷

disorder [disɔ́:rdər]

n. 무질서, 혼란

fall into **disorder** 혼란에 빠지다

039 **regard** [rigá:rd]

☐
☐
☐

v. (～을 …로) 여기다 *n.* 관심, 고려

regard someone as a good person

누군가를 좋은 사람으로 **여기다**

⟷

disregard [dìsrigá:rd]

v. 무시하다 *n.* 무시, 묵살

disregard someone's advice

누군가의 충고를 **무시하다**

040 **connection** [kənékʃən]

☐
☐
☐

n. 연결, 접속, 연관성

Internet **connection** 인터넷 연결

⟷

disconnection [dìskənékʃən]

n. 단절, 연락 없음, 분리

disconnection of service 서비스 중단

041 **approve** [əprúːv]

☐
☐
☐

v. 승인하다, 찬성하다

to **approve** a proposal 제안에 **승인하다**

⟷

disapprove [dìsəprúːv]

v. 승인[찬성]하지 않다, 반대하다

to **disapprove** of using animals in tests

동물을 실험에 이용하는 것에 **반대하다**

042 **satisfaction** [sæ̀tisfǽkʃən]

☐
☐
☐

n. 만족

job **satisfaction** 직업 만족도

⟷

dissatisfaction [dìssæ̀tisfǽkʃən]

n. 불만족

dissatisfaction with the service 서비스 불만족

필수 예제

4. 우리말을 참고하여 네모 안에서 알맞은 낱말을 고르시오.

(1) They each provided help to a(n) | familiar / unfamiliar | and unrelated individual.

그들 각각이 낯설고 무관한 개체에게 도움을 제공했다.

(2) | Fortunately / Unfortunately |, a car accident injury forced her to end her career after only eighteen months.

불행하게도, 자동차 사고 부상으로 그녀는 겨우 18개월 후에 일을 그만둬야 했다.

(3) Some people | agree / disagree | with the idea of exposing three-year-olds to computers.

몇몇 사람들은 세 살 아이를 컴퓨터에 노출시키는 것에 대해 동의하지 않는다.

Words

provide 제공하다
unrelated ❶
individual 개체
injury ❷
force (어쩔 수 없이) ~하게 만들다
expose 노출시키다

📖 ❶ 무관한 ❷ 부상

© Umberto Shtanzman/shutterstock

 확인 문제

4-1

우리말을 참고하여 밑줄 친 부분을 바르게 고쳐 쓰시오.

(1) Doctors saw the <u>disconnection</u> between poor living conditions, overcrowding, sanitation, and disease.

의사들은 열악한 주거 환경, 인구 과밀, 위생과 질병의 연관성을 알게 되었다.

(2) A patient whose heart has stopped can no longer be <u>disregarded</u> as dead.

심장이 멎은 환자는 더 이상 사망한 것으로 간주될 수 없다.

(3) Her family did not <u>disapprove</u> when she decided to become an artist.

그녀가 화가가 되려고 결심했을 때 그녀의 가족은 찬성하지 않았다.

Words

poor 좋지 못한, 열악한
living condition 주거 환경
overcrowding (인구) 과밀, 초만원
sanitation 위생
disease 질병
patient 환자
no longer 더 이상 ~ 않다
decide 결심하다

© Golubovy/shutterstock

확인 문제

4-2

다음 영영 풀이에 해당하는 낱말을 각각 쓰시오.

(1) _____ : a state of untidiness or lack of organization

(2) _____ : to ignore something

(3) _____ : the state of being related to someone or something else

Words

state 상태
untidiness 지저분함, 단정치 못함
organization 조직, 구성; 체계성
ignore 무시하다
relate 관련시키다

1 다음 글의 네모 안에서 문맥에 맞는 낱말을 고르시오.

> You use explicit memory every day on a | conscious / unconscious | level. Trying to find the keys, trying to remember when an event is supposed to take place, where it's going to be held, and with whom you are going. Explicit memories are the tasks you have written down on your calendar or planner.

Words

explicit memory 외재적 기억   be supposed to do ~하기로 되어 있다   take place 일어나다
task 과업   write down ~을 적어 두다   planner 일정표, 플래너

2 다음 글의 밑줄 친 부분 중, 문맥상 낱말의 쓰임이 적절하지 <u>않은</u> 것은?

> A new study published in *Science* reveals that people generally ① <u>disapprove</u> of driverless, or autonomous, cars programmed to ② <u>sacrifice</u> their passengers in order to save pedestrians, but these same people are not enthusiastic about riding in such autonomous vehicles(AVs) themselves. The ③ <u>inconsistency</u> illustrates an ethical tention between the good of individual and that of the public.

Words

publish 게재하다   reveal 드러내다   driverless 운전자 없는   autonomous 자율적인
sacrifice 희생하다   passenger 탑승자   save 구하다, 지키다   pedestrian 보행자
enthusiastic 열광적인   vehicle 차량, 탈것   inconsistency 불일치   ethical 윤리적인

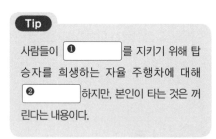

© Getty Images Bank

[3~4] 다음 글을 읽고, 물음에 답하시오.

Do you have a tendency to focus more on what you don't have than on what you do? (A) Fortunately / Unfortunately , many people tend to focus on what they don't have, when in reality they are sitting on a pile of blessings! (B) Realistic / Unrealistic expectations and comparisons to others lead to jealousy. Being envious of what others have only serves to make you unhappy with what you personally have. It's hard to be grateful when all you can think about is what you don't have or think you should get. Oftentimes frustration and (C)_____ are actually the result of unrealistic expectations on our part. We think our situation should be this way or that way, or at least different from the way it is. Gratitude is not about expectations, but about being thankful for our situation no matter what our expectations may be.

© Alexey Laputin/shutterstock

3 윗글의 (A), (B)의 네모 안에서 문맥에 맞는 낱말을 골라 쓰시오.

(A) _____　(B) _____

Tip

❶ _____ , 많은 이들이 그들에게 없는 것에 더 집중하고, ❷ _____ 기대와 다른 사람들과의 비교로 스스로를 불행하게 만든다는 내용이다.

답 ❶ 불행히도 ❷ 비현실적인

4 다음 영영 풀이를 참고하여 윗글의 빈칸 (C)에 들어갈 알맞은 낱말을 〈보기〉에서 골라 쓰시오.

┌─ 보기 ─
connection　　disconnection
satisfaction　　dissatisfaction

a feeling of not being satisfied

➡ _____

Tip

'❶ _____ 하지 못하는 ❷ _____ '
이라는 의미의 단어를 생각해 본다.

답 ❶ 만족 ❷ 감정

대표 예제 ❶

다음 문장의 네모 안에서 문맥에 맞는 낱말을 고르시오.

> Credibility comes from proper / improper delivery.

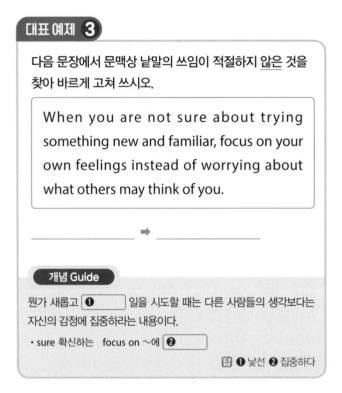

© tmcphotos/shutterstock

개념 Guide

'신뢰성은 ❶□□□ 전달에서 온다.'라는 의미의 문장이다.

· credibility ❷□□□ delivery 전달

답 ❶ 적절한 ❷ 신뢰성

대표 예제 ❷

다음 영영 풀이에 해당하는 낱말로 가장 적절한 것은?

> feeling doubt about something; not sure

① unfair   ② uncertain

③ uncommon   ④ uncover

⑤ unfamiliar

개념 Guide

'무언가에 대해 ❶□□□을 느끼는; 확실하지 않은'의 의미를 가진 단어는 ❷□□□이다.

답 ❶ 의심 ❷ uncertain

대표 예제 ❸

다음 문장에서 문맥상 낱말의 쓰임이 적절하지 않은 것을 찾아 바르게 고쳐 쓰시오.

> When you are not sure about trying something new and familiar, focus on your own feelings instead of worrying about what others may think of you.

_____ ➡ _____

개념 Guide

뭔가 새롭고 ❶□□□ 일을 시도할 때는 다른 사람들의 생각보다는 자신의 감정에 집중하라는 내용이다.

· sure 확신하는   focus on ~에 ❷□□□

답 ❶ 낯선 ❷ 집중하다

대표 예제 ❹

다음 문장의 빈칸에 알맞은 것은?

> Make sure you are ready to take advantage of any chances _____ to you.

① formal   ② informal

③ available   ④ unavailable

⑤ impolite

개념 Guide

자신이 ❶□□□ 어떤 기회라도 이용할 준비를 분명히 하라는 내용이다.

· take advantage of ❷□□□

답 ❶ 이용할 수 있는 ❷ ~을 이용하다

대표 예제 5

다음 영영 풀이를 참고하여 빈칸에 알맞은 것을 고르면?

Since life is _____ as a purposeful journey, we think of it as having departures, paths, and destinations.

(= to think about someone or something in a particular way)

① covered   ② uncovered

③ regarded   ④ disregarded

⑤ disapproved

개념 Guide

'어떤 사람이나 사물을 특정한 방식으로 **❶** '의 의미를 가진 단어는 **❷** 이다.

• purposeful 목적의식이 있는

답 ❶ 생각하다 **❷** regard

대표 예제 6

다음 밑줄 친 부분과 바꾸어 쓸 수 있는 것은?

Today I had two exams, and <u>unfortunately</u>, physics was first.

① unhappily   ② interestingly

③ obviously   ④ fortunately

⑤ incidentally

© antoniodiaz/shutterstock

개념 Guide

밑줄 친 unfortunately는 '**❶** '라는 의미로 이와 바꾸어 쓸 수 있는 단어는 **❷** 이다.

• physics 물리학

답 ❶ 불행히도 **❷** unhappily

대표 예제 7

다음 글을 읽고, 물음에 답하시오.

© Mitzo/shutterstock

What makes the Medina of Fez more ① special is the world's largest and most ② uncomplicated labyrinth. Nearly 9,000 narrow alleys are ③ entangled in one another without any pattern or logic, and sometimes you may reach a dead end.

*labyrinth: 미로

(1) 윗글의 밑줄 친 부분 중, 문맥상 낱말의 쓰임이 적절하지 않은 것은?

➡ _____

개념 Guide

세계에서 가장 크고 **❶** 미로라는 점에서 페즈의 메디나가 **❷** 하다는 내용이다.

답 ❶ 복잡한 **❷** 특별

(2) 다음 영영 풀이에 해당하는 낱말을 윗글에서 찾아 쓰시오.

a particular way of thinking, especially one that is reasonable and based on good judgment

➡ _____

개념 Guide

'특히 **❶** 이고 올바른 판단에 기초한 특정한 사고방식'이라는 의미를 가진 단어는 **❷** 이다.

답 ❶ 합리적 **❷** logic

대표 예제 **8**

다음 밑줄 친 부분과 바꾸어 쓸 수 없는 것은?

> Who can imagine Beethoven without his ability to play the piano?

① inability   ② capacity   ③ capability

④ aptitude   ⑤ strength

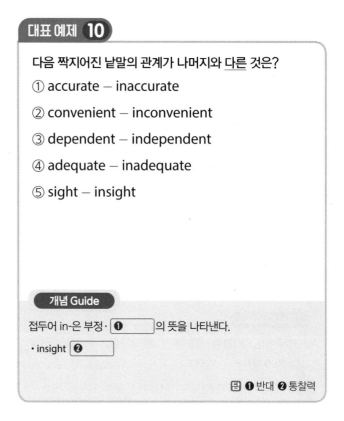

개념 Guide

ability는 ❶ [   ]이라는 의미이므로, 이와 ❷ [   ] 의미의 단어를 고른다.

답 ❶ 능력 ❷ 반대

대표 예제 **10**

다음 짝지어진 낱말의 관계가 나머지와 다른 것은?

① accurate − inaccurate

② convenient − inconvenient

③ dependent − independent

④ adequate − inadequate

⑤ sight − insight

개념 Guide

접두어 in-은 부정·❶ [   ]의 뜻을 나타낸다.

• insight ❷ [   ]

답 ❶ 반대 ❷ 통찰력

대표 예제 **9**

다음 중 낱말의 영영 풀이가 알맞지 않은 것은?

① available: able to be used or can be bought or found

② legal: connected with the law

③ comfortable: relaxed and free from pain

④ practical: not sensible or realistic

⑤ connection: the state of being related to someone or something else

개념 Guide

• law 법 sensible ❶ [   ] state ❷ [   ] .

답 ❶ 합리적인 ❷ 상태

대표 예제 **11**

다음 문장의 빈칸에 알맞은 말을 〈보기〉에서 골라 쓰시오.

> **보기**
> curable   incurable   valid   invalid

(1) Your return ticket is _____ for three months.

(2) Most skin cancers are completely _____, but some can be fatal.

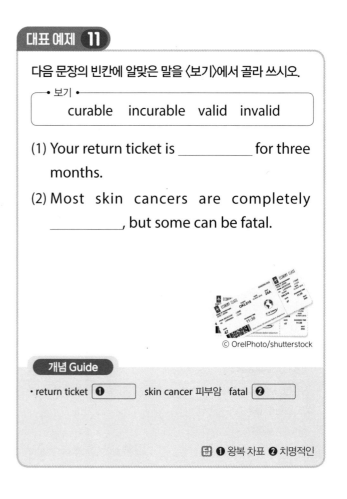

© OrelPhoto/shutterstock

개념 Guide

• return ticket ❶ [   ] skin cancer 피부암 fatal ❷ [   ]

답 ❶ 왕복 차표 ❷ 치명적인

대표 예제 12

다음 글의 밑줄 친 부분 중 문맥상 낱말의 쓰임이 적절하지 않은 것을 골라 바르게 고쳐 쓰시오.

ICT makes our lives simple and ① inconvenient. With your smartphone, you can control the temperature and light of your home ② remotely. Using apps, you can find out where your bus is and when it will arrive. There are many other areas where ICT is ③ increasingly being used such as education and health. Agriculture is no ④ exception. Smart farming, which uses ICT in agriculture, ⑤ includes things like drones, robots, and big data. It is revolutionizing how farmers do their jobs.

_____ , _____ ➡ _____

ⓒ Getty Images Bank

개념 Guide

ICT가 우리 생활을 간단하고 ❶ ____ 해 주고 있고 ❷ ____ 에도 사용되어 혁신을 일으키고 있다는 내용이다.

답 ❶ 편리하게 ❷ 농업

대표 예제 13

다음 글의 (A), (B)의 각 네모 안에서 문맥에 알맞은 말을 골라 쓰시오.

During lunch break, we discussed whom to thank. Jiwon said, "What about holding an event for the crossing guard?" Yeri said, "I recommend the repair person who usually fixes all the appliances in our school." I added, "I want to express gratitude to the food service workers. They're in charge of cooking and serving our lunch every day. There are about 700 students in our school and I don't think it's easy to prepare such a large amount of food."

Some students wanted to hold an event for every hidden hero, but that was (A) [realistic / unrealistic]. We decided to narrow down the candidates. We argued for a while and everyone (B) [agreed / disagreed] to accept the majority decision. Almost all of my classmates chose the food service workers!

(A) _____

(B) _____

개념 Guide

학급 행사에서 감사하고 싶은 분들에 대해 의논하다가 모든 숨은 영웅들을 위한 행사는 ❶ ____ 이라고 생각해서 모두가 다수결에 따르기로 ❷ ____ 했다는 내용이다.

답 ❶ 비현실적 ❷ 동의

01 다음 글의 네모 안에서 문맥에 맞는 낱말을 고르시오.

> *Gyeongcheonsa sipcheung seoktap* is well-known for its elaborate decorations, splendid shape, and unique structure. The pagoda was originally built in 1348 during the Goryeo Dynasty, but it was disassembled and legally / illegally transported to Japan by a Japanese court official. It was returned to Korea in 1918.

Tip

석탑이 일본 공무원에 의해 분해되어 **❶** 으로 일본으로 옮겨졌다가 한국에 **❷** 는 내용이다.

🔑 ❶ 불법적 ❷ 돌아왔다

02 다음 글의 네모 안에서 문맥에 맞는 낱말을 고르시오.

© Getty Images Bank

> The cookware, tagine, consists of two parts: a circular base unit and a large cone-shaped cover. The cover allows steam to circulate during cooking, which keeps the food moist. This cooking method is very practical / impractical in areas where water supplies are limited.

Tip

'타진'이라는 조리 기구는 요리하는 동안 증기를 순환시켜 음식의 **❶** 을 유지시켜 주므로 물 공급이 제한적인 지역에서 **❷** 이라는 내용이다.

🔑 ❶ 수분 ❷ 실용적

Words

elaborate 정교한 decoration 장식 splendid 화려한 unique 독특한
structure 구조 pagoda (아시아 국가 사찰의) 탑 disassemble 분해하다
transport 운송하다, 옮기다 court 법원 official 공무원

Words

cookware 조리 기구 consist of ~로 이루어져 있다 circular 둥근
cone-shaped 원뿔 모양의 steam 증기 circulate 순환시키다 moist 수분
method 방법, 방식 supply 공급 limited 제한적인

[03~04] 다음 글을 읽고, 물음에 답하시오.

In Gutenberg's world, two devices were in (A) _____ use: the wine press and the coin punch. The first one pressed grapes to make wine, and the other made images on coins. One day, Gutenberg playfully asked himself: "What if I took a bunch of these coin punches and put them under the wine press so that they left images on paper?" In the end, his idea of linking the two devices led to the birth of the modern printing press. This changed history forever.

Gutenberg did not pull his idea out of thin air. He knew about the two devices of his era. He knew how they worked and what they could do. In other words, the roots of the invention were already there. What Gutenberg did was view the two devices in a new way and combine them. In this way, Gutenberg exemplifies what the modern inventor Steve Jobs noted, "Creativity is just (B) | connecting / disconnecting | things."

© Jan Schneckenhaus/shutterstock

Words

device 장치, 기구 wine press 포도주 압착기 coin punch 주화 제조기 press 압착하다, 눌러 으깨다 playfully 재미 삼아 a bunch of 한 묶음의 in the end 결국 lead to ~로 이어지다, 이끌다 modern 현대의 printing press 인쇄기 out of thin air 갑자기 era 시대 invention 발명 combine 결합시키다 exemplify ~을 실증하다 creativity 창의성

03 다음 영영 풀이를 참고하여 윗글의 빈칸 (A)에 들어갈 알맞은 낱말을 쓰시오.

found frequently in many places or among many people

➡ _____

Tip

'많은 장소 혹은 많은 사람들 사이에서 ❶_____ 발견되는'의 의미를 가진 단어는 ❷_____이다.

📖 ❶ 자주 ❷ common

04 윗글의 (B)의 네모 안에서 문맥상 알맞은 말을 골라 쓰시오.

➡ _____

Tip

Gutenberg가 재미 삼아 포도주 압착기와 주화 제조기를 ❶_____하여 현대 인쇄기를 발명한 것처럼 창의성은 사물들을 ❷_____하는 것이라는 내용이다.

📖 ❶ 결합 ❷ 연결

누구나 합격 전략

01 다음 빈칸에 알맞은 말을 〈보기〉에서 골라 쓰시오.

━━━ • 보기 • ━━━
fair   unconscious   unrealistic

(1) Our goal of keeping ourselves alive is served by our automatic, _____ habits.

(2) Some parents have totally _____ expectations of teachers.

02 우리말을 참고하여 괄호 안에서 알맞은 말을 고르시오.

(1) This time I was (certain / uncertain): Something was moving in the tunnels.

이번에는 확신했다. 뭔가가 터널 속에서 움직이고 있었다.

(2) Technological development often forces change, and change is (comfortable / uncomfortable).

과학 기술의 발전은 흔히 변화를 강요하는데, 변화는 불편하다.

03 다음 우리말과 의미가 같도록 주어진 철자로 시작하는 낱말을 쓰시오.

(1) Having heard the judge's solution, the farmer a_____.

재판관의 해결책을 듣고, 농부는 동의했다.

(2) A_____ only for a limited period of time!

한정된 기간 동안만 유효합니다!

04 다음 영영 풀이에 알맞은 낱말을 주어진 철자로 시작하여 쓰시오.

(1) a_____ : correct, exact, and without any mistakes

(2) a_____ : to have a positive opinion of someone or something

Words

01 automatic 자동적인 habit 습관 totally 완전히 expectation 기대
02 tunnel 터널 technological 과학 기술의 development 발전 force 강요하다 change 변화

03 judge 재판관, 판사 solution 해결책 limited 한정된 period 기간
04 correct 올바른 exact 정확한 mistake 실수 positive 긍정적인 opinion 의견

05 (A), (B), (C)의 각 네모 안에서 문맥에 맞는 낱말로 가장 적절한 것은?

Say you normally go to a park to walk or work out. Maybe today you should choose a different park. Why? Well, who knows? Maybe it's because you need the (A) connection / disconnection to the different energy in the other park. Maybe you'll run into people there that you've never met before. You could make a new best friend simply by visiting a (B) same / different park. You never know what great things will happen to you until you step outside the zone where you feel (C) comfortable / uncomfortable . If you're staying in your comfort zone and you're not pushing yourself past that same old energy, then you're not going to move forward on your path.

© Werayuth Tes/shutterstock

	(A)	(B)	(C)
①	connection	same	comfortable
②	disconnection	same	uncomfortable
③	connection	same	uncomfortable
④	disconnection	different	uncomfortable
⑤	connection	different	comfortable

06 다음 글의 밑줄 친 부분 중, 문맥상 낱말의 쓰임이 적절하지 <u>않은</u> 것은?

When meeting someone in person, body language experts say that smiling can portray ① <u>confidence</u> and warmth. Online, however, smiley faces could be doing some serious damage to your career. In a new study, researchers found that using smiley faces makes you look ② <u>incompetent</u>. The study says, "contrary to actual smiles, smileys do not ③ <u>increase</u> perceptions of warmth and actually decrease perceptions of competence." The report also explains, "Perceptions of low competence, in turn, ④ <u>lessened</u> information sharing." Chances are, if you are including a smiley face in an email for work, the last thing you want is for your co-workers to think that you are so ⑤ <u>adequate</u> that they chose not to share information with you.

© flower travelin man/
shutterstock

Words

06 in person 직접   expert 전문가   portray 나타내다, 묘사하다
confidence 자신감   warmth 따뜻함, 친밀감   smiley face 웃는 이모티콘
do damage to ~에 손상을 입히다   career 경력   researcher 연구자
contrary to ~에 반해서   perception 인식   competence 능력
in turn 차례차례, 결국   lessen 줄이다   chances are 아마 ~일 것이다

Words

05 normally 보통   work out 운동하다   run into 우연히 만나다
simply 단순히, 그저   zone 지역, 지대   past ~을 지나서   path 길, 진로

창의·융합·코딩 전략 ①

A 접두어와 낱말을 바르게 연결하여 반의어를 만드시오.

1. dis-

2. un-

3. im-

4. in-

ⓐ agree

ⓑ dependent

ⓒ patient

ⓓ convenient

ⓔ conscious

ⓕ expensive

B 위에서 만든 반의어 중 알맞은 것을 골라 문장을 완성하시오.

1. Koalas rest sixteen to eighteen hours a day and spend most of that [   ].

2. Few would choose to walk up stairs in [   ] and unsafe stairwells in modern buildings.

3. Different groups of experts can [   ] significantly about what is "best practice."

4. After some time, his opponent became [   ] and charged.

5. Near the surface, it is quite possible for an amateur photographer to take great shots with an [   ] underwater camera.

6. The structure of language is [   ] of its environment.

C 영영 풀이를 참고하여 퍼즐을 완성하시오.

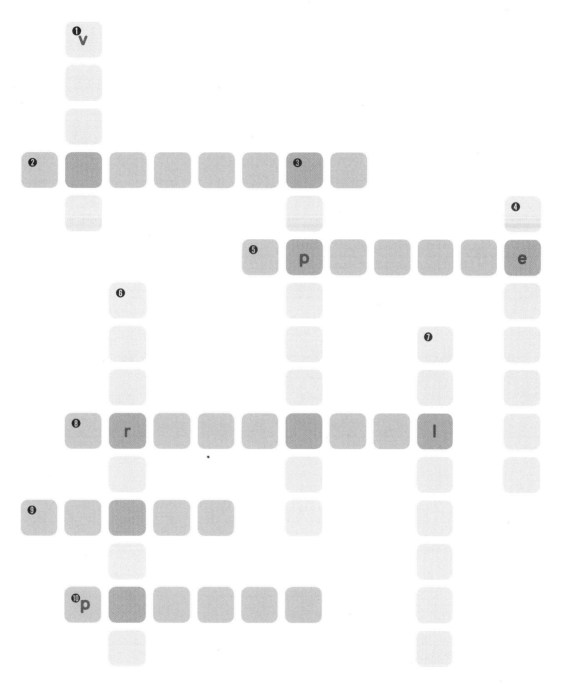

Across ▶

❷ a state of untidiness or lack of organization

❺ to have a positive opinion of someone or something

❽ relating to experience, real situations, or actions rather than ideas or imagination

❾ connected with the law

❿ right, suitable, or correct

Down ▼

❶ legally or officially acceptable

❸ costing a lot of money

❹ existing or happening repeatedly in a fixed pattern

❻ to ignore something

❼ connected with what is happening or being discussed

D 우리말을 참고하여 철자의 순서를 바르게 배열하시오.

1. _____ : 불법적인

    e l a
    g l l i

2. _____ : 참을성 없는

    m t t i n
    p i a e

3. _____ : 이용할 수 있는

    b e a i a
    l v l a

4. _____ : 관계가 없는

    l n a r e
    v e t r i

5. _____ : 효력 없는

    i l v
    n i d a

6. _____ : 이성적인

    o a i t
    n r a l

E 위 낱말 중 알맞은 것을 골라 문장을 완성하시오.

1. I'm afraid your driving licence is _____ in Europe.

2. She can be a bit _____ with the slow learners.

3. Whether any action you take is moral or immoral is largely _____.

4. Theft is not just morally wrong but also _____.

F 각 사람이 하는 말과 일치하도록 알맞은 카드를 골라 문장을 완성하시오.

1. 그는 그 일에 부적합해.

   ➡ He's [   ] for the job.

2. 다른 사람이 말하고 있을 때 말허리를 꺾는 것은 무례해.

   ➡ It's [   ] to interrupt when someone else is speaking.

3. 옷을 비슷하게 입은 커플들을 보는 것은 꽤 흔해.

   ➡ It's quite [   ] to see couples who dress alike.

4. 다른 사람의 불운을 이용하는 것은 부당해.

   ➡ It's [   ] to take advantage of other people's misfortunes.

fair	unfair	common	uncommon
polite	impolite	mature	immature
adequate	inadequate	equality	inequality

형태가 다른 반의어

그림을 보고, **단어의 의미**를 추측해 보세요.

❶ 금지하다 ❷ 허락하다

❸ 마음의, 정신의 ❹ 신체의, 육체의

강아지가 말을 잘 들을 때 ❺compliment해야 해.

신발을 망가뜨려서 강아지를 ❻blame했어.

❺ 칭찬하다 ❻ 비난하다

나는 억울하게 ❼arrest 됐었어.

나는 무죄가 밝혀져서 ❽release 됐었어.

© Vectorium/shutterstock

❼ 체포하다 ❽ 풀어주다, 석방하다

2주 1일 개념 돌파 전략 ①

001 □□□

allow [əláu]	*v.* 허용하다, [❶⬚⬚⬚⬚⬚⬚]; 가능하게 하다
forbid [fərbíd]	*v.* [❷⬚⬚⬚⬚⬚⬚]; 어렵게 하다

Quiz

시험 보는 동안 말하는 것은 **허용되지** 않는다.
You're not _____ed to talk during the exam.

흡연을 **금하다**
_____ smoking

답 ❶ 허락하다 ❷ 금지하다   답 allow, forbid

002 □□□

expand [ikspǽnd]	*v.* 확대[팽창]하다; ~을 [❶⬚⬚⬚⬚⬚⬚]
shrink [ʃriŋk]	*v.* [❷⬚⬚⬚⬚⬚⬚], 수축하다

Quiz

물은 얼면서 **팽창한다**.
Water _____s as it freezes.

금속은 차가워지면 **수축한다**.
Metal _____s as it cools.

답 ❶ 확장하다 ❷ 축소되다   답 expand, shrink

003 □□□

improve [imprú:v]	*v.* 향상되다, [❶⬚⬚⬚⬚⬚⬚]
decline [dikláin]	*v.* [❷⬚⬚⬚⬚⬚⬚], 저하하다 *n.* 쇠퇴

Quiz

많은 포도주들이 시간이 지날수록 **향상된다**.
Many wines _____ with age.

실업률이 **줄어들었다**.
Unemployment _____d.

답 ❶ 개선하다 ❷ 쇠퇴하다   답 improve, decline

004 □□□

admit [ædmít]	*v.* ~을 인정하다, [❶⬚⬚⬚⬚⬚⬚]
deny [dinái]	*v.* [❷⬚⬚⬚⬚⬚⬚], 부정하다

Quiz

그는 자신이 실수했다는 것을 **인정할** 것이다.
He will _____ that he had made a mistake.

그 남자들은 절도죄를 **부인할** 것이다.
The men will _____ charges of theft.

답 ❶ ~을 시인하다 ❷ 부인하다   답 admit, deny

005 □□□

gather [gǽðər]	*v.* 모으다, [❶⬚⬚⬚⬚⬚⬚]
scatter [skǽtər]	*v.* [❷⬚⬚⬚⬚⬚⬚], 흩뿌리다

Quiz

모두 **모이세요**.
_____ round, everyone.

그 꽃들은 땅에 떨어져서 **흩어졌다**.
The flowers fell and _____ed on the ground.

답 ❶ 모이다 ❷ 흩어지다   답 Gather, scatter

괄호 안에서 알맞은 것을 고르시오.

1-1

Passengers are (allowed / forbidden) one item of hand luggage each.

Guide 승객들에게는 각자 한 개씩의 수하물이 **❶** .

❶ 허용된다

괄호 안에서 알맞은 것을 고르시오.

1-2

He was (allowed / forbidden) to leave the house, as a punishment.

punishment 벌, 처벌

2-1

Sydney's population (expanded / shrunk) rapidly in the 1960s.

Guide 시드니의 인구는 1960년대에 급격히 **❶** .

❶ 팽창했다

2-2

The firm's staff had (expanded / shrunk) to only three people.

firm 회사
staff 직원

3-1

Changes will be made if the situation doesn't (improve / decline).

Guide 만일 상황이 **❶** 않는다면, 변경 사항이 있을 것이다.

❶ 개선되지

3-2

His influence has begun to (improve / decline) now that he is old.

influence 영향력

4-1

He openly (admits / denies) to having an alcohol problem.

Guide 그는 음주 문제가 있다는 것을 솔직하게 **❶** .

❶ 인정한다

4-2

The chairman (admitted / denied) any involvement in the corruption case.

chairman 회장, 총수
involvement 관련, 연루
corruption 부패, 비리

5-1

A crowd (gathered / scattered) to watch the fight.

Guide 그 싸움을 구경하기 위해 군중이 **❶** .

❶ 모였다

5-2

Toss the salad and (gather / scatter) the nuts on top.

toss 버무리다
nut 견과

006 ☐☐☐

| **follow**
[fálou] | *v.* 따르다, **❶** ▢ | **Quiz**
이 조언은 **따르기**가 쉽지 않다.
This advice is not easy to _____. |
| **ignore**
[ignɔ́ːr] | *v.* **❷** ▢ , 묵살하다 | 증거를 **무시하다**
_____ evidence |

답 ❶ 추종하다 ❷ 무시하다   답 follow, ignore

007 ☐☐☐

| **reveal**
[rivíːl] | *v.* 드러내다, **❶** ▢ | **Quiz**
비밀을 **밝히다**
_____ a secret |
| **conceal**
[kənsíːl] | *v.* **❷** ▢ , 숨기다 | 그 길은 긴 풀로 **감춰졌다**.
The road was _____ed by long grass. |

답 ❶ 밝히다 ❷ 감추다   답 reveal, conceal

008 ☐☐☐

| **continue**
[kəntínju:] | *v.* 계속하다, **❶** ▢ | **Quiz**
좋은 날씨가 **계속될** 것으로 보인다.
The good weather seems likely to _____. |
| **cease**
[si:s] | *v.* **❷** ▢ , 그치다, 중지하다 | 표 판매가 갑자기 **중지되었다**.
Ticket sales _____d abruptly. |

답 ❶ 계속되다 ❷ 그만두다   답 continue, cease

009 ☐☐☐

| **optional**
[ápʃənl] | *a.* 임의의, **❶** ▢ | **Quiz**
선택 과목
an _____ subject |
| **obligatory**
[əblígətɔ̀ːri] | *a.* **❷** ▢ ; 필수의 | 이브닝드레스가 일반적이지만 **의무**는 아니다.
Evening dress is usual, but not _____. |

답 ❶ 선택의 ❷ 의무적인   답 optional, obligatory

010 ☐☐☐

| **promote**
[prəmóut] | *v.* ~을 조장하다, **❶** ▢ | **Quiz**
비료는 잎이 자라도록 **촉진한다**.
Fertilizer _____s leaf growth. |
| **prevent**
[privént] | *v.* **❷** ▢ , 방지하다 | 자연 재해를 **막다**
_____ natural disasters |

답 ❶ 촉진하다 ❷ ~을 막다   답 promote, prevent

괄호 안에서 알맞은 것을 고르시오.

6-1

(Follow / Ignore) the instructions very carefully when filling in the form.

Guide 양식을 작성할 때 주의 사항을 잘 ❶ [   ].

❶ 따르세요

괄호 안에서 알맞은 것을 고르시오.

6-2

He rudely (followed / ignored) the question.

rudely 무례하게

7-1

The report (revealed / concealed) that workers had been exposed to high levels of radiation.

Guide 그 보도는 직원들이 고농도의 방사선에 노출되었다는 것을 ❶ [   ].

❶ 밝혀냈다

7-2

The company reportedly (revealed / concealed) that information from investors.

reportedly 보도에 따르면
investor 투자자

8-1

The world's population (continues / ceases) to grow.

Guide 세계 인구는 ❶ [   ] 증가한다.

❶ 계속해서

8-2

The rain (continued / ceased) and the sky cleared.

clear (날씨·하늘이) 개다

9-1

Leather seats are an (optional / obligatory) extra.

Guide 가죽 시트는 ❶ [   ] 사양입니다.

❶ 선택

9-2

This action movie includes the (optional / obligatory) chase scenes.

include 포함하다
chase 추격, 추적

10-1

It is quite obvious that exercise (promotes / prevents) good health.

Guide 운동이 건강을 ❶ [   ]는 것은 꽤 명백하다.

❶ 촉진한다

10-2

They fly a kite to (promote / prevent) misfortune.

misfortune 불운, 액운

개념 돌파 전략 ②

A

영어 또는 우리말 뜻 쓰기

1. reveal _____
2. gather _____
3. improve _____
4. follow _____
5. expand _____
6. admit _____
7. allow _____

8. 감추다, 숨기다 _____
9. 흩어지다, 흩뿌리다 _____
10. 쇠퇴하다, 저하하다; 쇠퇴 _____
11. 무시하다, 묵살하다 _____
12. 축소되다, 수축하다 _____
13. 부인하다, 부정하다 _____
14. 금지하다; 어렵게 하다 _____

B

영영 풀이에 해당하는 낱말 쓰기

1. _____ : to pay no attention to something that you have been told

2. _____ : no longer continue

3. _____ : involving an option; not compulsory

4. _____ : to become smaller

5. _____ : to (cause to) move far apart in different directions

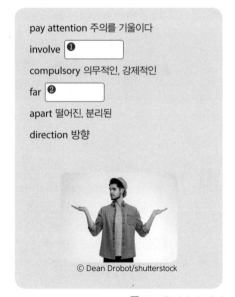

pay attention 주의를 기울이다

involve ❶ [   ]

compulsory 의무적인, 강제적인

far ❷ [   ]

apart 떨어진, 분리된

direction 방향

© Dean Drobot/shutterstock

🔑 ❶ 포함하다 ❷ 멀리

C

빈칸에 알맞은 표현 고르기

1. It is difficult to _____ that maybe you are wrong.

   ① permit   ② admit   ③ constitute

2. Her doctor had strictly _____ her to drink alcohol.

   ① forbidden   ② expanded   ③ consented

3. People _____ together to call for an end to the violence.

   ① descended   ② scattered   ③ gathered

permit 허락하다
constitute ❶ _____
consent ❷ _____, 승낙하다
call for ~을 요구하다
violence 폭력
descend 하강하다

답 ❶ 구성하다 ❷ 동의하다

D

밑줄 친 부분과 의미가 같은 표현 고르기

1. With old friends, you can tell informal jokes, and <u>expose</u> sensitive personal facts.

   ① reveal   ② convince   ③ recover

2. Though the humanities are fundamental to all studies, they have been <u>neglected</u> by many scholars.

   ① ignored   ② focused   ③ followed

3. The country's effort will <u>decrease</u> as soon as a degree of wealth is attained.

   ① deposit   ② decline   ③ raise

sensitive ❶ _____
convince 설득하다
recover 회복하다
fundamental ❷ _____
attain 달성하다, 이루다
deposit 두다, 맡기다

© Rawpixel.com/shutterstock

답 ❶ 민감한 ❷ 근본적인

011 **abundant** [əbʌ́ndənt] ⟷ **scarce** [skɛərs]

a. 풍부한
abundant natural resources
풍부한 천연 자원

a. 부족한
In wartime, food is often **scarce**.
전시에는, 종종 식량이 **부족하다**.

012 **float** [flout] ⟷ **sink** [siŋk]

v. 뜨다
Oil **float**s on the surface of water.
기름은 수면 위로 **뜬다**.

v. 가라앉다
The Titanic was a passenger ship which **sank** in 1912. Titanic은 1912년에 **가라앉은** 여객선이다.

013 **common** [kʌ́mən] ⟷ **rare** [rɛər]

a. 흔한
a **common** misconception 흔한 오해

a. 드문
a **rare** disease 희귀 질환

014 **production** [prədʌ́kʃən] ⟷ **consumption** [kənsʌ́mpʃən]

n. 생산
mass **production** 대량 생산

n. 소비
ethical **consumption** 윤리적 소비

015 **identical** [aidéntikəl] ⟷ **opposite** [ápəzit]

a. 동일한
There were two **identical** houses.
두 개의 **동일한** 집이 있었다.

a. 반대의
the **opposite** side of the road 도로 반대편

016 **benefit** [bénəfit] ⟷ **loss** [lɔːs]

n. 이익, 이점, 혜택
reap the **benefit** 이익을 거두다

n. 손실, 줄임, 감소
weight **loss** 체중 감소

017 **sensitive** [sénsətiv] ⟷ **numb** [nʌm]

a. 민감한, 예민한
sensitive skin 민감한 피부

a. 무감각해진
She was **numb** with grief. 그녀는 슬픈 나머지 **멍해졌다**.

018 **absence** [ǽbsəns] ⟷ **presence** [prézns]

n. 부재
an **absence** of empathy 연민의 부재

n. 존재
the **presence** or absence of pollution 오염의 유무

1. 우리말을 참고하여 네모 안에서 알맞은 낱말을 고르시오.

(1) There have been numerous times in history when food has been rather abundant / scarce .

역사적으로 음식이 꽤 부족했던 수많은 시기가 있었다.

(2) Moderate aerobic exercise can more than halve your risk for respiratory infections and other common / rare winter diseases.

적당한 에어로빅 운동은 여러분이 호흡기 감염과 다른 흔한 겨울 질병에 걸릴 위험을 반감시켜주는 것 그 이상을 해줄 수 있다.

Words

moderate ❶
respiratory 호흡기의
infection ❷

답 ❶ 적당한 ❷ 감염

© wavebreakmedia/shutterstock

 1-1
우리말을 참고하여 밑줄 친 부분을 바르게 고쳐 쓰시오.

(1) The creative act is never "complete" in the presence of a second position — that of an audience.

창작 행위는 제2의 입장의 부재, 다시 말해 관객이 부재한 상황에서는 결코 "완전"하지 않다.

(2) When children are allowed to develop their language play, a range of losses result from it.

아이들이 자신의 언어 놀이를 발전시키도록 허용될 때, 다양한 이점이 생긴다.

Words

creative 창의적인, 창조적인
complete 완전한
audience 관객
a range of 다양한

© Getty Images Bank

 1-2
다음 영영 풀이에 해당하는 낱말을 각각 쓰시오.

(1) _____ : to stay or move on the surface of a liquid without sinking

(2) _____ : not able to feel any emotions or to think clearly

(3) _____ : the act of buying or using products

Words

surface 표면
liquid 액체
clearly 명확하게
product 제품

© 3d imagination/shutterstock

019 absolute [ǽbsəlùːt]
- *a.* 절대적인
- **absolute** truth 절대적인 진리

↔

relative [rélətiv]
- *a.* 상대적인
- **relative** importance 상대적인 중요성

---

020 abstract [æbstrǽkt]
- *a.* 추상적인
- **abstract** ideas 추상적인 관념들

↔

concrete [kánkriːt]
- *a.* 구체적인
- the lack of any **concrete** evidence 구체적인 증거 부족

---

021 accept [əksépt]
- *v.* 받아들이다
- He readily **accept**ed her invitation.
- 그는 그녀의 초대를 기꺼이 **받아들였다**.

↔

refuse [rifjúːz]
- *v.* 거절하다, 거부하다
- **refuse** a settlement
- 합의를 거부하다

---

022 mental [méntl]
- *a.* 마음의, 정신의
- **mental** health 정신 건강

↔

physical [fízikəl]
- *a.* 신체의, 육체의; 물질적인
- **physical** activity 신체 활동

---

023 natural [nǽtʃərəl]
- *a.* 자연적인
- **natural** dyes 천연 염료들

↔

artificial [ɑ̀ːrtəfíʃəl]
- *a.* 인공적인; 인조의
- **artificial** intelligence 인공 지능

---

024 acknowledge [əknálidʒ]
- *v.* 인정하다
- **acknowledge** defeat 패배를 인정하다

↔

deny [dinái]
- *v.* 부인하다
- **deny** allegation 의혹을 부인하다

---

025 ancestor [ǽnsestər]
- *n.* 조상
- My **ancestor**s were French.
- 나의 **조상**들은 프랑스인들이었다.

↔

descendant [diséndənt]
- *n.* 후손
- a direct **descendant**
- 직계 후손

---

026 initial [iníʃəl]
- *a.* 처음의
- the **initial** symptom 초기 증상

↔

final [fáinl]
- *a.* 최후의
- the **final** match 결승 경기

2. 우리말을 참고하여 네모 안에서 알맞은 낱말을 고르시오.

(1) The ⌜absolute / relative⌟ value of the discount affects how people perceive its value.

힐인의 상내석인 가지가 사람들이 그 가치를 어떻게 인식하는지에 영향을 미친다.

(2) All improvement in your life begins with an improvement in your ⌜mental / physical⌟ pictures.

당신 삶에서의 모든 향상은 당신의 머릿속 그림에서의 향상으로 시작된다.

(3) They interviewed people ⌜acknowledged / denied⌟ as successful in a wide variety of areas.

그들은 매우 다양한 분야에서 성공한 것으로 인정받은 사람들을 인터뷰했다.

 2-1

우리말을 참고하여 밑줄 친 부분을 바르게 고쳐 쓰시오.

(1) In his famous work *Three Musicians*, he used <u>concrete</u> forms to shape the players in such an unexpected way.

그의 유명한 작품인 'Three Musicians'에서, 그는 예상치 못한 방식으로 연주자들을 형상화하기 위해 추상적인 형태를 사용했다.

(2) Scientists believe that the frogs' <u>descendants</u> were water-dwelling, fishlike animals.

과학자들은 개구리의 조상이 물에 사는, 물고기 같은 동물이었다고 믿는다.

 2-2

다음 영영 풀이에 해당하는 낱말을 각각 쓰시오.

(1) ＿＿＿＿＿＿＿＿ : definite and specific

(2) ＿＿＿＿＿＿＿＿ : to say that something is not true, or that you do not believe something

(3) ＿＿＿＿＿＿＿＿ : happening at the beginning

2주 2일 필수 체크 전략 ②

1 다음 글의 네모 안에서 문맥에 맞는 낱말을 고르시오.

Tip

처음 읽기를 배울 때는 철자 소리에 관한 ❶ [　　　] 사실들을 배우지만, 나중에는 이 지식과 읽는 능력을 ❷ [　　　] 방식들로 사용하게 된다는 내용이다.

답 ❶ 특정한 ❷ 일반적인

There is no [absolute / relative] line between general and domain-specific knowledge. When you were first learning to read, you may have studied specific facts about the sounds of letters. At that time, knowledge about letter sounds was specific to the domain of reading. But now you can use both knowledge about sounds and the ability to read in more general ways.

Words

line 경계(선) general 일반적인 domain 영역 specific 구체적인, 특정한 knowledge 지식 letter 철자 both *A* and *B* A와 B둘 다

© file404/shutterstock

2 다음 글의 밑줄 친 부분 중, 문맥상 낱말의 쓰임이 적절하지 <u>않은</u> 것은?

Tip

헌혈할지 안 할지를 생각할 때, 헌혈하는 데 드는 ❶ [　　　] 과 ❷ [　　　] 을 고려하여 보상이 더 크면 도움을 줄 것이라는 내용이다.

답 ❶ 비용 ❷ 이점

Our constant goal is to maximize rewards and minimize costs. If you are considering whether to donate blood, you may weigh the ① <u>costs</u> of doing so (time, discomfort, and anxiety) against the ② <u>losses</u> (reduced guilt, social approval, and good feelings). If the rewards ③ <u>exceed</u> the costs, you will help.

Words

constant 지속적인 maximize 최대화하다 (↔ minimize) reward 보상 cost 비용 donate blood 헌혈하다 weigh 무게를 재다 discomfort 불편함 anxiety 걱정 reduce 줄이다 guilt 죄책감 approval 인정 exceed 초과하다

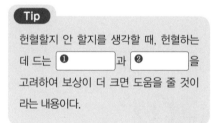

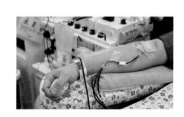

[3~4] 다음 글을 읽고, 물음에 답하시오.

Habits create the foundation for mastery. In chess, it is only after the basic movements of the pieces have become automatic that a player can focus on the next level of the game. Each chunk of information that is memorized opens up the (A) [mental / physical] space for more effortful thinking. This is true for anything you attempt. When you know the simple movements so well that you can perform them without thinking, you are free to pay attention to more advanced details. In this way, habits are the backbone of any pursuit of excellence. However, the benefits of habits come at a cost. At first, each repetition develops fluency, speed, and skill. But then, as a habit becomes automatic, you become less (B) _____ to feedback. You fall into mindless repetition.

Words

foundation 기초, 토대
mastery 숙달, 통달
chunk 덩어리
memorize 암기하다
effortful 노력이 필요한
attempt 시도하다
advanced 높은 수준의, 진보한
detail 세부 사항
backbone 중추; 중요 요소
pursuit 추구
excellence 뛰어남, 탁월함
repetition 반복
fluency 유창함
mindless 무심한; 분별없는

© Sergey Peterman /shutterstock

3 윗글의 (A)의 네모 안에서 문맥에 맞는 낱말을 골라 쓰시오.

➡ _____

Tip

암기된 ❶ _____ (습관)들이 더 노력이 필요한 사고를 위해 ❷ _____ 공간을 열어 준다는 내용이다.

📝 ❶ 정보 ❷ 정신적

4 다음 영영 풀이를 참고하여 윗글의 빈칸 (B)에 들어갈 알맞은 낱말을 〈보기〉에서 골라 쓰시오.

┌─ 보기 ─────────────────────────┐
│ numb   sensitive   common   rare │
└─────────────────────────────────┘
┌─────────────────────────────────┐
│ easily affected by something such as a substance or │
│   temperature   │
└─────────────────────────────────┘

➡ _____

Tip

'❶ _____ 이나 온도와 같은 것에 쉽게 ❷ _____ 을 받는'이라는 의미의 단어를 생각해 본다.

📝 ❶ 물질 ❷ 영향

027 ancient [éinʃənt] ⟷ **modern** [mɑ́dərn]

☐ *a.* 고대의, 옛날의
☐ an **ancient** greek vase 고대 그리스의 꽃병
☐

a. 현대의
the crisis of **modern** journalism 현대 저널리즘의 위기

028 compliment [kɑ́mpləmənt] ⟷ **blame** [bleim]

☐ *v.* 칭찬하다 *n.* 칭찬
☐ a genuine **compliment** 진심어린 칭찬
☐

v. 비난하다 *n.* 비난
He deserves to be **blame**d. 그는 **비난받아** 마땅하다.

029 arrest [ərést] ⟷ **release** [rilíːs]

☐ *v.* 체포하다
☐ He was **arrest**ed for fraud. 그는 사기죄로 **체포되었다**.
☐

v. 풀어주다, 석방하다 *n.* 석방
to **release** a prisoner 죄수를 석방하다

030 attack [ətǽk] ⟷ **defend** [difénd]

☐ *v.* 공격하다 *n.* 공격
☐ suffer an **attack** 공격 당하다
☐

v. 방어하다, 지키다 *n.* 방어
to **defend** democracy from fascism
파시즘으로부터 민주주의를 **지키다**

031 offensive [əfénsiv] ⟷ **defensive** [difénsiv]

☐ *a.* 공격적인
☐ **offensive** behavior 공격적인 행동
☐

a. 방어적인; (운동 경기에서) 수비의
a **defensive** measure 방어 조치

032 respect [rispékt] ⟷ **scorn** [skɔːrn]

☐ *v.* 존경하다 *n.* 존경
☐ She **respect**ed him for his honesty.
☐ 그녀는 그의 정직함 때문에 그를 **존경했다**.

v. 경멸하다 *n.* 경멸
She **scorn**ed flatters. 그녀는 아첨꾼을 **경멸했다**.

033 diligent [dílədʒənt] ⟷ **lazy** [léizi]

☐ *a.* 부지런한, 근면한
☐ a **diligent** worker 근면한 일꾼
☐

a. 게으른, 나태한
He is too **lazy** to walk to school.
그는 학교까지 걸어가기엔 너무 **게으르다**.

034 innocent [ínəsənt] ⟷ **guilty** [gílti]

☐ *a.* 무죄의
☐ pretend to be **innocent** 무죄임을 가장하다
☐

a. 유죄의
plead **guilty** 유죄를 인정하다

3. 우리말을 참고하여 네모 안에서 알맞은 낱말을 고르시오.

(1) Curiosity is associated with a less offensive / defensive reaction to stress.

호기심은 스트레스에 대한 덜 방어적인 반응과 관련이 있다.

(2) Ancient / Modern insect communities are highly diverse in tropical forests, but the recent fossil record captures little of that diversity.

현대 곤충 군집들은 열대 우림 지역에서 매우 다양하지만, 최근의 화석 기록은 그 다양성을 거의 담아내지 않는다.

Words

curiosity 호기심
be associate with ❶
reaction 반응
diverse ❷
tropical 열대의
fossil 화석
record 기록
capture ~을 (사진·문장 등에) 담다
diversity 다양성

🔑 ❶ ~와 관련이 있다 ❷ 다양한

 3-1

우리말을 참고하여 밑줄 친 부분을 바르게 고쳐 쓰시오.

(1) Rats are considered pests in much of Europe and North America and greatly scorned in some parts of India.

쥐는 유럽과 북아메리카의 많은 지역에서 유해 동물로 여겨지고, 인도의 일부 지역에서는 매우 중시된다.

(2) Between 1989 and 2007, 201 prisoners in the United States were proven guilty on the basis of DNA evidence.

1989년과 2007년 사이, 미국에서는 201명의 수감자들이 DNA 증거에 기초하여 무죄라고 밝혀졌나.

Words

pest 해충, 유해 동물
prisoner 죄수, 수감자
on the basis of ~에 기초하여
evidence 증거

 3-2

다음 영영 풀이에 해당하는 낱말을 각각 쓰시오.

(1) _____ : to let someone go free, after having kept them somewhere

(2) _____ : not willing to work or use any effort

(3) _____ : used to protect someone or something against attack

Words

go free 해방되다
effort 노력
protect 보호하다

© Evgeniy Kulagin/shutterstock

035 destroy [distrɔ́i] ↔ **construct** [kənstrʌ́kt]

☐
☐ *v.* 파괴하다
☐ The earthquake **destroy**ed the city.
그 지진은 도시를 **파괴했다**.

v. 건설하다
construct a building
건물을 건설하다

036 cause [kɔːz] ↔ **effect** [ifékt]

☐
☐ *n.* 원인
☐ a serious **cause** of death 심각한 사인

n. 결과, 영향, 효과
the **effect** of advertisement 광고의 **영향**

037 employ [implɔ́i] ↔ **fire** [faiər]

☐
☐ *v.* 고용하다
☐ She was **employ**ed as a mechanic.
그녀는 정비공으로 **고용되었다**.

v. 해고하다
He was **fire**d for being late all the time.
그는 항상 지각하는 것 때문에 **해고되었다**.

038 fake [feik] ↔ **genuine** [dʒénjuin]

☐
☐ *a.* 가짜의, 모조의
☐ a **fake** ID card 가짜 신분증

a. 진짜의
a **genuine** diamond **진짜** 다이아몬드

039 memorable [mémərəbl] ↔ **forgettable** [fərgétəbl]

☐
☐ *a.* 기억할 만한
☐ a **memorable** moment 기억할 만한 순간

a. 잊혀지기 쉬운
a **forgettable** year 잊혀지기 쉬운 해

040 general [dʒénərəl] ↔ **specific** [spisífik]

☐
☐ *a.* 일반적인
☐ **general** principle 일반 원칙

a. 특정한
a **specific** age group 특정한 연령 집단

041 shortage [ʃɔ́ːrtidʒ] ↔ **excess** [iksés]

☐
☐ *n.* 부족, 결핍
☐ housing **shortages** 주택 부족

n. 초과, 과잉
There is an **excess** of writer-actors in Los Angeles.
로스앤젤레스에는 작가-배우들이 **과잉** 상태이다.

042 voluntary [vάləntèri] ↔ **compulsory** [kəmpʌ́lsəri]

☐
☐ *a.* 자발적인
☐ a **voluntary** worker 자원 봉사자

a. 강제적인, 의무적인
Wearing a seat belt is **compulsory**.
안전벨트 착용은 **의무적**이다.

4. 우리말을 참고하여 네모 안에서 알맞은 낱말을 고르시오.

(1) A bridge is normally destroyed / constructed to last one hundred years in a natural or manmade environment.

다리는 보통 자연적이거나 인공적인 환경에서 백년 간 지속되도록 건설된다.

(2) Food shortages / excesses caused by global warming could force as many as 1 billion people to leave their homes by 2050.

지구 온난화에 의해 야기된 식량 부족은 2050년까지 10억 명이나 되는 사람들이 그들의 집을 떠나게 만들 수 있다.

(3) Much of the spread of fake / genuine news occurs through irresponsible sharing.

가짜 뉴스 확산의 많은 부분은 무책임한 공유를 통해 일어난다.

Words

normally 보통
last ❶ _____
manmade 인공적인
environment ❷ _____
global warming 지구 온난화
billion 10억
spread 확산
occur 일어나다, 발생하다
irresponsible 무책임한

🔑 ❶ 지속되다 ❷ 환경

4-1

우리말을 참고하여 밑줄 친 부분을 바르게 고쳐 쓰시오.

(1) Think about some of the most <u>forgettable</u> and effective advertisements of all time.

역대 가장 기억에 남고 효과적인 몇몇 광고들을 생각해 보자.

(2) They might benefit from being involved in a <u>compulsory</u> program.

그들은 자원봉사 프로그램에 참여하는 것으로부터 혜택을 받을지도 모른다.

Words

effective 효과적인
benefit 혜택을 얻다
be involved in ~에 참여하다

© ESB Professional/shutterstock

4-2

다음 영영 풀이에 해당하는 낱말을 각각 쓰시오.

(1) _____ : a person, event, or thing that makes something happen

(2) _____ : to force someone to leave their job

(3) _____ : to damage something so badly that it no longer exists

Words

damage 손상을 주다, 훼손하다
exist 존재하다

© mTaira/shutterstock

2주 3일 필수 체크 전략 ②

1 다음 글의 네모 안에서 문맥에 맞는 낱말을 고르시오.

> The continued survival of the human race can be explained by our ability to adapt to our environment. While we may have lost some of our ancient / modern ancestors' survival skills, we have learned new skills as they have become necessary.

Words

survival 생존 human race 인류 explain 설명하다 ability 능력 adapt 적응하다
environment 환경 lose 잃어버리다 (−lost − lost) ancestor 조상 skill 기술
necessary 필요한, 필수의

Tip

인류가 ❶ [   ] 조상들의 생존 기술
대신 새로운 기술을 배워 ❷ [   ]에
적응했다는 내용이다.

답 ❶ 고대 ❷ 환경

2 다음 글의 밑줄 친 부분 중, 문맥상 낱말의 쓰임이 적절하지 않은 것은?

> For almost all things in life, there can be too much of a good thing. Even the best things in life aren't so great in ① shortage. This concept has been discussed at least as far back as Aristotle. He argued that being virtuous means finding a ② balance. For example, people should be brave, but if someone is too brave they become ③ reckless. People should be trusting, but if someone is too trusting they are considered gullible.

Words

concept 개념 discuss 논의하다 argue 주장하다 virtuous 도덕적인, 덕 있는 balance 균형
reckless 무모한 trusting 신뢰하는, 잘 믿는 gullible 속기 쉬운, 아둔한

Tip

아무리 좋은 것이라도 ❶ [   ]면 좋
지 않으며, 미덕이란 ❷ [   ]을 찾는
것이라는 내용이다.

답 ❶ 지나치 ❷ 균형

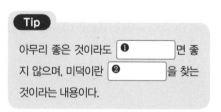

© Anatoli Styf/shutterstock

[3~4] 다음 글을 읽고, 물음에 답하시오.

Motivation may come from several sources. It may be the (A) respect / scorn I give every student, the daily greeting I give at my classroom door, the undivided attention when I listen to a student, a pat on the shoulder whether the job was done well or not, an accepting smile, or simply "I love you" when it is most needed. It may simply be asking how things are at home. For one student considering dropping out of school, it was a note from me after one of his frequent absences saying that he made my day when I saw him in school. He came to me with the note with tears in his eyes and thanked me. He will graduate this year. Whatever technique is used, the students must know that you care about them. But the concern must be (B) _____ — the students can't be fooled.

Words

motivation 동기
several 몇몇의
source 원천
greeting 인사
undivided 분리되지 않은, 완전한
pat 가볍게 두드리기
accepting 흔쾌히 받아들이는
drop out 중퇴하다
frequent 잦은
absence 결석, 부재
make one's day ~를 행복하게 하다
care about ~에게 관심을 가지다
concern 관심, 염려, 걱정
fool 속이다

© michaeljung/shutterstock

3 윗글의 (A)의 네모 안에서 문맥에 맞는 낱말을 골라 쓰시오.

➡ _____

Tip

학생들을 향한 다양한 **❶**[   ]들이 동기 부여의 **❷**[   ]이라는 내용 이다.

답 ❶ 관심 ❷ 원천

4 다음 영영 풀이를 참고하여 윗글의 빈칸 (B)에 들어갈 알맞은 낱말을 〈보기〉에서 골라 쓰시오.

• 보기 •

| fake | genuine | diligent | lazy |

sincerely and honestly felt or experienced

➡ _____

Tip

'**❶**[   ]으로 **❷**[   ]하게 느 끼거나 경험한'이라는 의미의 단어를 생각 해 본다.

답 ❶ 진심 ❷ 정직

대표 예제 ①

다음 문장의 네모 안에서 문맥에 맞는 낱말을 고르시오.

> Nuuk, the capital city of Greenland, looked quite modern / ancient and clean.

개념 Guide

'그린란드의 수도인 누크는 매우 ❶⬜⬜⬜ 이고 깨끗해 보였다.'라는 의미의 문장이다.

• capital ❷⬜⬜⬜   quite 꽤

답 ❶ 현대적 ❷ 수도

대표 예제 ③

다음 문장의 밑줄 친 부분을 바르게 고쳐 쓰시오.

> Upcycling is widely <u>denied</u> as a great new way to recycle waste.

➡ _____

© Denim Background/shutterstock

개념 Guide

업사이클링이 쓰레기를 재활용하는 아주 새로운 방식으로 널리 ❶⬜⬜⬜ 받고 있다는 내용이다.

• widely 널리   recycle ❷⬜⬜⬜

답 ❶ 인정 ❷ 재활용하다

대표 예제 ②

다음 영영 풀이에 해당하는 낱말로 가장 적절한 것은?

> to say or think that someone or something is responsible for something bad

① release   ② defend
③ construct   ④ blame
⑤ destroy

© SLP_London/shutterstock

개념 Guide

'어떤 나쁜 일에 대해 어떤 사람이나 사물이 ❶⬜⬜⬜ 이 있다고 말하거나 생각하다'의 의미를 가진 단어는 ❷⬜⬜⬜ 이다.

답 ❶ 책임 ❷ blame

대표 예제 ④

다음 문장의 빈칸에 알맞은 것은?

> Conservation science plays an important role in _____ historical truth.

① promoting   ② scattering
③ preventing   ④ concealing
⑤ revealing

개념 Guide

보존 과학은 역사적 진실을 ❶⬜⬜⬜ 데 중요한 역할을 한다는 내용이다.

• conservation ❷⬜⬜⬜   historical 역사적인

답 ❶ 밝히는 ❷ 보존

대표 예제 5

다음 영영 풀이를 참고하여 빈칸에 알맞은 것을 고르면?

> I hated physics because I could never get all those _____ theories straight in my head.
>
> (= based on general ideas or principles rather than specific examples)

① abundant ② abstract

③ identical ④ mental

⑤ natural

개념 Guide

'구체적인 예시보다는 일반적인 ❶ [　　　]이나 원칙에 기초한'의 의미를 가진 단어는 ❷ [　　　]이다.

· physics 물리학 theory 이론

답 ❶ 관념 ❷ abstract

대표 예제 6

다음 밑줄 친 부분과 바꾸어 쓸 수 있는 것은?

> Making Ooho has a climate advantage, as it does not cause the CO_2 emissions that the bottle manufacturing process does.

① loss ② benefit

③ absence ④ consumption

⑤ presence

© alexmillos/shutterstock

개념 Guide

밑줄 친 advantage는 '❶ [　　　]'이라는 의미로 이와 바꾸어 쓸 수 있는 단어는 ❷ [　　　]이다.

· climate 기후 emission 배출

답 ❶ 이점 ❷ benefit

대표 예제 7

다음 글을 읽고, 물음에 답하시오.

> A tail is sometimes added to a kite. It can help make a kite fly more ① stably by adding not just some weight but also drag to its lower end. The tail should have the right ② length, though. Adding a short tail will make the kite spin and roll around a lot. Adding a longer tail can help the kite fly well, allowing it to go high without rolling very much. Our ③ descendants knew all this and made the tail the right length.

(1) 윗글의 밑줄 친 부분 중, 문맥상 낱말의 쓰임이 적절하지 <u>않은</u> 것은?

➡ _____

개념 Guide

우리의 ❶ [　　　]은 연의 꼬리의 역할과 ❷ [　　　]에 따른 차이점을 알고 적절한 길이로 만들었다는 내용이다.

답 ❶ 조상들 ❷ 길이

(2) 다음 영영 풀이에 해당하는 낱말을 윗글에서 찾아 쓰시오.

> to make it possible for something to happen or for someone to do something

➡ _____

개념 Guide

'어떤 일이 일어날 수 있도록 혹은 누군가가 어떤 일을 하는 것을 ❶ [　　　] 하다'라는 의미를 가진 단어는 ❷ [　　　]이다.

답 ❶ 가능하게 ❷ allow

대표 예제 8

다음 밑줄 친 부분과 바꾸어 쓸 수 <u>없는</u> 것은?

> *Juldarigi* was widely popular in the middle and southern parts of Korea where rice farming was <u>common</u>.

① prevalent　② ordinary　③ rare

④ normal　　⑤ usual

개념 Guide

common은 '❶⬜⬜⬜⬜'이라는 의미이므로, 이와 ❷⬜⬜⬜ 의미의 단어를 고른다.

🔺 ❶ 흔한 ❷ 반대

대표 예제 9

다음 중 낱말의 영영 풀이가 알맞지 <u>않은</u> 것은?

① expand: to become larger in size, number, or amount

② ignore: to pay no attention to something that you have been told

③ conceal: no longer continue

④ obligatory: binding in law or conscience

⑤ release: to let someone go free, after having kept them somewhere

개념 Guide

• amount 양　bind 묶다, ❶⬜⬜⬜⬜　conscience 양심
go free ❷⬜⬜⬜

🔺 ❶ 구속하다 ❷ 해방되다

대표 예제 10

다음 짝지어진 낱말의 관계가 나머지와 <u>다른</u> 것은?

① abundant – scarce

② identical – opposite

③ absolute – relative

④ refuse – decline

⑤ natural – artificial

개념 Guide

decline은 '쇠퇴하다, ❶⬜⬜⬜⬜'라는 의미 외에 '❷⬜⬜⬜⬜'라는 의미로도 쓰인다.

🔺 ❶ 감소하다 ❷ 거절하다

대표 예제 11

다음 문장의 빈칸에 알맞은 말을 〈보기〉에서 골라 쓰시오.

> **• 보기 •**
> float　sink　respect　scorn

(1) If you use clear expressions and show _____ for the audience, they will usually trust you more.

(2) Enormous icebergs of different shapes were _____ing in the sea.

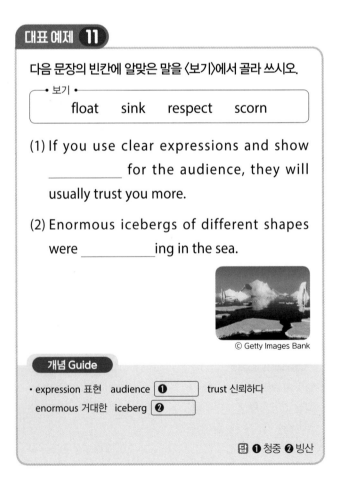
© Getty Images Bank

개념 Guide

• expression 표현　audience ❶⬜⬜⬜　trust 신뢰하다
enormous 거대한　iceberg ❷⬜⬜⬜

🔺 ❶ 청중 ❷ 빙산

대표 예제 12

다음 글의 밑줄 친 부분 중, 문맥상 낱말의 쓰임이 적절하지 <u>않은</u> 것을 골라 바르게 고쳐 쓰시오

Sagwans were officials in charge of writing down the kings' actions and words. The records they wrote became the main source of the *Sillok*'s content. *Sagwans* were ordered to follow the kings around and ① <u>objectively</u> record everything they saw and heard. They even wrote down the kings' attempts to ② <u>reveal</u> their mistakes from them.

"The king fell off his horse while hunting, but he ordered his men not to ③ <u>let</u> the *sagwans* know about the accident."

– *Taejongsillok,* Year 4 (1404), February

Sagwans could do that because their freedom of writing was ④ <u>guaranteed</u> by law. However, any *sagwan* who revealed the records was severely ⑤ <u>punished</u>. Even the kings were not allowed to read the records. Only after a king died was the *Sillok* of his reign published.

_____ , ⟶ _____

개념 Guide

사관은 왕을 계속 따라다니며 보고 들은 모든 것을 ❶ [   ]으로 기록했고, 심지어 왕이 자신의 실수를 ❷ [   ] 시도까지 기록하였다는 내용이다.

답 ❶ 객관적 ❷ 숨기려는

대표 예제 13

(A), (B)의 각 네모 안에서 문맥에 맞는 낱말을 쓰시오.

Sensors attached to cows check their temperature, movement, behavior, and so on. When changes are observed, the sensors send a message to the farmer's phone or computer. For example, these sensors are being used to detect if an animal's back legs begin to lower, which is one of the first signs of illness. They can also sense if a cow is pregnant. This technology saves farmers dozens of hours a week that would otherwise be spent closely monitoring each cow. It also saves money for vets' bills by (A) [allowing / forbidding] farmers to deal with cows' illnesses before they get too serious. It goes without saying that using sensors to monitor the health of individual cows lets them live longer, healthier lives, and also (B) [improves / declines] milk production.

(A) _____   (B) _____

© Anton Havelaar/shutterstock

개념 Guide

소에 부착된 센서가 소들을 관찰하므로 소의 질병이 심각해지기 전에 농부가 처리할 수 있게 ❶ [   ], 소가 더 오래 건강하게 살게 되면서 우유의 생산량도 ❷ [   ]는 내용이다.

답 ❶ 해 주고 ❷ 증가한다

01 다음 글의 네모 안에서 문맥에 맞는 낱말을 고르시오.

> Rousseau's style was markedly different from the contemporary mainstream. One critic even said, "Monsieur Rousseau paints with his feet with a blindfold over his eyes." In spite of such harsh criticism, Rousseau never gave up his style. He ceased / continued to draw his paintings and submit them to the Salon.

> **Tip**
>
> Rousseau는 혹독한 **❶**⬚⬚⬚에도 불구하고 자신의 스타일을 절대 **❷**⬚⬚⬚하지 않았다는 내용이다.
>
> 답 ❶ 비평 ❷ 포기

02 다음 글의 밑줄 친 부분 중, 문맥상 낱말의 쓰임이 적절하지 <u>않은</u> 것은?

> *Juldarigi* was regarded not just as a sport but also as a ① <u>ritual</u>. In the *juldarigi* ritual, a series of actions were usually performed in the same way: making the ropes, holding ceremonies, ② <u>tugging</u> the ropes, and staging special events after the game. *Juldarigi* might have been a perfect way to help people cooperate and ③ <u>prevent</u> the harmony and unity of the community.

© 연합뉴스

> **Tip**
>
> 줄다리기가 하나의 **❶**⬚⬚⬚으로 여겨졌고, 의식에서 수행되는 일련의 행동들이 공동체의 화합과 통합을 **❷**⬚⬚⬚한다는 내용이다.
>
> 답 ❶ 의식 ❷ 촉진

Words

markedly 현저하게, 눈에 띄게 contemporary 당대의 mainstream 주류
critic 비평가 blindfold 눈 가리는 천 in spite of ～에도 불구하고
harsh 혹독한 criticism 비평 give up 포기하다 submit 제출하다

Words

regard 여기다, 간주하다 ritual 의식 a series of 일련의 ～
ceremony 의례, 의식 tug 잡아당기다 cooperate 협력하다, 협동하다
harmony 조화 unity 통합, 단결 community 공동체

[03 ~ 04] 다음 글을 읽고, 물음에 답하시오.

Have you ever wondered how singers and poets express so much with so few words? Consider, for example, the lyrics below. They are from a famous song by the American group, Gym Class Heroes.

My heart's a stereo.
It beats for you, so listen close.
Hear my thoughts in every note.
Make me your radio,
And turn me up when you feel low.

The lyricist wishes that his heart were a stereo and that he himself were a radio. Everybody knows that these wishes cannot come true. However, the lyrics sound (A) | natural / artificial |, don't they? The comparisons are made to convey feelings of love in a more concise but (B) _____ way. In other words, the metaphors of "a stereo" and "a radio" are used to express the singer's intense feelings using as few words as possible.

© LanKS/shutterstock

Words

wonder 궁금해하다 poet 시인 express 표현하다 consider 면밀히 살펴보다
lyrics 가사 beat 뛰다 note 음, 음표 turn up (라디오 등의) 소리를 크게 하다
lyricist 작사가 comparison 비교 convey 전달하다 concise 간결한
metaphor 비유 intense 강렬한

03 윗글의 (A)의 네모 안에서 문맥에 맞는 낱말을 골라 쓰시오.

➡ _____

> **Tip**
> 비유로 표현된 가사에 담긴 바람들이 ❶ ____ 될 수 없다는 것을 알고 있을지라도, 가사가 ❷ ____ 들린 다는 내용이다.
>
> 🔑 ❶ 실현 ❷ 자연스럽게

04 다음 영영 풀이를 참고하여 윗글의 빈칸 (B)에 들어갈 알맞은 낱말을 주어진 철자로 시작하여 쓰시오.

> very good, enjoyable, or unusual, and worth remembering

➡ m_____

> **Tip**
> '아주 좋거나 재미있거나, 또는 특별해서 ❶ ____ 가 치가 있는'의 의미를 가진 단어는 ❷ ____ 이다.
>
> 🔑 ❶ 기억할 ❷ memorable

01 다음 빈칸에 알맞은 말을 〈보기〉에서 골라 쓰시오.

┌─── • 보기 • ───────────────────┐
│ effect   presence   compliment │
└──────────────────────────┘

© Getty Images Bank

(1) The _____ of a cell phone weakens the connection between people involved in conversations.

(2) What could be wrong with the _____ "I'm so proud of you"?

02 우리말을 참고하여 괄호 안에서 알맞은 말을 고르시오.

(1) Airways have fixed widths and defined altitudes, which separate traffic moving in (identical / opposite) directions.

항로에는 고정된 폭과 규정된 고도가 있으며, 그것들이 반대 방향으로 움직이는 통행을 분리한다.

(2) Most of what average people spend their money on revolves around the (consumption / production) of commodities.

보통의 사람이 자신의 돈을 쓰는 것의 대부분은 상품 소비를 중심으로 돌아간다.

03 다음 우리말과 의미가 같도록 주어진 철자로 시작하는 낱말을 쓰시오.

(1) The trio of freeze, flight, and fight are fairly universal behavioral d_____ reactions in mammals and other vertebrate species.

꼼짝 않기, 도망치기, 싸우기 이 세 가지는 포유동물과 다른 척추동물 종에서 꽤 보편적인 행동 방어 반응이다.

(2) The father of the family had an amusing, jolly, witty character, and I had a m_____ night full of laughter and joy.

그 가족의 아버지는 재미있고, 유쾌하며, 재치 있는 성격을 가졌고, 나는 웃음과 기쁨으로 가득한 잊지 못할 밤을 보냈다.

© Monkey Business Images/ shutterstock

04 다음 영영 풀이에 알맞은 낱말을 주어진 철자로 시작하여 쓰시오.

(1) o_____ : very rude or insulting and likely to upset people

(2) d_____ : working hard and being careful and thorough

Words

01 weaken 약화시키다 involve 참여하다 be proud of ~을 자랑스러워 하다
02 airway 항로 width 폭 altitude 고도 separate 분리하다
   average 보통의 revolve 돌다, 순환하다 commodity 상품

03 freeze (얼어붙은 것처럼) 꼼짝 않기 universal 보편적인 reaction 반응
   mammal 포유류 vertebrate 척추동물 jolly 유쾌한 witty 재치 있는
04 rude 무례한 insulting 모욕적인 thorough 빈틈없는, 철저한

05 (A), (B), (C)의 각 네모 안에서 문맥에 맞는 낱말로 가장 적절한 것은?

Detailed study over the past two or three decades is showing that the complex forms of (A) natural / artificial systems are essential to their functioning. The attempt to straighten rivers and give them regular cross-sections is perhaps the most disastrous example of this form-and-function relationship. The natural river has a very irregular form: it curves a lot, spills across floodplains, and leaks into wetlands, giving it an ever-changing and incredibly complex shoreline. This (B) forbids / allows the river to accommodate variations in water level and speed. Pushing the river into tidy geometry (C) constructs / destroys functional capacity and results in disasters like the Mississippi floods of 1927 and 1993 and, more recently, the unnatural disaster of Hurricane Katrina.

	(A)		(B)		(C)
①	natural	······	forbids	······	constructs
②	artificial	······	forbids	······	destroys
③	natural	······	allows	······	destroys
④	artificial	······	allows	······	destroys
⑤	natural	······	allows	······	constructs

06 다음 글의 밑줄 친 부분 중, 문맥상 낱말의 쓰임이 적절하지 않은 것은?

We make decisions based on what we *think* we know. It wasn't too long ago that the majority of people believed the world was ① flat. This perceived truth ② impacted behavior. During this period, there was very little exploration. People feared that if they traveled too far they might fall off the edge of the earth. So for the most part they didn't dare to travel. It wasn't until that minor detail was ③ concealed — the world is round — that behaviors changed on a massive scale. Upon this discovery, societies began to travel across the planet. Trade routes were established; spices were traded. New ideas, like mathematics, were shared between societies which ④ allowed for all kinds of innovations and advancements. The correction of a simple ⑤ false assumption moved the human race forward.

© Nada Sertic /shutterstock

Words

05 detailed 상세한 decade 10년 complex 복잡한 essential 필수적인 functioning 기능 attempt 시도 straighten 직선화하다 regular 규칙적인 disastrous 피해가 막심한 irregular 불규칙한 curve 굽이치다 spill 넘치다 floodplain 범람원 leak into ~에 스며들다 wetland 습지 tidy 질서 정연한 geometry 기하학적 구조 capacity 수용력

06 make decisions 결정을 하다 majority 대다수 flat 편평한 perceived 인지된 impact 영향을 미치다 behavior 행동 exploration 탐험 edge 가장자리 dare 감히 ~하다 minor 사소한 massive 대대적인 trade 무역 route 경로 spice 향료 mathematics 수학 innovation 혁신 advancement 진보 correction 수정 assumption 가정, 추측

창의·융합·코딩 전략 ①

A 주어진 낱말의 반의어를 찾아 연결하시오.

1. innocent   ⓐ final
2. scorn   ⓑ improve
3. genuine   ⓒ guilty
4. initial   ⓓ fake
5. ancient   ⓔ modern
6. decline   ⓕ respect

B 위의 반의어 중 알맞은 것을 골라 문장을 완성하시오.

1. We have a Stone Age brain that lives in a _____ world.

2. Our fashion designers will decide the _____ winners.

3. It is important to recognize your pet's particular needs and _____ them.

4. A _____ smile primarily only affects the lower half of the face, mainly with the mouth alone.

5. Seventy-five percent of those prisoners had been declared _____ on the basis of mistaken eyewitness accounts.

6. To _____ your choices, leave good foods like apples and pistachios sitting out instead of crackers and candy.

© Dionisvera/shutterstock

C 영영 풀이를 참고하여 퍼즐을 완성하시오.

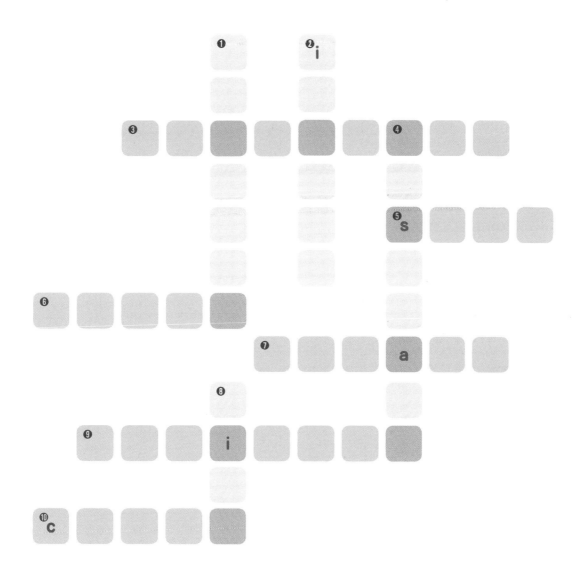

Across ▶

❸ done willingly and without being forced

❺ to go down below the surface of water, mud, etc.

❻ to say or think that someone or something is responsible for something bad

❼ to become larger in size, number, or amount

❾ working hard and being careful and thorough

❿ no longer continue

Down ▼

❶ to let someone go free, after having kept them somewhere

❷ to pay no attention to something that you have been told

❹ based on general ideas or principles rather than specific examples

❽ to force someone to leave their job

D 주어진 낱말과 반대되는 뜻을 나타내는 낱말을 완성하시오.

1. optional ⟷ | o | | | i | | a | t | | | |

2. production ⟷ | c | | | | | m | p | | | | o | n |

3. absence ⟷ | | | e | | | n | c | |

4. beneficial ⟷ | | a | r | m | f | | l |

5. mental ⟷ | p | | | s | | | a | l |

6. arrest ⟷ | r | | | e | a | | |

E 위의 반의어 중 알맞은 것을 골라 문장을 완성하시오.

1. The document was signed in the _____ of two witnesses.

2. It's important to protect your skin from the _____ effects of the sun.

3. There was nothing unusual about her _____ appearance.

4. The United States is a world leader in oil _____.

F 각 사람이 하는 말과 일치하도록 알맞은 카드를 골라 문장을 완성하시오. (단, 필요시 형태를 바꿀 것)

1.
> 그는 그의 실수를 인정했어.

➡ He _____ his mistake.

2.
> 그녀가 나에게 감추고 있는 것이 뭔가 있었어.

➡ There was something she was _____ from me.

3.
> 그는 그가 우리의 이익을 위해 그것을 하고 있다고 말해.

➡ He says he's doing it for our _____.

4.
> 나는 그녀의 말들이 몹시 공격적이라는 걸 깨달았어.

➡ I found her comments deeply _____.

defensive	offensive	benefit	loss
scatter	gather	admit	deny
ignore	follow	conceal	reveal

마무리 전략

● 아는 단어에 ☑ , 모르는 단어는 복습하기

☐ convenient

☐ inconvenient

☐ comfortable

☐ uncomfortable

☐ dependent   independent

☐ ability   inability

☐ equality   inequality

☐ legal   illegal

☐ polite   impolite

☐ practical   impractical

☐ relevant   irrelevant

☐ rational   irrational

☐ advantage   disadvantage

☐ satisfaction   dissatisfaction

☐ available   unavailable

☐ realistic   unrealistic

☐ certain   uncertain

☐ common   uncommon

☐ conscious   unconscious

☐ cover   uncover

☐ employment   unemployment

☐ fair   unfair

☐ familiar   unfamiliar

☐ fortunately   unfortunately

☐ accurate

☐ inaccurate

☐ complicated

☐ incomplicated

Week 2　◉ 형태가 다른 반의어를 점검해 보자.

● 아는 단어에 ☑ , 모르는 단어는 복습하기

☐ forbid

☐ allow

☐ mental

☐ phyical

☐	improve	decline		☐	follow	ignore
☐	admit	deny		☐	reveal	conceal
☐	gather	scatter		☐	continue	cease
☐	abundant	scarce		☐	promote	prevent
☐	float	sink		☐	ancient	modern
☐	production	consumption		☐	attack	defend
☐	benefit	loss		☐	destroy	construct
☐	absence	presence		☐	employ	fire
☐	accept	refuse		☐	fake	genuine
☐	natural	artificial		☐	general	specific

☐ compliment

☐ blame

☐ arrest

☐ release

신유형·신경향·서술형 전략

[1~2] 다음 글을 읽고, 물음에 답하시오.

Plants are nature's alchemists; they are expert at transforming water, soil, and sunlight into an array of precious substances. Many of these substances are beyond the (A) ▢▢▢▢ of human beings to conceive. While we were perfecting (B) ▢▢▢▢ and learning to walk on two feet, they were, by the same process of (C) ▢▢▢▢ selection, inventing photosynthesis (the astonishing trick of converting sunlight into food) and perfecting organic chemistry. As it turns out, many of the plants' discoveries in chemistry and physics have served us well. From plants come chemical compounds that nourish and heal and delight the senses.

*photosynthesis: 광합성

식물들은 자연의 연금술사들이고, 그것들은 물, 토양, 그리고 햇빛을 다수의 귀한 물질들로 바꾸는 데 전문적이다. 이 물질들 중 상당수는 인간이 상상할 수 있는 **능력**을 넘어선다. 우리가 **의식**을 완성해 가고 두 발로 걷는 것을 배우는 동안 그것들은 **자연** 선택의 동일한 과정에 의해 광합성(햇빛을 식량으로 전환하는 놀라운 비결)을 발명하고 유기 화학을 완성하고 있었다. 밝혀진 것처럼, 화학과 물리학에서 식물들이 발견한 것 중 상당수가 우리에게 매우 도움이 되어 왔다. 영양분을 공급하고 치료하고 감각을 즐겁게 하는 화합물들이 식물들로부터 나온다.

1 우리말을 참고하여 윗글의 빈칸에 알맞은 낱말을 각각 골라 쓰시오.

(A) ability | inability

(B) consciousness | unconsciousness

(C) natural | artificial

© Getty Images Bank

2 다음 빈칸 (A), (B)에 주어진 철자로 시작하는 알맞은 말을 넣어 윗글의 요약문을 완성하시오.

By the process of (A) n_____ selection, plants invented (B) p_____ and released chemical compounds.

[3~4] 다음 글을 읽고, 물음에 답하시오.

A woman named Rhonda who attended the University of California at Berkeley had a problem. She was living near campus with several other people—none of whom knew one another. When the cleaning people came each weekend, they left several rolls of toilet paper in each of the two bathrooms. However, by Monday all the toilet paper would be gone. It was a classic tragedy-of-the-commons situation: because some people took more toilet paper than their fair share, the public resource was (A)   for everyone else. After reading a research paper about behavior change, Rhonda put a note in one of the bathrooms asking people not to remove the toilet paper, as it was a shared item. To her great (B)   , one roll reappeared in a few hours, and another the next day. In the other note-free bathroom, however, there was no toilet paper until the following weekend, when the cleaning people returned.

Berkeley에 있는 California대학에 다니는 Rhonda라는 어지는 한 가지 문제 상황이 있었다. 그녀는 여러 사람들과 함께 캠퍼스 근처에 살고 있었는데 그들 중 누구도 서로를 알지는 못했다. 청소부가 주말 마다 왔을 때 화장실 두 칸에 각각 몇 개의 두루마리 화장지를 두고 갔다. 그러나 월요일 즈음 모든 화장지가 없어지곤 했다. 그것은 전형적인 공유지의 비극 상황이었다. 일부 사람들이 자신들이 사용할 몫보다 더 많은 휴지를 기져갔기 때문에 그 외 모두를 위한 공공새가 **파괴됐다**. 행동 변화에 대한 한 연구 논문을 읽고 나서, Rhonda는 화장지는 공유재이므로 사람들에게 가져가지 말라는 쪽지를 화장실 한 곳에 두었다. 아주 **만족**스럽게도, 몇 시간 후에 화장지 한 개가 다시 나타났고 다음 날에 또 하나가 다시 나타났다. 하지만 쪽지가 없는 화장실에서는 청소부가 돌아오는 그다음 주말까지 화장지가 없었다.

3 우리말을 참고하여 윗글의 빈칸에 알맞은 낱말을 각각 골라 쓰시오.

| constructed | satisfaction |
| destroyed | dissatisfaction |

4 다음 빈칸 (A), (B)에 주어진 철자로 시작하는 알맞은 말을 넣어 윗글의 요약문을 완성하시오.

A small reminder brought about a change in the (A) b_____ of the people who had taken more of the (B) s_____ goods than they needed.

[5~6] 다음 글을 읽고, 물음에 답하시오.

Dworkin suggests a classic argument for a certain kind of (A) ⎣equality / inequality⎦ of opportunity. From Dworkin's view, justice requires that a person's fate be determined by things that are within that person's control, not by luck. If differences in well-being are determined by circumstances lying outside of an individual's control, they are (B) ⎣fair / unfair⎦. According to this argument, inequality of well-being that is driven by differences in individual choices or tastes is acceptable. But we should seek to eliminate inequality of well-being that is driven by factors that are not an individual's responsibility and which (C) ⎣promote / prevent⎦ an individual from achieving what he or she values. We do so by ensuring equality of opportunity or equality of access to fundamental resources.

Dworkin의 기회의 ❶ [　　　]에 관한 주장:
정의는 운이 아닌 한 사람의 통제 내에 있는 것으로 결정되어야 해.

부연 설명:
개인의 선택이나 취향에 따른 불평등은 ❷ [　　　] 가능하나, 개인의 통제 밖에서 결정된 행복의 불평등은 제거하려고 노력해야 해.

답 ❶ 평등 ❷ 허용

5 글의 흐름을 참고하여 (A), (B), (C)의 각 네모 안에서 문맥에 맞는 낱말을 골라 쓰시오.

(A) _____   (B) _____   (C) _____

© Carolyn Franks/shutterstock

6 다음 빈칸에 주어진 철자로 시작하는 알맞은 말을 넣어 윗글의 요약문을 완성하시오.

According to Dworkin, differences in well-being should be determined only by things that are inside of an individual's c_____ by securing equality of opportunity.

[7~8] 다음 글을 읽고, 물음에 답하시오.

The whole history of mathematics is one long ① sequence of taking the best ideas of the moment and finding new extensions, variations, and applications. Our lives today are totally different from the lives of people three hundred years ago, mostly owing to scientific and technological innovations that ② required the insights of calculus. Isaac Newton and Gottfried von Leibniz ③ independently discovered calculus in the last half of the seventeenth century. But a study of the history reveals that mathematicians had thought of all the essential elements of calculus before Newton or Leibniz came along. Newton himself ④ denied this flowing reality when he wrote, "If I have seen farther than others it is because I have stood on the shoulders of giants." Newton and Leibniz came up with their brilliant insight at essentially the same time because it was not a huge leap from what was already known. All ⑤ creative people, even ones who are considered geniuses, start as nongeniuses and take baby steps from there.

*calculus: 미적분학

주제:
수학의 역사는 확장, 변이, 적용을 찾는 하나의 긴 **❶** 이야.

오늘날의 삶은 과거와 달리 미적분학의 통찰을 요구해. 하지만 Newton과 Leibniz가 17세기 후반에 이미 미적분학을 발견했고, 그 이전에도 이미 수학자들이 그것에 대해 **❷** 했어.

Newtown과 Leibniz의 통찰력은 이미 알려진 것으로부터의 큰 도약은 아니었고, 천재들도 천재가 아닌 사람으로 시작하여 걸음마를 때.

답 **❶** 연속 **❷** 생각

7 글의 흐름을 참고하여 윗글의 밑줄 친 ①~⑤ 중, 문맥상 낱말의 쓰임이 적절하지 않은 것을 골라, 바르게 고쳐 쓰시오.

_____, _____ ➡ _____

© Getty Images Korea

8 다음 빈칸 (A), (B)에 주어진 철자로 시작하는 알맞은 말을 넣어 윗글의 요약문을 완성하시오.

Though Newton and Leibniz independently discovered (A) c_____, they came up with the idea at the same time because mathematicians had thought of the (B) e_____ elements of it before them.

01 다음 영영 풀이에 해당하는 낱말로 가장 적절한 것은?

> not seen, happening, or experienced often

① unrealistic　　② unavailable

③ uncover　　　④ uncommon

⑤ unconscious

02 다음 영영 풀이를 참고하여 빈칸에 알맞은 것을 고르면?

© asife/shutterstock

Smiling brightly, she looked at the _____ faces in the front row.
(= easy to recognize because of being seen, met, etc. before)

① fair　　　　　② responsible

③ familiar　　　④ certain

⑤ accurate

03 다음 밑줄 친 부분과 바꾸어 쓸 수 있는 것은?

© pathdoc/shutterstock

When facing a problem, we should always have an open mind, and should consider all related information.

① practical　　　② relevant

③ invalid　　　　④ patient

⑤ convenient

04 다음 문장의 네모 안에서 문맥에 맞는 낱말을 고르시오.

> Fortunately / Unfortunately the staff on duty at the time did not reflect our customer service policy.

05 다음 문장에서 문맥상 낱말의 쓰임이 적절하지 <u>않은</u> 것을 찾아 바르게 고쳐 쓰시오.

> Many parents do not understand why their teenagers occasionally behave in an rational or dangerous way.

_____ ➡ _____

06 다음 중 낱말의 영영 풀이가 알맞지 <u>않은</u> 것은?

① legal: connected with the law

② comfortable: relaxed and free from any pain

③ disadvantage: something good that helps you to be more successful

④ expensive: costing a lot of money

⑤ uncertain: feeling doubt about something; not sure

© Hurst Photo /shutterstock

07 다음 밑줄 친 부분과 바꾸어 쓸 수 있는 것은?

> The excavation <u>discovered</u> the remains of a gymnasium, a wrestling arena, changing rooms and baths.

① disapproved　　② disagreed

③ disappeared　　④ disregarded

⑤ uncovered

08 다음 짝지어진 낱말의 관계가 나머지와 <u>다른</u> 것은?

① proper – improper

② polite – impolite

③ press – impress

④ mature – immature

⑤ practical – impractical

09 다음 빈칸에 알맞은 말을 〈보기〉에서 골라 쓰시오. (단, 대·소문자 맞게 쓸 것)

> • 보기 •
>
> uncertain　active　realistic

(1) ＿＿＿＿＿ optimists believe they will succeed, but also believe they have to make success happen.

(2) Getting in the habit of asking questions transforms you into a(n) ＿＿＿＿＿ listener.

10 다음 영영 풀이를 참고하여 빈칸에 알맞은 낱말을 주어진 철자로 시작하여 쓰시오.

> The immune system is so c＿＿＿＿＿ that it would take a whole book to explain it.
>
> (= involving a lot of different parts, in a way that is difficult to understand)

11 다음 글의 빈칸에 들어갈 말로 가장 적절한 것은?

© Chinnapong/shutterstock

A computer works quickly and accurately; humans work relatively slowly and make mistakes. A computer cannot make _____ decisions, however, or formulate steps for solving problems, unless programmed to do so by humans. Even with sophisticated artificial intelligence, which enables the computer to learn and then implement what it learns, the initial programming must be done by humans.

① formal   ② practical

③ independent   ④ dependent

⑤ inadequate

12 다음 글의 밑줄 친 부분 중, 문맥상 낱말의 쓰임이 적절하지 <u>않은</u> 것은?

We like to make a show of how much our decisions are based on ① irrational considerations, but the truth is that we are largely governed by our ② emotions, which continually influence our ③ perceptions. What this means is that the people around you, constantly under the pull of their emotions, change their ideas by the day or by the hour, depending on their ④ mood. It is best to cultivate both distance and a degree of ⑤ detachment from their shifting emotions so that you are not caught up in the process.

© lassedesignen/shutterstock

13 (A), (B), (C)의 각 네모 안에서 문맥에 맞는 낱말로 가장 적절한 것은?

© baibaz/shutterstock

Even though there are parts of the world where, (A) fortunately / unfortunately , food is still scarce, most of the world's population today has plenty of food (B) available / unavailable to survive and thrive. However, this abundance is new, and your body has not caught up, still naturally rewarding you for eating more than you need and for eating the most calorie-dense foods. These are innate habits and not simple addictions. They are self-preserving mechanisms initiated by your body, ensuring your future survival, but they are (C) relevant / irrelevant now. Therefore, it is your responsibility to communicate with your body regarding the new environment of food abundance and the need to weaken the inborn habit of overeating.

	(A)	(B)	(C)
①	fortunately	available	relevant
②	unfortunately	available	irrelevant
③	fortunately	unavailable	irrelevant
④	unfortunately	unavailable	irrelevant
⑤	fortunately	unavailable	relevant

14 다음 글의 밑줄 친 부분 중, 문맥상 낱말의 쓰임이 적절하지 <u>않은</u> 것은?

When we compare human and animal desire we find many extraordinary ① <u>differences</u>. Animals tend to eat with their stomachs, and humans with their brains. When animals' stomachs are full, they stop eating, but humans are never sure when to stop. When they have eaten as much as their bellies can take, they still feel ② <u>empty</u>, they still feel an urge for further gratification. This is largely due to anxiety, to the knowledge that a constant supply of food is ③ <u>certain</u>. Therefore, they eat as much as possible while they can. It is due, also, to the knowledge that, in an ④ <u>insecure</u> world, pleasure is uncertain. Therefore, the immediate pleasure of eating must be ⑤ <u>exploited</u> to the full, even though it does violence to the digestion.

© WAYHOME studio/shutterstock

01 다음 문장의 빈칸에 들어갈 말로 가장 적절한 것은?

In case of nearing tornados or hurricanes, people can seek safety with the help of the data _____ by drones.

① followed   ② refused

③ scattered   ④ gathered

⑤ concealed

02 다음 밑줄 친 부분과 바꾸어 쓸 수 있는 것은?

Moral reasoning and good sporting behavior seem to <u>decline</u> as athletes progress to higher competitive levels.

① improve   ② forbid

③ decrease   ④ disappear

⑤ increase

03 다음 문장의 네모 안에서 문맥에 맞는 낱말을 고르시오.

Questions can promote / prevent students' search for evidence and their need to return to the text to deepen their understanding.

04 다음 문장에서 문맥상 낱말의 쓰임이 적절하지 않은 것을 찾아 바르게 고쳐 쓰시오.

Studies have shown that brains cease to mature and develop throughout adolescence and well into early adulthood.

© jiris/shutterstock

_____ ➡ _____

05 다음 문장의 빈칸에 들어갈 말로 가장 적절한 것은?

Booking will be _____ up to 1 hour before entry.

① denied   ② blamed

③ ignored   ④ accepted

⑤ revealed

06 다음 짝지어진 낱말의 관계가 나머지와 <u>다른</u> 것은?

① benefit – loss

② float – <u>sink</u>

③ forbid – ban

④ absence – presence

⑤ production – consumption

07 다음 영영 풀이를 참고하여 빈칸에 알맞은 것을 고르면?

> In _____, Asians do not reach out to strangers.
> (= involving or relating to most or all people, things, or places)

① genuine   ② fake

③ specific   ④ ancient

⑤ general

08 다음 영영 풀이에 해당하는 낱말로 가장 적절한 것은?

> having the power of forcing someone to do something

① compulsory   ② voluntary

③ offensive   ④ defensive

⑤ innocent

09 다음 밑줄 친 부분과 바꾸어 쓸 수 있는 것은?

> She recently sustained a stress fracture in her foot because she <u>refused</u> to listen to her overworked body.
>
> *fracture: 골절

① arrested   ② declined

③ defended   ④ fired

⑤ complimented

10 다음 빈칸에 알맞은 말을 〈보기〉에서 골라 쓰시오.

> • 보기 •
> fake   abundant   scarce

(1) To stop the spread of _____ news, read stories before you share them.

(2) Few people had access to books, which were handwritten, _____, and expensive.

11 다음 글의 빈칸에 들어갈 말로 가장 적절한 것은?

"You are what you eat." That phrase is often used to show the relationship between the foods you eat and your physical health. But do you really know what you are eating when you buy processed foods, canned foods, and packaged goods? Many of the manufactured products made today contain so many chemicals and _____ ingredients that it is sometimes difficult to know exactly what is inside them. Fortunately, now there are food labels. Food labels are a good way to find the information about the foods you eat.

① identical　　　② artifical
③ natural　　　④ general
⑤ genuine

12 다음 글의 밑줄 친 부분 중, 문맥상 낱말의 쓰임이 적절하지 <u>않은</u> 것은?

People have higher expectations as their lives get better. However, the higher the expectations, the more difficult it is to be ① <u>satisfied</u>. We can increase the satisfaction we feel in our lives by ② <u>controlling</u> our expectations. Adequate expectations leave room for many experiences to be pleasant surprises. The challenge is to find a way to have proper expectations. One way to do this is by keeping wonderful experiences ③ <u>common</u>. No matter what you can afford, save great wine for special occasions. Make an elegantly styled silk blouse a special treat. This may seem like an act of ④ <u>denying</u> your desires, but I don't think it is. On the contrary, it's a way to make sure that you can continue to experience ⑤ <u>pleasure</u>. What's the point of great wines and great blouses if they don't make you feel great?

13 (A), (B), (C)의 각 네모 안에서 문맥에 맞는 낱말로 가장 적절한 것은?

When we see an adorable creature, we must fight an overwhelming urge to squeeze that cuteness. And pinch it, and cuddle it, and maybe even bite it. This is a perfectly (A) general / specific psychological tick —an oxymoron called "cute aggression" —and even though it sounds cruel, it's not about causing harm at all. In fact, strangely enough, this compulsion may actually make us more caring. The first study to look at cute aggression in the human brain has now (B) concealed / revealed that this is a complex neurological response, involving several parts of the brain. The researchers propose that cute aggression may stop us from becoming so emotionally overloaded that we are unable to look after things that are super cute. "Cute aggression may serve as a tempering mechanism that (C) forbids / allows us to function and actually take care of something we might first perceive as overwhelmingly cute," explains the lead author, Stavropoulos.

*oxymoron: 모순 어법

	(A)	(B)	(C)
①	general	concealed	forbids
②	specific	concealed	allows
③	general	revealed	allows
④	specific	revealed	allows
⑤	general	revealed	forbids

ⓒ Utekhina Anna/shutterstock

14 다음 글의 밑줄 친 부분 중, 문맥상 낱말의 쓰임이 적절하지 않은 것은?

The title of Thomas Friedman's 2005 book, *The World Is Flat*, was based on the belief that globalization would inevitably bring us ① closer together. It has done that, but it has also inspired us to build ② barriers. When faced with perceived threats—the financial crisis, terrorism, violent conflict, refugees and immigration, the increasing gap between rich and poor—people ③ cling more tightly to their groups. One founder of a famous social media company believed social media would unite us. In some respects it has, but it has simultaneously given voice and organizational ability to new cyber tribes, some of whom spend their time spreading ④ compliment and division across the World Wide Web. There seem now to be as many tribes, and as much ⑤ conflict between them, as there have ever been. Is it possible for these tribes to coexist in a world where the concept of "us and them" remains?

ⓒ Getty Images Bank

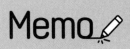

Memo

시험적중
내신전략
고등 영어 어휘

BOOK 2

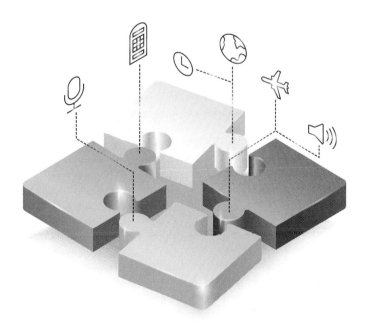

이 책의 **구성과 활용**

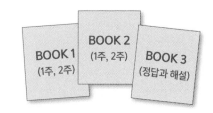

BOOK 1
(1주, 2주)

BOOK 2
(1주, 2주)

BOOK 3
(정답과 해설)

이 책은 3권으로 이루어져 있는데 본책인 BOOK 1·2의 구성은 아래와 같아.

주 도입 1주·2주 + 1주·2주

이번 주에 배울 내용이 무엇인지 안내하는 부분입니다. 재미있는 만화를 통해 앞으로 공부할 내용을 미리 살펴봅니다.

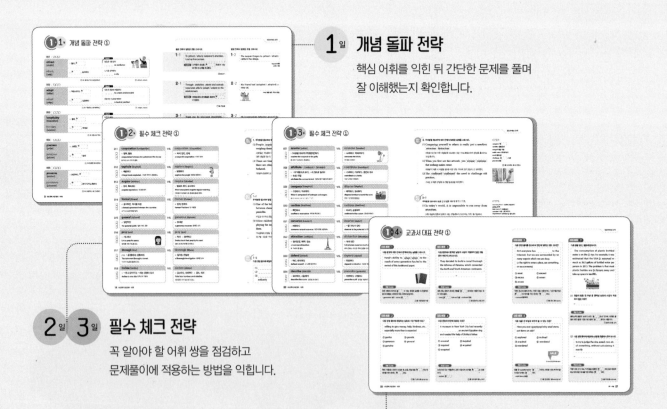

1일 개념 돌파 전략

핵심 어휘를 익힌 뒤 간단한 문제를 풀며 잘 이해했는지 확인합니다.

2일 3일 필수 체크 전략

꼭 알아야 할 어휘 쌍을 점검하고 문제풀이에 적용하는 방법을 익힙니다.

4일 교과서 대표 전략

교과서 문장으로 구성된 대표 유형의 문제를 풀어 볼 수 있습니다. 문제에 접근하는 것이 어려울 때는 '개념 Guide'를 참고할 수 있습니다.

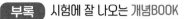

부록 시험에 잘 나오는 개념BOOK

부록은 뜯으면 미니북으로 활용하실 수 있습니다.
시험 전에 개념을 확실하게 짚어 주세요.

주 마무리와 권 마무리의 특별 코너들로 영어 실력이 더 탄탄해 질 거야!

주 마무리 코너

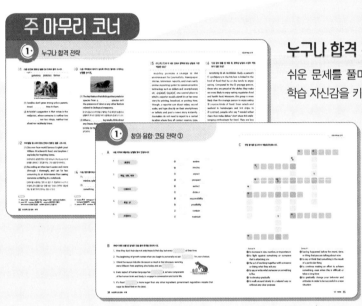

누구나 합격 전략

쉬운 문제를 풀며 공부한 내용을 정리하고
학습 자신감을 키울 수 있습니다.

창의·융합·코딩 전략

융복합적 사고력과 해결력을 길러 주는 문제를
풀며 한 주의 학습을 마무리합니다.

권 마무리 코너

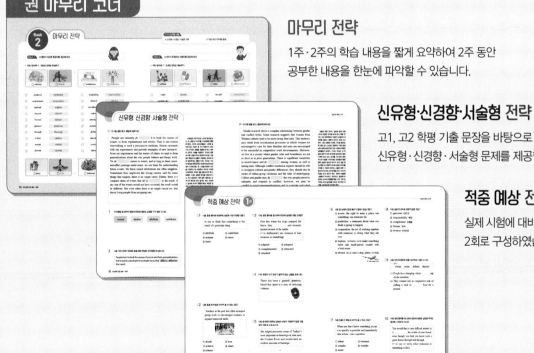

마무리 전략

1주·2주의 학습 내용을 짧게 요약하여 2주 동안
공부한 내용을 한눈에 파악할 수 있습니다.

신유형·신경향·서술형 전략

고1, 고2 학평 기출 문장을 바탕으로 한
신유형·신경향·서술형 문제를 제공합니다.

적중 예상 전략

실제 시험에 대비할 수 있는 모의 실전 문제를
2회로 구성하였습니다.

이 책의 차례

1주 접두어가 붙은 반의어

• accurate / inaccurate ~
satisfaction / dissatisfaction

2주 형태가 다른 반의어

• allow / forbid ~
voluntary / compulsory

권 마무리 코너

형태가 비슷한 혼동어

그림을 보고, **단어의 의미**를 추측해 보세요.

간식은 강아지의 관심을 **❶attract**해.

수상한 사람을 **❷attack**하도록 훈련하고 있어.

❶ 끌다, 끌어당기다 ❷ 공격하다, 습격하다

바이러스가 확산될 것으로 **❸prediction**됩니다.

바이러스로부터 몸을 **❹protection**해야 해.

❸ 예측 ❹ 보호

❺ 기도하다 ❻ 먹이

© Vectorium/shutterstock

❼ 소중한, 귀중한 ❽ 이전의, 앞의

1주 1일 개념 돌파 전략 ①

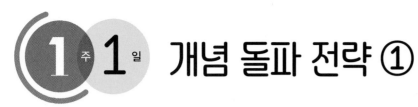

001 ☐☐☐

		Quiz
attract [ətrǽkt]	v. 끌다, ❶ ☐	청중을 **사로잡다** _____ an audience
attack [ətǽk]	v. ❷ ☐, 습격하다	도시를 **공격하다** _____ a city

답 ❶ 끌어당기다 ❷ 공격하다　　　　　　　　　답 attract, attack

002 ☐☐☐

		Quiz
adapt [ədǽpt]	v. 적응시키다; ❶ ☐	새로운 환경에 **적응하다** _____ to a new environment
adopt [ədápt]	v. ❷ ☐; 입양하다	중립적인 입장을 **취하다** _____ a neutral position

답 ❶ 각색하다 ❷ 채택하다　　　　　　　　　답 adapt, adopt

003 ☐☐☐

		Quiz
hospitality [hàspətǽləti]	n. 환대, ❶ ☐	따뜻한 **환대** warm _____
hostility [hɑstíləti]	n. ❷ ☐, 적개심	원자력에 대한 대중의 **반감** public _____ to nuclear power

답 ❶ 대접 ❷ 적의　　　　　　　　　답 hospitality, hostility

004 ☐☐☐

		Quiz
precious [préʃəs]	a. 소중한, ❶ ☐	자연의 **귀중한** 선물 a _____ gift from nature
previous [príːviəs]	a. ❷ ☐, 앞의	**사전** 예고 없이 without _____ notice

답 ❶ 귀중한 ❷ 이전의　　　　　　　　　답 precious, previous

005 ☐☐☐

		Quiz
preserve [prizə́ːrv]	v. 보존하다, ❶ ☐	야생 동물을 **보호하다** _____ wildlife
persevere [pə̀ːrsəvíər]	v. ❷ ☐, 끈기 있게 노력하다	일에 **힘쓰다** _____ with a task

답 ❶ 보호하다 ❷ 인내하다　　　　　　　　　답 preserve, persevere

괄호 안에서 알맞은 것을 고르시오.

1-1
To (attract / attack) customer's attention, I put up four posters.

Guide 고객들의 관심을 ❶ [ ] 위해서 나는 네 개의 포스터를 게시했다.

📘 ❶ 끌기

2-1
Through evolution, plants and animals have been able to (adapt / adopt) to the environment.

Guide 진화를 통해, 동식물들은 환경에 ❶ [ ] 수 있었다.

📘 ❶ 적응할

3-1
Thank you for your great (hospitality / hostility).

Guide 당신의 큰 ❶ [ ]에 감사드립니다.

📘 ❶ 환대

4-1
Her illness made her appreciate more the (precious / previous) gift of life.

Guide 그녀의 병은 그녀가 삶의 ❶ [ ] 선물을 더 감사하게 여기도록 했다.

📘 ❶ 소중한

5-1
Early settlers (preserved / persevered) meat by drying and salting it.

Guide 초기 정착민들은 고기를 건조하고 소금에 절여 그것을 ❶ [ ].

📘 ❶ 보존했다

괄호 안에서 알맞은 것을 고르시오.

1-2
The leopard began to (attract / attack) cattle in the village.

leopard 표범
cattle 가축

2-2
My friend had (adapted / adopted) a stray cat.

stray 길을 잃은, 주인이 없는

3-2
His inappropriate behaviors aroused the (hospitality / hostility) of others.

inappropriate 부적절한
arouse 불러일으키다

4-2
The car's (precious / previous) owner didn't take very good care of it.

owner 주인
take good care of ~을 잘 관리하다

5-2
He didn't know any English, but he (preserved / persevered) and became a good student.

006 ☐☐☐

prediction
[pridíkʃən]

n. 예측, **❶** [   ]

Quiz

암울한 **예측**
a gloomy _____

protection
[prətékʃən]

n. **❷** [   ], 옹호

환경 **보호**
the _____ of the environment

답 ❶ 예보 ❷ 보호

답 prediction, protection

007 ☐☐☐

possibility
[pàsəbíləti]

n. 가능성, **❶** [   ]

Quiz

희박한 **가능성**
the remote _____

responsibility
[rispànsəbíləti]

n. **❷** [   ], 의무, 책무

100명 이상의 직원들을 **책임**지는 관리인
a manager with _____ for over 100 staff

답 ❶ 기회 ❷ 책임

답 possibility, responsibility

008 ☐☐☐

simultaneous
[sàiməltéiniəs]

a. 동시의, **❶** [   ]

Quiz

동시 통역
_____ translation

spontaneous
[spɑntéiniəs]

a. **❷** [   ], 자연스러운

자발적인 관용의 행동
an act of _____ generosity

답 ❶ 동시에 일어나는 ❷ 자발적인

답 simultaneous, spontaneous

009 ☐☐☐

aboard
[əbɔ́ːrd]

ad. (배·비행기 등을) **❶** [   ]

Quiz

우리는 마침내 배에 **탔다**.
We finally went _____ the ship.

abroad
[əbrɔ́ːd]

ad. **❷** [   ], 해외에

해외에 가다
go _____

답 ❶ 타고 ❷ 외국에

답 aboard, abroad

010 ☐☐☐

complement
[kɑ́mpləmənt]

n. 보충물 *v.* ~을 **❶** [   ][보완]하다

Quiz

백포도주는 생선을 훌륭하게 **보완**한다.
White wine makes an excellent _____ to fish.

compliment
[kɑ́mpləmənt]

n. **❷** [   ], 찬사 *v.* 칭찬하다

그녀는 그의 **칭찬**을 우아하게 받아들였다.
She accepted his _____ graciously.

답 ❶ 보충 ❷ 칭찬

답 complement, compliment

괄호 안에서 알맞은 것을 고르시오.

6-1

Jeniffer's (prediction / protection) proved to be wrong.

Guide Jeniffer의 [❶   ]은 틀린 것으로 밝혀졌다.

冒 ❶ 예측

7-1

There's no point worrying about such a remote (possibility / responsibility).

Guide 그런 희박한 [❶   ]에 대해 걱정할 필요는 없다.

冒 ❶ 가능성

8-1

Up to thirty users can have (simultaneous / spontaneous) access to the system.

Guide 최대 삼십 명의 사용자들이 [❶   ] 시스템에 접속할 수 있다.

冒 ❶ 동시에

9-1

Pulitzer died of heart disease (aboard / abroad) his yacht.

Guide 퓰리처는 자신의 요트에 [❶   ] 있던 중에 심장 마비로 세상을 떠났다.

冒 ❶ 타고

10-1

The music (complements / compliments) her voice perfectly.

Guide 음악이 그녀의 목소리를 완벽히 [❶   ].

冒 ❶ 보완해 준다

괄호 안에서 알맞은 것을 고르시오.

6-2

This lightweight jacket gives good (prediction / protection) from the rain and wind.

lightweight 경량의

7-2

It's your (possibility / responsibility) to inform us of any changes.

inform 알리다

8-2

My (simultaneous / spontaneous) reaction was to run away.

reaction 반응

9-2

She often goes (aboard / abroad) on business.

on business 사업차

10-2

He (complemented / complimented) me on my sense of humor.

sense of humor 유머 감각

1주 1일 개념 돌파 전략 ②

A

영어 또는 우리말 뜻 쓰기

1. precious _____

2. possibility _____

3. hospitality _____

4. attract _____

5. prediction _____

6. preserve _____

7. aboard _____

8. 이전의, 앞의 _____

9. 책임, 의무, 책무 _____

10. 적의, 적개심 _____

11. 공격하다, 습격하다 _____

12. 보호, 옹호 _____

13. 인내하다, 끈기 있게 노력하다 _____

14. 외국에, 해외에 _____

B

영영 풀이에 해당하는 낱말 쓰기

1. _____ : a remark that expresses admiration, or respect

2. _____ : a statement about what you think is going to happen

3. _____ : in or to a foreign country

4. _____ : an occasion when someone is unfriendly

5. _____ : happening or being done at exactly the same time

admiration 감탄, 칭찬

respect ❶ [   ]

statement 진술, 말

foreign ❷ [   ]

occasion 때, 경우

© Syda Productions/shutterstock

🔑 ❶ 존경 ❷ 외국의

C

빈칸에 알맞은 표현 고르기

1. We cannot afford to waste _____ time.

    ① spontaneous　　　② precious　　　③ previous

2. _____ towards minorities can be contagious.

    ① Possibility　　　② Hospitality　　　③ Hostility

3. It is generally hard to _____ to living in a foreign culture.

    ① adopt　　　② adapt　　　③ addict

afford 여유가 있다

minority ❶ [　　　]

contagious (감정·태도 등이) 잘 번지는

addict ❷ [　　　]

© Getty Images Korea

답 ❶ 소수 ❷ 중독되다

D

밑줄 친 부분과 의미가 같은 표현 고르기

1. Except for the <u>former</u> winners, anyone can participate in the contest.

    ① previous　　　② precious　　　③ current

2. When there is a garbage can on the street, it <u>draws</u> garbage.

    ① repels　　　② attracts　　　③ attacks

3. They have launched efforts to <u>protect</u> wild plants.

    ① destroy　　　② persevere　　　③ preserve

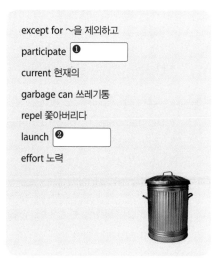

except for ~을 제외하고

participate ❶ [　　　]

current 현재의

garbage can 쓰레기통

repel 쫓아버리다

launch ❷ [　　　]

effort 노력

답 ❶ 참여하다 ❷ ~에 착수하다

011 cooperation [kouɑ̀pəréiʃən] **vs.** **corporation** [kɔ̀ːrpəréiʃən]

n. 협력, 협동

cooperation between the patient and the doctor

환자와 의사 사이의 **협력**

n. 회사, 법인, 단체

a nonprofit **corporation** 비영리 **회사**

012 explode [iksplóud] **vs.** **explore** [iksplɔ́ːr]

v. 폭발하다

A large bomb **explode**d. 거대한 폭탄이 **폭발했다.**

v. 탐험하다

explore the jungle 정글을 **탐험하다**

013 acquire [əkwáiər] **vs.** **require** [rikwáiər]

v. 얻다, 획득하다

acquire reputations 명성을 **얻다**

v. 필요로 하다; 요구하다

Most houseplants **require** regular watering.

대부분의 화초들은 정기적인 물 공급을 **필요로 한다.**

014 formal [fɔ́ːrməl] **vs.** **former** [fɔ́ːrmər]

a. 공식적인, 격식을 차린

a **formal** agreement between the countries

국가 간의 **공식적인** 합의

a. 앞의, 먼저의

former President 전 대통령

015 general [dʒénərəl] **vs.** **generous** [dʒénərəs]

a. 일반적인

the **general** public 일반 사회, 공중

a. 관대한

a **generous** measure 관대한 조치

016 pray [prei] **vs.** **prey** [prei]

v. 기도하다

Let us **pray** for peace.

평화를 위해 **기도합시다.**

n. 먹이 *v.* 잡아먹다

Snakes track their **prey** by its scent.

뱀은 냄새로 **먹이**를 추적한다.

017 through [θruː] **vs.** **thorough** [θɔ́ːrou]

prep. ∼을 통하여; 관통하여

The train went **through** a tunnel.

기차가 터널을 **통과해** 갔다.

a. 철저한, 면밀한

a **thorough** investigation 철저한 조사

018 incline [inkláin] **vs.** **decline** [dikláin]

v. ∼하고 싶어지다; ∼하는 경향이 있다

incline to one side 한쪽으로 **기울다**

v. 감소하다, 쇠퇴하다 *n.* 감소, 쇠퇴

Polar bear numbers are in **decline**.

북극곰의 수가 **감소**하고 있다.

1. 우리말을 참고하여 네모 안에서 알맞은 낱말을 고르시오.

(1) People │acquire / require│ a sense of who they are by weighing themselves against those around them.

사람들은 자신들과 주변에 있는 사람들을 비교함으로써 자신이 누구인지에 대한 관념을 얻는다.

(2) There are times when you feel │general / generous│ but there are other times when you just don't want to be bothered.

여러분이 관대하다고 느낄 때도 있지만 그저 방해받고 싶지 않은 그런 때도 있다.

Words

sense (지적·도덕적) 관념
weigh against ~을 ❶ _____
bother ❷ _____ , 귀찮게 하다

📖 ❶ 비교 검토하다 ❷ 괴롭히다

© MANDY GODBEHEAR/shutterstock

1-1

우리말을 참고하여 밑줄 친 부분을 바르게 고쳐 쓰시오.

(1) One of the better-known examples of the <u>corporation</u> between chance and a researcher is the invention of penicillin.

우연과 연구자의 협업에 대해 잘 알려진 예 중 하나는 페니실린의 발명이다.

(2) Allow children time to <u>explode</u> ways of handling and playing the instruments for themselves before showing them.

아이들에게 방법을 알려 주기 전에 악기를 직접 다루고 연주하는 방법을 탐구할 시간을 주어라.

Words

chance 우연
researcher 연구자
invention 발명
penicillin 페니실린
handle 다루다
instrument 악기

© Leonidovich/shutterstock

1-2

다음 영영 풀이에 해당하는 낱말을 각각 쓰시오.

(1) _____ : to decrease in quantity or importance

(2) _____ : an animal taken by a predator as food

(3) _____ : to claim or ask for by right and authority

Words

decrease 감소하다
quantity 양
importance 중요성
predator 포식자
claim 주장하다
right 권리
authority 권위

019 **wander** [wɑ́ndər] vs. **wonder** [wʌ́ndər]

☐
☐
☐
v. 떠돌다, 방황하다
wander around the house
집 주위를 **떠돌다**

v. 궁금해하다
I **wonder** how Jane is getting on.
Jane은 어떻게 지내는지 **궁금하다.**

020 **access** [ǽkses] vs. **assess** [əsés]

☐
☐
☐
n. 접근(법) *v.* 접근하다
paying for **access** to the Internet 인터넷 **접속** 비용 지불

v. 평가하다
assess the students' progress 학생들의 발달을 **평가하다**

021 **diverse** [divə́ːrs] vs. **reverse** [rivə́ːrs]

☐
☐
☐
a. 다양한
diverse interests 다양한 관심사들

a. 반대(의)
the **reverse** direction 반대 방향

022 **admit** [ədmít] vs. **transmit** [trænsmít]

☐
☐
☐
v. 받아들이다, 인정하다; 가입을 허락하다
admit to a college 대학 입학을 허가하다

v. 보내다
transmit the money 돈을 **보내다**

023 **aspect** [ǽspekt] vs. **prospect** [práspekt]

☐
☐
☐
n. 측면, 면
a south-facing **aspect** 남향 측면

n. 가망, 전망
job **prospect** 직업 전망

024 **resist** [rizíst] vs. **insist** [insíst]

☐
☐
☐
v. 저항하다, 반대하다
Desserts are hard to **resist**.
디저트는 **참기** 어렵다.

v. 주장하다
He **insist**ed that he was right.
그는 자신이 옳다고 **주장했다.**

025 **intend** [inténd] vs. **pretend** [priténd]

☐
☐
☐
v. 의도하다
He **intend**ed to cheer up his children.
그는 그의 아이들의 기운을 북돋아 줄 **생각이었다.**

v. ~인 체하다
She sometimes **pretend**ed not to recognize me.
그녀는 가끔 나를 못 알아본 **체했다.**

026 **contract** [kántrækt] vs. **distract** [distrǽkt]

☐
☐
☐
v. 계약하다; 수축하다 *n.* 계약
The heart **contract**s about seventy times a minute.
심장은 1분에 약 70회 **수축한다.**

v. (주의 등을) 딴 데로 돌리다
distract public attention
대중의 주의를 **딴 데로 돌리다**

필수 예제

2. 우리말을 참고하여 네모 안에서 알맞은 낱말을 고르시오.

(1) Sometimes when you are supposed to be listening to someone, your mind starts to wonder / wander .

때때로 당신이 어떤 이의 말을 듣기로 되어 있을 때, 당신의 마음은 산만해지기 시작한다.

(2) Create a video that effectively communicates a specific aspect / prospect of science.

과학의 특정 양상을 효과적으로 전달하는 영상물을 만들어 보세요.

(3) As society becomes more diverse / reverse , the likelihood that people share assumptions and values diminishes.

사회가 더욱 다양해짐에 따라, 사람들이 가정과 가치를 공유할 가능성은 줄어든다.

Words

effectively ❶
communicate 전달하다
specific 특정한
likelihood 가능성
assumption 가정
value 가치
diminish ❷

답 ❶ 효과적으로 ❷ 줄어들다

© Getty Images Bank

 확인 문제

2-1

우리말을 참고하여 밑줄 친 부분을 바르게 고쳐 쓰시오.

(1) Get the <u>assess</u> link by text message 10 minutes before the meeting and click it.

회의 10분 전에 문자 메시지로 전송되는 접속 링크를 받아서 클릭하시오.

(2) They argue that <u>resisting</u> students turn off the TV or radio when doing homework will not necessarily improve their academic performance.

그들은 숙제를 할 때 학생들이 TV나 라디오를 꺼야 한다고 주장하는 것이 반드시 그들의 학업 성적을 높이는 것은 아니라고 주장한다.

Words

text message 문자 메시지
meeting 회의
argue 주장하다
necessarily 반드시
improve 향상시키다
academic 학업의

© Gts/shutterstock

 확인 문제

2-2

다음 영영 풀이에 해당하는 낱말을 각각 쓰시오.

(1) _____ : to judge or decide the amount, value, quality, or importance of something

(2) _____ : to take someone's attention away from something

(3) _____ : to fight against something or someone that is attacking you

Words

judge 판단하다
decide 결정하다
amount 양
quality 질
fight against ~와 싸우다

1주 2일 필수 체크 전략 ②

1 다음 글의 네모 안에서 문맥에 맞는 낱말을 고르시오.

> Intellectual humility is admitting / transmitting you are human and there are limits to the knowledge you have. It involves recognizing that you possess cognitive and personal biases, and that your brain tends to see things in such a way that your opinions and viewpoints are favored above others.

Words

intellectual 지적 humility 겸손 limit 한계 knowledge 지식 involve 포함하다
recognize 인정하다 possess 가지다 cognitive 인지적인 bias 편견 tend to ~하는 경향이 있다
opinion 의견 viewpoint 관점

Tip

지적 겸손이란 자신이 인지적이고 개인적인 ❶ [ ]을 갖고 있고, 자신의 두뇌가 편향된 관점에서 사물을 보는 경향이 있음을 ❷ [ ]하는 것이라는 내용이다.

답 ❶ 편견 ❷ 인정

ⓒ urfin/shutterstock

2 다음 글의 밑줄 친 부분 중, 문맥상 낱말의 쓰임이 적절하지 <u>않은</u> 것은?

> You meet many different kinds of people in your life. Sometimes you run into those who are full of energy, and you ① <u>wander</u> if they are from the same planet as you. After a closer look, you ② <u>realize</u> that they too face challenges and problems. They are under the same amount of pressure and stress as you. One word makes a world of difference: ③ <u>attitude</u>!

Words

run into ~을 마주치다 planet 행성 face 직면하다 pressure 압박 stress 스트레스

Tip

우리가 ❶ [ ]로 가득한 사람을 만나면 그들이 우리와 같은 부류의 사람인지 ❷ [ ]하지만, 그들도 문제에 직면하고 스트레스를 받는다는 내용이다.

답 ❶ 활기 ❷ 궁금해

ⓒ Rawpixel.com/shutterstock

Words

overestimate 과대평가하다
defining 결정적인
underestimate 과소평가하다
improvement 개선
on a daily basis 매일
convince 설득하다
massive 거대한
championship 선수권 대회, 결승전
achieve 달성하다
pressure 압력
earthshaking 지축을 흔들 만한, 아주 중요한
particularly 특별히
notable 주목할 만한, 현저한
in the long run 장기적으로 보면, 결국에는
tiny 작은
conversely 역으로
minor 사소한, 작은
failure 실패, 패배
add up to (결과가) ~가 되다

[3~4] 다음 글을 읽고, 물음에 답하시오.

It is so easy to overestimate the importance of one defining moment and underestimate the value of making small improvements on a daily basis. Too often, we convince ourselves that massive success (A) _____ s massive action. Whether it is losing weight, winning a championship, or achieving any other goal, we put pressure on ourselves to make some earthshaking improvement that everyone will talk about. Meanwhile, improving by 1 percent isn't particularly notable, but it can be far more meaningful in the long run. The difference this tiny improvement can make over time is surprising. Here's how the math works out: if you can get 1 percent better each day for one year, you'll end up thirty-seven times better by the time you're done. Conversely, if you get 1 percent worse each day for one year, you'll (B) incline / decline nearly down to zero. What starts as a small win or a minor failure adds up to something much more.

© Getty Images Bank

3 다음 영영 풀이를 참고하여 윗글의 빈칸 (A)에 들어갈 알맞은 낱말을 〈보기〉에서 골라 쓰시오.

• 보기 •

intend   pretend   acquire   require

to claim or ask for by right and authority

➡ _____

Tip

'①_____ 와 권위로 주장하거나 ②_____ 하다'라는 의미의 단어를 생각해 본다.

답 ① 권리 ② 요구

4 윗글의 (B)의 네모 안에서 문맥에 맞는 낱말을 골라 쓰시오.

➡ _____

Tip

매일 1퍼센트씩 더 ①_____ 1년 뒤에 37배 더 나아질 것이고, 역으로 1년 동안 매일 1퍼센트씩 나빠지면 거의 0까지 ②_____ 것이라는 내용이다.

답 ① 나아지면 ② 떨어질

1주 3일 필수 체크 전략 ①

027 **assume** [əsúːm] **vs.** **consume** [kənsúːm]

□ □ □ *v.* (사실일 것으로) 추정[상정]하다
assume the suspects to be guilty
용의자가 유죄라고 **추정하다**

v. 소비하다; 먹어치우다
consume electricity
전기를 **소비하다**

028 **attribute** *v.* [ətríbjuːt] *n.* [ǽtrəbjùːt] **vs.** **contribute** [kəntríbjuːt]

□ □ □ *v.* ~의 덕분으로 보다, ~의 탓으로 돌리다
n. 속성, 자질
attribute the success to luck 성공을 행운 **덕분으로 돌리다**

v. 기여하다, 기부하다; 원인이 되다
contribute to charity
자선 단체에 **기부하다**

029 **compose** [kəmpóuz] **vs.** **dispose** [dispóuz]

□ □ □ *v.* 구성하다; 작곡하다
Water is **compose**d of hydrogen and oxygen.
물은 수소와 산소로 **구성되어** 있다.

v. 배치하다, 정리하다
dispose furniture around the room
방에 가구를 **배치하다**

030 **confirm** [kənfə́ːrm] **vs.** **conform** [kənfɔ́ːrm]

□ □ □ *v.* 확인하다
confirm a reservation 예약을 **확인하다**

v. 따르다, 순응하다
conform to the custom 관습을 **따르다**

031 **conserve** [kənsə́ːrv] **vs.** **deserve** [dizə́ːrv]

□ □ □ *v.* 보존하다
conserve natural resources 천연자원을 **보존하다**

v. ~할 가치가 있다
deserve to be protected 보호받을 **가치가 있다**

032 **attraction** [ətrǽkʃən] **vs.** **distraction** [distrǽkʃən]

□ □ □ *n.* 끌어당김, 매력; 명소
a must-see **attraction**
꼭 가봐야 할 **명소**

n. 주의 산만
Cell phones cause too much of a **distraction**.
휴대 전화는 과도한 **주의 산만**을 야기한다.

033 **defend** [difénd] **vs.** **depend** [dipénd]

□ □ □ *v.* 막다, 방어하다
defend oneself 스스로를 **방어하다**

v. 의존하다
depend on intuition 직감에 **의존하다**

034 **describe** [diskráib] **vs.** **prescribe** [priskráib]

□ □ □ *v.* 묘사하다, 서술하다
describe the scene 장면을 **묘사하다**

v. 처방하다; 규정하다
prescribe a pill 알약을 **처방하다**

3. 우리말을 참고하여 네모 안에서 알맞은 낱말을 고르시오.

(1) Comparing yourself to others is really just a needless attraction / distraction .

여러분 자신과 다른 사람들을 비교하는 것은 사실 불필요하게 정신을 흩뜨리는 것일 뿐이다.

(2) When you first see this artwork, you assume / consume that nothing makes sense.

여러분이 처음 이 작품을 볼 때 어떤 것도 이치에 맞지 않는다고 생각한다.

(3) She confirmed / conformed the need to challenge old practices.

그녀는 오래된 관행에 도전할 필요성을 확인했다.

Words

compare ❶ [　　　]
needless 불필요한
artwork 예술 작품
make sense 이치에 맞다
need 필요(성)
challenge ❷ [　　　] ; 도전
practice 관행

답 ❶ 비교하다 ❷ 도전하다

© Comaniciu Dan/shutterstock

3-1

우리말을 참고하여 밑줄 친 부분을 바르게 고쳐 쓰시오.

(1) In today's world, it is impossible to run away from <u>attractions</u>.

요즘 세상에 집중에 방해가 되는 것들로부터 도망치는 것은 불가능하다.

(2) Having the ability to take care of oneself without <u>defending</u> on others was considered a requirement for everyone.

타인에게 의존하지 않고 자신을 돌볼 능력을 가지는 것이 모든 사람에게 요구되는 것으로 여겨졌다.

Words

run away from ~로부터 도망치다
ability 능력
take care of ~을 돌보다
consider (~을 …로) 여기다
requirement 요구되는 일, 필요조건

© Syda Productions/shutterstock

3-2

다음 영영 풀이에 해당하는 낱말을 각각 쓰시오.

(1) _____ : to say or think that something is the result of a particular thing

(2) _____ : to tell someone what medicine or treatment they must have

(3) _____ : to behave according to the usual standards of behavior that are expected by a society

Words

particular 특정한
treatment 치료
behave 행동하다
usual 일반적인, 보통의

© Getty Images Bank

035 distinct [distíŋkt]   **vs.**   **extinct** [ikstíŋkt]

☐
☐
☐ *a.* 별개의; 분명한
two **distinct** languages 두 가지의 **별개의** 언어들

a. 멸종된
an **extinct** species 멸종된 종

036 expand [ikspǽnd]   **vs.**   **expend** [ikspénd]

☐
☐
☐ *v.* 확대하다
expand the house 집을 확장하다

v. 들이다, 소비하다; 지출하다
expend time and effort 시간과 노력을 **들이다**

037 estate [istéit]   **vs.**   **estimate** *v.* [éstəmèit] *n.* [éstəmət]

☐
☐
☐ *n.* 재산, 소유권
Her **estate** was left to her son.
그녀의 **재산**은 아들에게 남겨졌다.

v. 추정하다, 어림잡다   *n.* 추정(치)
estimate the cost
경비를 **어림잡다**

038 involve [inválv]   **vs.**   **evolve** [iválv]

☐
☐
☐ *v.* 관련시키다, 수반하다
get **involve**d in an argument
논쟁에 **휘말리다**

v. 진화하다
evolve from prehistoric sea creatures
선사시대의 바다 생물에서 **진화하다**

039 collect [kəlékt]   **vs.**   **correct** [kərékt]

☐
☐
☐ *v.* 모으다, 수집하다
She **collect**s coins. 그녀는 동전을 **수집한다**.

v. 고치다, 바로잡다
correct errors 오류를 **바로잡다**

040 instant [ínstənt]   **vs.**   **constant** [kánstənt]

☐
☐
☐ *a.* 즉각적인
in an **instant** 즉시

a. 변함없는, 끊임없는
a **constant** tension 끊임없는 긴장

041 contain [kəntéin]   **vs.**   **maintain** [meintéin]

☐
☐
☐ *v.* 포함하다
Some paints **contain** lead.
몇몇 페인트들은 납을 **포함하고** 있다.

v. 유지하다; 주장하다
maintain good relations
좋은 관계를 **유지하다**

042 obtain [əbtéin]   **vs.**   **retain** [ritéin]

☐
☐
☐ *v.* 얻다
obtain an agreement 동의를 **얻다**

v. 유지하다, 보유하다
retain traditions 전통을 **유지하다**

필수 예제

4. 우리말을 참고하여 네모 안에서 알맞은 낱말을 고르시오.

(1) Something about these extinct / distinct creatures from long ago seems to hold almost everyone's attention.

오래전 멸종된 이 생명체에 관한 무언가가 거의 모든 사람의 관심을 사로잡는 것처럼 보인다.

(2) Amory wrote three constant / instant best-selling books, including *The Best Cat Ever*, based on his love of animals.

그의 동물에 대한 애정을 바탕으로 Amory는 'The Best Cat Ever'를 포함하여 출간되자마자 베스트셀러가 된 세 권의 책을 썼다.

(3) Going from outside into a darkened movie theater involves / evolves dark adaptation.

외부에서 캄캄해진 영화관으로 들어가는 것은 암(暗)순응과 관련이 있다.

Words

creature **❶**
hold attention 관심을 사로잡다
best-selling 가장 잘 팔리는
include **❷**
darken 어둡게[캄캄하게] 만들다
dark adaptation 암흑 적응, 암(暗)순응

답 ❶ 생명체 ❷ 포함하다

 확인 문제

4-1
우리말을 참고하여 밑줄 친 부분을 바르게 고쳐 쓰시오.

(1) Efficient vertical transportation can <u>expend</u> our ability to build taller and taller skyscrapers.

효율적인 수직 운송 수단은 점점 더 높은 고층 건물을 만들 수 있는 우리의 능력을 확장할 수 있다.

(2) People planted a variety of crops in different areas, in the hope of <u>retaining</u> a reasonably stable food supply.

사람들은 상당히 안정적인 식량 공급을 얻기를 기대하며 여러 지역에 다양한 작물을 심었다.

Words

efficient 효율적인
vertical 수직의, 세로의
skyscraper 고층 건물
plant 심다
reasonably 상당히
stable 안정적인

© FotoDuets/shutterstock

 확인 문제

4-2
다음 영영 풀이에 해당하는 낱말을 각각 쓰시오.

(1) _____ : happening a lot or all the time
(2) _____ : clearly different; clearly noticeable
(3) _____ : to try to judge the size, speed, cost, etc. of something, without calculating it exactly

Words

noticeable 눈에 띄는
judge 판단하다
calculate 계산하다
exactly 정확히

필수 체크 전략 ②

1 다음 글의 네모 안에서 문맥에 맞는 낱말을 고르시오.

> Motivation not only drives the final behaviors that bring a goal closer but also creates willingness to expand / expend time and energy on preparatory behaviors. Thus, someone motivated to buy a new smartphone may earn extra money for it, drive through a storm to reach the store, and then wait in line to buy it.

Words

motivation 동기 부여 drive (어떤 상태에) 이르게 하다 willingness 의지 preparatory 준비의
earn (돈을) 벌다 extra 추가적인 storm 폭풍 wait in line 줄을 서서 기다리다

Tip

새 스마트폰을 사고자 하는 사람의 예시를 통해 **❶** 부여가 준비 행동에 시간과 돈을 **❷** 의지를 만든다는 것을 설명하는 내용이다.

답 ❶ 동기 ❷ 쓸

© Getty Images Bank

2 다음 글의 밑줄 친 부분 중, 문맥상 낱말의 쓰임이 적절하지 <u>않은</u> 것은?

> Most plastics break down into smaller and smaller pieces when ① <u>exposed</u> to ultraviolet (UV) light, forming microplastics. These microplastics are very difficult to measure once they are small enough to pass through the nets typically used to ② <u>correct</u> them. Their ③ <u>impacts</u> on the marine environment and food webs are still poorly understood.

Words

break down into ~로 분해되다 expose 노출시키다 ultraviolet light 자외선
microplastic 미세 플라스틱 measure 측정하다 typically 일반적으로 marine 해양의

Tip

플라스틱은 자외선에 노출되면 분해되어 **❶** 플라스틱이 되는데, 이것들을 **❷** 하는 그물망을 통과할 만큼 작아지면 측정하기 어렵다는 내용이다.

답 ❶ 미세 ❷ 수거

© Scisetti Alfio/shutterstock

[3~4] 다음 글을 읽고, 물음에 답하시오.

Do you advise your kids to keep away from strangers? That's a tall order for adults. After all, you (A) e_____ your network of friends and create potential business partners by meeting strangers. Throughout this process, however, analyzing people to understand their personalities is not all about potential economic or social benefit. There is your safety to think about, as well as the safety of your loved ones. For that reason, Mary Ellen O'Toole, who is a retired FBI profiler, emphasizes the need to go beyond a person's superficial qualities in order to understand them. It is not safe, for instance, to (B) _____ that a stranger is a good neighbor, just because they're polite. Seeing them follow a routine of going out every morning well-dressed doesn't mean that's the whole story. In fact, O'Toole says that when you are dealing with a criminal, even your feelings may fail you. That's because criminals have perfected the art of manipulation and deceit.

Words
keep away from ~을 멀리하다
tall order 무리한 요구
potential 잠재적인
analyze 분석하다
personality 성격
retired 은퇴한
profiler 프로파일러, 범죄 심리 분석관
emphasize 강조하다
superficial 피상적인
quality 특성
well-dressed (옷을) 잘 차려입은
deal with ~을 다루다
criminal 범죄자
fail ~의 도움이 되지 않다
perfect 통달하다
art 기술
manipulation 조작
deceit 사기, 속임수

© Getty Images Korea

3 윗글의 빈칸 (A)에 들어갈 알맞은 말을 주어진 철자로 시작하여 쓰시오.

➡ e_____

Tip
우리는 ❶_____ 사람들을 만남으로써 친구의 범위를 ❷_____ 하고 잠재적인 사업 파트너를 만들며, 이 과정에서 안전을 위해 그들을 분석한다는 내용이다.

🔒 ❶ 낯선 ❷ 확장

4 다음 영영 풀이를 참고하여 윗글의 빈칸 (B)에 들어갈 알맞은 낱말을 〈보기〉에서 골라 쓰시오.

┌─ 보기 ──────────────────┐
│ consume   assume   involve   evolve │
└──────────────────────────┘

┌──────────────────────────┐
│ to accept something to be true without question or │
│   proof   │
└──────────────────────────┘

➡ _____

Tip
'질문이나 ❶_____ 없이 어떤 것을 ❷_____ 로 받아들이다'라는 의미의 단어를 생각해 본다.

🔒 ❶ 증거 ❷ 진실

대표 예제 1

다음 문장의 네모 안에서 문맥에 맞는 낱말을 고르시오.

Hanji's ability to [adapt / adopt] to the needs of every generation has led to the revival of this traditional paper.

개념 Guide

'모든 세대의 요구에 ❶ [　　　] 수 있는 한지의 능력은 이 전통적인 종이의 부활로 이어졌다.'라는 의미의 문장이다.

• generation 세대　revival ❷ [　　　]

답 ❶ 적응할 ❷ 부활

대표 예제 3

다음 문장에서 문맥상 낱말의 쓰임이 적절하지 않은 것을 찾아 바르게 고쳐 쓰시오.

They decided to build a canal thorough the Isthmus of Panama, which connected the North and South American continents.

_____ ➡ _____

개념 Guide

새로 짓는 운하가 파나마 지협을 ❶ [　　　] 것이라는 내용이 되는 것이 자연스럽다.

• canal ❷ [　　　]　isthmus 지협　continent 대륙

답 ❶ 통과하는 ❷ 운하

대표 예제 2

다음 영영 풀이에 해당하는 낱말로 가장 적절한 것은?

willing to give money, help, kindness, etc., especially more than is expected

① genius　　② genetic
③ generous　　④ general
⑤ genuine

개념 Guide

'특히 기대되는 것보다 더 많은 돈, 도움, 친절 등을 ❶ [　　　] 주는'의 의미를 가진 단어는 ❷ [　　　] 이다.

답 ❶ 기꺼이 ❷ generous

대표 예제 4

다음 문장의 빈칸에 알맞은 것은?

A museum in New York City had recently _____ an ancient Egyptian ring and needed the help of Shirley's father.

① ensured　　② inquired
③ required　　④ acquired
⑤ enquired

개념 Guide

뉴욕시에 있는 박물관이 고대 이집트의 반지를 ❶ [　　　] 는 내용이다.

• ancient ❷ [　　　]

답 ❶ 입수했다 ❷ 고대의

대표 예제 5

다음 영영 풀이를 참고하여 빈칸에 알맞은 것을 고르면?

> Not everyone has _____ to the Internet, but we are surrounded by so many ways in which we can shop.
> (= the right to enter a place, use something, or see someone)

① asset ② exceed

③ excess ④ assess

⑤ access

개념 Guide

'어떤 장소에 들어가거나, 어떤 것을 사용하거나, 누군가를 만날 ❶ _____ '의 의미를 가진 단어는 ❷ _____ 이다.

• surround 둘러싸다

답 ❶ 권리 ❷ access

대표 예제 6

다음 밑줄 친 부분과 바꾸어 쓸 수 있는 것은?

> Have you ever questioned why retail stores put items on sale?

① explored ② inclined

③ acquired ④ wondered

⑤ wandered

© olessya.g/shutterstock

개념 Guide

밑줄 친 questioned는 '❶ _____ '이라는 의미로 이와 바꾸어 쓸 수 있는 단어는 ❷ _____ 이다.

• retail store 소매점

답 ❶ 궁금했던 ❷ wondered

대표 예제 7

다음 글을 읽고, 물음에 답하시오.

> The consumption of plastic bottled water is on the ① rise. For example, it was estimated that the USA ② assumed as much as 36.5 gallons of bottled water per person in 2015. The problem is that most plastic bottles are ③ thrown away and take up space in landfills.
>
>
> © Getty Images Korea

(1) 윗글의 밑줄 친 부분 중 문맥상 낱말의 쓰임이 적절하지 <u>않은</u> 것은?

➡ _____

개념 Guide

플라스틱 물병의 소비가 날로 ❶ _____ 하고 있으며, 미국은 물병에 담긴 물을 1인당 36.5갤런 ❷ _____ 했다는 내용이다.

답 ❶ 증가 ❷ 소비

(2) 다음 영영 풀이에 해당하는 낱말을 윗글에서 찾아 쓰시오.

> to try to judge the size, speed, cost, etc. of something, without calculating it exactly

➡ _____

개념 Guide

'어떤 것의 크기, 속도, 가격 등을 정확히 ❶ _____ 하지 않고 판단하려고 하다'라는 의미를 가진 단어는 ❷ _____ 이다.

답 ❶ 측정 ❷ estimate

대표 예제 8

다음 밑줄 친 부분과 바꾸어 쓸 수 있는 것은?

> Rudolf Diesel, the inventor of diesel engines, actually <u>aimed</u> for farmers to grow their own fuel.

① intended ② insisted

③ distracted ④ admitted

⑤ pretended

개념 Guide

밑줄 친 aimed는 '**❶　　**'라는 의미로 쓰였으므로, 이와 바꾸어 쓸 수 있는 단어는 **❷　　**이다.

답 ❶ 의도했다 ❷ intended

대표 예제 10

다음 문장의 빈칸에 알맞은 것은?

> A typical 250 ml can of soda _____s 30 grams of sugar.

① access ② assume

③ dispose ④ contain

⑤ obtain

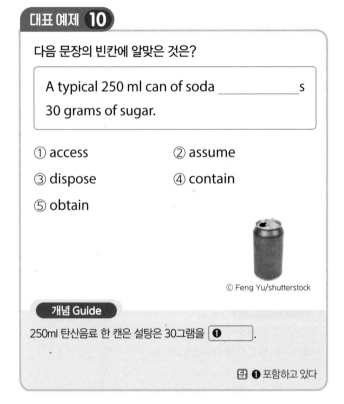

© Feng Yu/shutterstock

개념 Guide

250ml 탄산음료 한 캔은 설탕은 30그램을 **❶　　**.

답 ❶ 포함하고 있다

대표 예제 9

다음 중 낱말의 영영 풀이가 알맞지 않은 것은?

① extinct: not now existing

② acquire: to claim or ask for by right and authority

③ attribute: to say or think that something is the result of a particular thing

④ defend: to protect someone or something against attack or criticism

⑤ reverse: opposite to what has just happened

개념 Guide

· exist **❶　　** claim 요구하다 opposite **❷　　**

답 ❶ 존재하다 ❷ 반대의

대표 예제 11

다음 문장의 빈칸에 알맞은 말을 〈보기〉에서 골라 쓰시오.

> ● 보기 ●
>
> prescribe describe expand expend

(1) The walls are decorated with sculptures that _____ events in the Bible.

(2) When demand for the service _____(e)d, a businessman started the lunch-delivery service in its present format.

개념 Guide

· decorate **❶　　** sculpture 조각상 demand 수요
present 현재의 format **❷　　**

답 ❶ 장식하다 ❷ 형태

대표 예제 12

다음 대화의 밑줄 친 부분 중, 문맥상 낱말의 쓰임이 적절하지 <u>않은</u> 것을 골라 바르게 고쳐 쓰시오.

Host: Is there anything people can do to ① <u>protect</u> keystone species?

Dr. Walters: Yes, there are many things, but the most important one is to avoid hunting them or ② <u>disturbing</u> the ecosystem significantly. Many elephants in Tanzania, for example, have ③ <u>disappeared</u> because people have hunted them. We must also do much more research. This is as important as not hunting. We must ④ <u>identify</u> the animals and plants that are keystone species so that we can better ⑤ <u>persevere</u> them in the future.

_____, _____ ➡ _____

© Eric Isselee/shutterstock

개념 Guide

핵심종을 ❶[   ]하기 위해 사냥이나 생태계 교란을 하지 않고, 많은 ❷[   ]를 해야 한다는 내용이다.

답 ❶ 보호 ❷ 연구

대표 예제 13

(A), (B)의 각 네모 안에서 문맥에 맞는 낱말을 골라 쓰시오.

Last April, I took part in the Gijisi *Juldarigi* Festival, held in Dangjin, Chungcheongnam-do. Thousands of people gathered and pulled the "centipede" rope to win. Even though both teams tried their best, it was my team that won. Actually, which team wins is not that important. By tradition, participants are divide into two teams by township: one team from *susang*, the northern area, and the other from *suha*, the southern area. They say that the country will be peaceful if the (A) [former / formal] team wins, and that it will have a good harvest if the latter wins. I was happy because I learned that I helped bring a good harvest! It was wonderful to experience traditional Korean culture in the spirit of (B) [corporation / cooperation]. Most of all, it was fun.

(A) _____   (B) _____

개념 Guide

줄다리기의 ❶[   ]을 소개하며, ❷[   ] 정신 안에서 한국 전통문화를 경험하게 되어 좋았다는 소감을 이야기하고 있다.

답 ❶ 전통 ❷ 협동

1주 4일 교과서 대표 전략 ②

01 다음 글의 네모 안에서 문맥에 맞는 낱말을 고르시오.

Bab Boujloud, a landmark of Fez, is the main entrance into the Medina of Fez. The side that greets new visitors is painted elegant blue. The diverse / reverse side, which faces the Medina, is painted green. When you pass through the blue gate, you feel like you are traveling from modern to medieval times.

© NOWAK LUKASZ/shutterstock

> **Tip**
> 페즈의 메디나로 들어가는 ❶⬚⬚⬚ 인 밥 부즐루드는 방문객들을 향하는 쪽과 ❷⬚⬚⬚쪽의 색이 다르다는 내용이다.
>
> 답 ❶ 정문 ❷ 반대

02 다음 글의 밑줄 친 부분 중, 문맥상 낱말의 쓰임이 적절하지 않은 것은?

Mr. Nielsen ① resisted that we get settled early, saying the Northern Lights might appear any time after dark. So, we set up on a hill and had dinner while waiting ② calmly for the lights. Hours ③ passed without any sign of them in the sky. I began to ④ doubt that we could see the lights. At that moment, Mom shouted, "Look up there!" Some lights began to ⑤ appear in the sky!

© NotYourAverageBear/shutterstock

> **Tip**
> Nielsen 씨의 ❶⬚⬚⬚에 따라 언덕 위에 일찍 자리를 잡고 수 시간을 기다린 뒤에 ❷⬚⬚⬚을 보았다는 내용이다.
>
> 답 ❶ 주장 ❷ 북극광

Words

landmark 주요 지형지물, 랜드마크 main entrance 정문 greet 맞이하다
elegant 우아한 face ~쪽을 향하다 medieval 중세의

Words

get settled 정착하다 appear 나타나다 set up 설치하다 calmly 조용히
sign 징후, 조짐 doubt 의심하다; 의심

[03 ~ 04] 다음 글을 읽고, 물음에 답하시오.

The Sleeping Gypsy is considered a fantastic and mysterious work. The rich and sharp colors of the painting fascinate us and its stillness makes us feel like we are actually there. However, if we study the painting carefully, we can see that it does not make sense. How can the beast not attack its (A) pray / prey ? How come a river is in the desert? Jean Cocteau, a French poet and film director, said, "Perhaps she's dreaming of the lion and the river." Indeed, it looks like a painting of a woman who is dreaming. Now you might understand what brings a strange and mysterious atmosphere to this painting. It is the unfamiliar combination of things that exist in two different worlds, reality and fantasy. And that is why many people are (B) a_____ to this painting.

'잠자는 집시'는 프랑스 화가 앙리 루소(1844~1910년)의 작품으로, 사막에서 잠들어 있는 집시 여인의 옆을 지나가는 사자를 꿈속의 모습처럼 그렸어.

Words

mysterious 신비한 fascinate 매혹하다, 마음을 사로잡다 stillness 고요함
make sense 이치에 맞다 beast 야수 film director 영화감독
indeed 실제로 atmosphere 분위기 unfamiliar 낯선, 익숙하지 않은
combination 조합 exist 존재하다 reality 실재 fantasy 환상, 공상

---

03 다음 영영 풀이를 참고하여 윗글의 (A)의 네모 안에서 문맥에 맞는 낱말을 골라 쓰시오.

an animal taken by a predator as food

➡ _____

Tip

'❶ [   ]가 먹이로 삼은 동물'의 의미를 가진 단어는 ❷ [   ]이다.

답 ❶ 포식자 ❷ prey

---

04 윗글의 빈칸 (B)에 들어갈 알맞은 낱말을 주어진 철자로 시작하여 쓰시오.

➡ a_____

Tip

현실과 ❶ [   ]을 조합한 듯한 '잠자는 집시'의 신비로운 분위기에 많은 사람들이 ❷ [   ]는 내용이다.

답 ❶ 공상 ❷ 끌린다

01 다음 빈칸에 알맞은 말을 〈보기〉에서 골라 쓰시오.

┌─ 보기 ─────────────────┐
│ generous   precious   former │
└────────────────────────┘

© Monkey Business Images/shutterstock

(1) Families don't grow strong unless parents invest _____ time in them.

(2) Aristotle's suggestion is that virtue is the midpoint, where someone is neither too _____ nor too stingy, neither too afraid nor recklessly brave.

02 우리말을 참고하여 괄호 안에서 알맞은 말을 고르시오.

(1) Discover how world famous English poet William Wordsworth lived, and (explore / explode) his inspiring home.

세계적으로 유명한 영국 시인 William Wordsworth의 생애를 살펴보고, 영감을 주는 그의 집을 답사하세요.

(2) Recording an interview is easier and more (through / thorough), and can be less unnerving to an interviewee than seeing someone scribbling in a notebook.

인터뷰를 녹음하는 것은 더 쉽고 더 면밀하며 누군가가 수첩에 급히 글을 쓰는 것을 보는 것보다 인터뷰 대상에게는 덜 불안하게 만드는 것일 수 있다.

03 다음 우리말과 의미가 같도록 주어진 철자로 시작하는 낱말을 쓰시오.

(1) The key feature that distinguishes predator species from p_____ species isn't the presence of claws or any other feature related to biological weaponry.

포식자 종과 피식자 종을 구별하는 주요 특징은 발톱이나 생물학적 무기와 관련된 어떤 다른 특징의 존재가 아니다.

(2) When a_____ing results, think about any biases that may be present!

결과들을 평가할 때, 있을 수 있는 어떤 치우침에 대해 생각하라!

04 다음 영영 풀이에 해당하는 낱말을 쓰시오.

(1) _____ : to have something in your mind as a plan or purpose

(2) _____ : to keep or continue to have something

Words

01 virtue 미덕 midpoint 중간 지점 stingy 인색한 recklessly 무모하게
02 poet 시인 inspiring 영감을 주는 unnerve 불안하게 만들다
   interviewee 인터뷰 대상자 scribble 갈겨쓰다, 휘갈기다

03 feature 특징 distinguish 구별하다 predator 포식자 claw 발톱
   biological 생물학적 weaponry 무기, 무기류 bias 편견, 치우침
04 purpose 목적 continue 계속하다

05 (A), (B), (C)의 각 네모 안에서 문맥에 맞는 낱말로 가장 적절한 것은?

Mobility provides a change to the environment for journalists. Newspaper stories, television reports, and even early online reporting (prior to communication technology such as tablets and smartphones) (A) acquired / required one central place to which a reporter would submit his or her news story for printing, broadcast, or posting. Now, though, a reporter can shoot video, record audio, and type directly on their smartphones or tablets and post a news story instantly. Journalists do not need to report to a central location where they all contact sources, type, or edit video. A story can be instantaneously written, shot, and made (B) available / unavailable to the entire world. The news cycle, and thus the job of the journalist, never takes a break. Thus the "24-hour" news cycle that emerged from the rise of cable TV is now a thing of the past. The news "cycle" is really a (C) instant / constant .

	(A)	(B)	(C)
①	acquired	available	instant
②	required	available	constant
③	acquired	available	constant
④	required	unavailable	constant
⑤	acquired	unavailable	instant

06 다음 글의 밑줄 친 부분 중, 문맥상 낱말의 쓰임이 적절하지 않은 것은?

According to an Australian study, a person's ① confidence in the kitchen is linked to the kind of food that he or she tends to enjoy eating. Compared to the ② average person, those who are proud of the dishes they make are more likely to enjoy eating vegetarian food and health food. Moreover, this group is more likely than the average person to enjoy eating ③ reverse kinds of food: from salads and seafood to hamburgers and hot chips. In ④ contrast, people who say "I would rather clean than make dishes." don't share this wide-ranging enthusiasm for food. They are less likely than the average person to enjoy different types of food. In ⑤ general, they eat out less than the average person except for when it comes to eating at fast food restaurants.

© Syda Productions/shutterstock

Words

05 journalist 저널리스트, 기자 central 중심이 되는 submit 제출하다
broadcast 방송 shoot 촬영하다 instantly 즉시 location 장소, 위치
instantaneously 즉각적으로 emerge 나오다, 드러나다

Words

06 be linked to ~와 연관이 있다 average 보통의, 일반적인
vegetarian 채식의 in contrast 반대로 wide-ranging 광범위한
enthusiasm 열정 in general 일반적으로 except for ~을 제외하고

창의·융합·코딩 전략 ①

A 다음 의미에 해당하는 낱말을 찾아 연결하시오.

1. 멸종한

2. 책임, 의무, 책무

3. 진화하다

4. 측면, 면

5. 포함하다

ⓐ evolve

ⓑ involve

ⓒ aspect

ⓓ prospect

ⓔ extinct

ⓕ distinct

ⓖ responsibility

ⓗ possibility

ⓘ contain

ⓙ maintain

B 위에서 찾은 낱말 중 알맞은 것을 골라 문장을 완성하시오.

1. How they start their day not only impacts that day, but every _____ of their lives.

2. The beginning of growth comes when you begin to personally accept _____ for your choices.

3. I think the reason kids like dinosaurs so much is that dinosaurs were big, were different from anything alive today, and are _____.

© Beresnev/shutterstock

4. Every aspect of human language has _____d, as have components of the human brain and body, to engage in conversation and social life.

5. If a food _____s more sugar than any other ingredient, government regulations require that sugar be listed first on the label.

C 영영 풀이를 참고하여 퍼즐을 완성하시오.

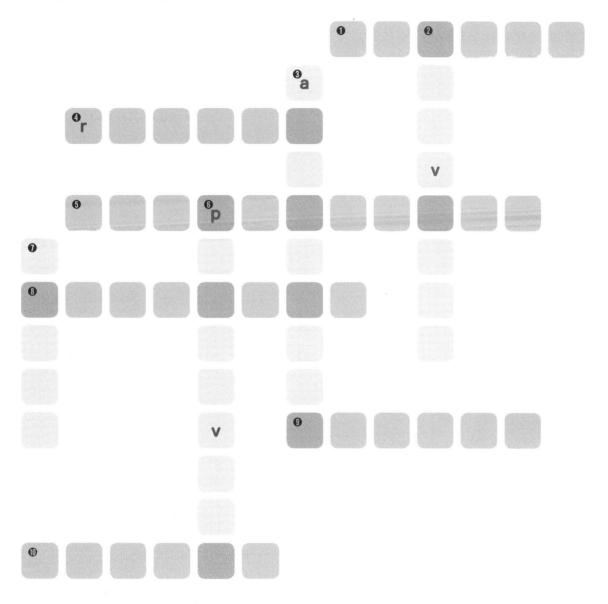

Across ▶

❶ to increase in size, number, or importance

❹ to fight against something or someone that is attacking you

❺ the act of working together with someone or doing what they ask you

❽ to say or write what someone or something is like

❾ to develop gradually

❿ to walk around slowly in a relaxed way or without any clear purpose

Down ▼

❷ having happened before the event, time, or thing that you are talking about now

❸ to say or think that something is the result of a particular thing

❻ to continue making an effort to achieve something, even when this is difficult or takes a long time

❼ to gradually change your behavior and attitudes in order to be successful in a new situation

D 색이 있는 조각과 색이 없는 조각을 바르게 연결하여 낱말을 완성하시오.

1. `d` `i` `s` `t` •   • `r` `v` `e`

2. `p` `r` `e` `s` •   • `r` `o` `u` `s`

3. `s` `p` `o` `n` •   • `t` `a` `n` `e` `o` `u` `s`

4. `g` `e` `n` `e` •   • `r` `a` `c` `t`

5. `w` `a` `n` `d` •   • `e` `r`

6. `d` `e` `s` `e` •   • `e` `r` `v` `e`

E 위에서 만든 낱말 중 알맞은 것을 골라 문장을 완성하시오.

1. The remains of the Roman fort are well ⬜⬜⬜d.

2. ⬜⬜⬜⬜ing around alone, he found a strange golden ring lying on the ground.

3. You ⬜⬜⬜ our special thanks for all your efforts.

4. Worry ⬜⬜⬜s her attention.

F 각 사람이 하는 말과 일치하도록 알맞은 카드를 골라 문장을 완성하시오.

1.
나는 그를 믿고 싶은 마음이 들어.

➡ I [   ] to believe him.

2.
그는 남을 평가하는 데 관대해.

➡ He is [   ] in his judgment of others.

3.
그는 신경 쓰지 않는 척 했지만, 나는 그가 신경 쓰고 있다는 걸 알았어.

➡ He [   ](e)d he didn't mind, but I knew that he did.

4.
그는 함께 일하기 어렵다는 평판을 얻었어.

➡ He has [   ](e)d a reputation for being difficult to work with.

cooperation	corporation	pretend	intend
prey	pray	general	generous
incline	decline	acquire	require

의미가 혼동되는 파생어

그림을 보고, **단어의 의미**를 추측해 보세요.

부모의 행동은 아이에게 ❶affect 하지.

아이들은 ❷affection을 가지고 대해 주어야 해.

❶ 영향을 미치다 ❷ 애정; 감정

사람들이 지구의 환경을 ❸alter 하고 있어!

환경을 보호해야 해. 우리에게 ❹alternative 지구는 없어!

❸ 바꾸다; 고치다 ❹ 대안의; 양자택일의

현미경은 미생물을 ❺observe하는 데 유용해.

별 ❻observation은 정말 흥미로운 경험이야.

❺ 관찰하다 ❻ 관찰

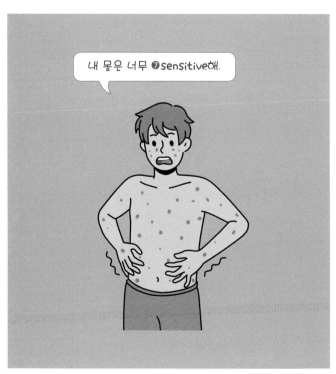

내 몸은 너무 ❼sensitive해.

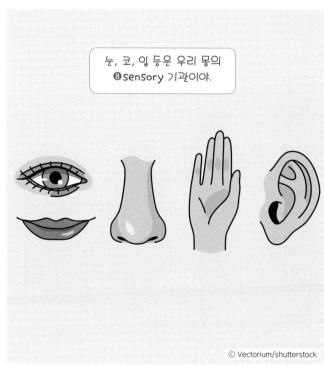

눈, 코, 입 등은 우리 몸의 ❽sensory 기관이야.

© Vectorium/shutterstock

❼ 민감한 ❽ 감각의

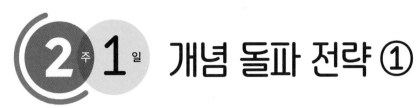

2주 1일 개념 돌파 전략 ①

001 ☐☐☐

| **affect** [əfékt] | *v.* ❶ [ ]을 미치다 | **Quiz** 깊이 **영향을 미치다** _____ deeply |
| **affection** [əfékʃən] | *n.* ❷ [ ]; 감정 | 애정의 표시 sign of _____ |

답 ❶ 영향 ❷ 애정   답 affect, affection

002 ☐☐☐

| **alter** [ɔ́:ltər] | *v.* 바꾸다, ❶ [ ] | **Quiz** 색과 크기를 **바꾸다** _____ the color and size |
| **alternative** [ɔ:ltə́:rnətiv] | *n.* 대안; 양자택일 *a.* 대안의; ❷ [ ] | 대체 에너지원 _____ energy source |

답 ❶ 고치다 ❷ 양자택일의   답 alter, alternative

003 ☐☐☐

| **attend** [əténd] | *v.* 출석하다, ❶ [ ] | **Quiz** 회의에 **참석하다** _____ a meeting |
| **attention** [əténʃən] | *n.* ❷ [ ], 주목 | 세심한 **주의**를 기울여 with close _____ |

답 ❶ 참석하다 ❷ 주의   답 attend, attention

004 ☐☐☐

| **beside** [bisáid] | *prep.* ~ 옆에, ❶ [ ] | **Quiz** 침대 **옆에** _____ the bed |
| **besides** [bisáidz] | *ad.* ❷ [ ], 게다가 *prep.* ~ 이외에도 | 돈 **이외에도** _____ money |

답 ❶ ~의 가까이에 ❷ ~ 외에도   답 beside, besides

005 ☐☐☐

| **close** *a./ad.* [klous] *v.* [klouz] | *a.* 가까운 *ad.* ❶ [ ] *v.* 닫다 | **Quiz** 창문에서 **가까운** _____ to the window |
| **closely** [klóusli] | *ad.* ❷ [ ]; 밀접하게 | **면밀하게** 감시된 _____ monitored |

답 ❶ 가까이 ❷ 면밀하게   답 close, closely

괄호 안에서 알맞은 것을 고르시오.

1-1

The disease (affects / affections) the central nervous system.

Guide 그 질병은 중추 신경에 ❶   .

답 ❶ 영향을 미친다

괄호 안에서 알맞은 것을 고르시오.

1-2

Their mother never showed them much (affect / affection).

2-1

The region will (alter / alternative) beyond recognition.

Guide 그 지역은 못 알아보게 ❶   것이다.

답 ❶ 바뀔

2-2

I had no (alter / alternative) but to confess.

confess 고백하다, 자백하다

3-1

Please let us know if you can't (attend / attention).

Guide ❶   할 수 없으시면 알려 주십시오.

답 ❶ 참석

3-2

I tried to pay (attend / attention) to what she was saying.

try 노력하다, 애쓰다

4-1

The table is (beside / besides) the window.

Guide 그 탁자는 창문 ❶   있다.

답 ❶ 옆에

4-2

He wanted to help her out. (Beside / Besides), he had something to tell her.

help out 거들다, 돕다

5-1

Mom and I have always been very (close / closely).

Guide 엄마와 나는 항상 아주 ❶   .

답 ❶ 가까웠다

5-2

Voters should (close / closely) examine all the issues.

voter 유권자
examine 검토하다
issue 쟁점

006 ☐☐☐

| **compare**
[kəmpɛ́ər] | v. 비교하다; **❶** ☐ | **Quiz**
비교하고 대조하다
_____ and contrast |
| **comparative**
[kəmpǽrətiv] | a. **❷** ☐ , 상대적인 | **비교** 분석
_____ analysis |

답 ❶ 비유하다 ❷ 비교의   답 compare, comparative

007 ☐☐☐

| **compete**
[kəmpíːt] | v. 경쟁하다, **❶** ☐ | **Quiz**
국제적인 시장에서 **경쟁하다**
_____ in the international marketplace |
| **competent**
[kámpətənt] | a. **❷** ☐ , 능력이 있는 | 매우 **유능한** 정비사
a highly _____ mechanic |

답 ❶ 겨루다 ❷ 유능한   답 compete, competent

008 ☐☐☐

| **compel**
[kəmpél] | v. 강요하다, **❶** ☐ | **Quiz**
사람들에게 참여를 **강요하다**
_____ people to join |
| **compulsory**
[kəmpʌ́lsəri] | a. **❷** ☐ , 의무적인 | **의무** 교육
_____ education |

답 ❶ 억지로 시키다 ❷ 강제적인   답 compel, compulsory

009 ☐☐☐

| **compose**
[kəmpóuz] | v. 구성하다; **❶** ☐ | **Quiz**
노래를 **작곡하다**
_____ a song |
| **composition**
[kàmpəzíʃən] | n. **❷** ☐ ; 작문; 작곡 | 대기의 화학적 **구성**
chemical _____ of air |

답 ❶ 작곡하다 ❷ 구성   답 compose, composition

010 ☐☐☐

| **confidence**
[kánfədəns] | n. 자신(감), 확신; **❶** ☐ ; 비밀 | **Quiz**
자신이 있다
have _____ in oneself |
| **confidential**
[kànfədénʃəl] | a. **❷** ☐ ; 신뢰할 수 있는 | 정부 **기밀** 보고서
a _____ government report |

답 ❶ 신뢰 ❷ 기밀의   답 confidence, confidential

괄호 안에서 알맞은 것을 고르시오.

6-1

Do not (compare / comparative) yourself with others.

Guide 자신을 다른 사람들과 ❶ [　　　　] 마세요.

🔑 ❶ 비교하지

7-1

The stores have to (compete / competent) for customers in the Thanksgiving season.

Guide 그 가게들은 추수감사절 기간에 손님들을 두고 ❶ [　　　　] 한다.

🔑 ❶ 경쟁해야

8-1

We (compel / compulsory) people to wear safety belts when riding in a vehicle.

Guide 우리는 차량을 탈 때 사람들에게 안전벨트를 ❶ [　　　　] 한다.

🔑 ❶ 매게

9-1

This piece of music was (composed / composition) for the cello.

Guide 이 음악 작품은 첼로용으로 ❶ [　　　　].

🔑 ❶ 작곡되었다

10-1

They have complete (confidence / confidential) in the doctors.

Guide 그들은 의사들에 대해 완전한 ❶ [　　　　]를 갖고 있다.

🔑 ❶ 신뢰

괄호 안에서 알맞은 것을 고르시오.

6-2

Do we have the (compare / comparative) advantage to use another sort of energy?

sort 종류

7-2

She is the only party leader (compete / competent) enough to govern this country.

party 정당
govern 통치하다

8-2

Car insurance is (compel / compulsory).

insurance 보험

9-2

Some minerals have complex chemical (composed / compositions).

mineral 광물
complex 복잡한

10-2

All the information will be (confidence / confidential).

개념 돌파 전략 ②

A

영어 또는 우리말 뜻 쓰기

1. affect　　＿＿＿＿＿＿＿＿＿

2. compare　　＿＿＿＿＿＿＿＿＿

3. attend　　＿＿＿＿＿＿＿＿＿

4. compete　　＿＿＿＿＿＿＿＿＿

5. close　　＿＿＿＿＿＿＿＿＿

6. alter　　＿＿＿＿＿＿＿＿＿

7. confidence　　＿＿＿＿＿＿＿＿＿

8. 애정; 감정　　＿＿＿＿＿＿＿＿＿

9. 비교의, 상대적인　　＿＿＿＿＿＿＿＿＿

10. 주의, 주목　　＿＿＿＿＿＿＿＿＿

11. 유능한, 능력이 있는　　＿＿＿＿＿＿＿＿＿

12. 면밀하게; 밀접하게　　＿＿＿＿＿＿＿＿＿

13. 대안(의); 양자택일(의)　　＿＿＿＿＿＿＿＿＿

14. 기밀의; 신뢰할 수 있는　　＿＿＿＿＿＿＿＿＿

B

영영 풀이에 해당하는 낱말 쓰기

1. ＿＿＿＿＿＿＿ : to try to be more successful than someone or something else

2. ＿＿＿＿＿＿＿ : secret or private, often in a formal, business, or military situation

3. ＿＿＿＿＿＿＿ : different from the one you have and can be used instead

4. ＿＿＿＿＿＿＿ : to do something that produces an effect or change in something

5. ＿＿＿＿＿＿＿ : to force someone to do something

successful 성공한, 성공적인

private ❶ ＿＿＿＿＿

formal 공식적인

military 군대의

instead 대신에

produce (어떤 결과·효과를) 낳다

force ❷ ＿＿＿＿＿

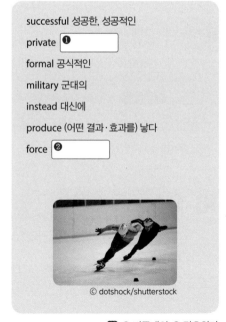

© dotshock/shutterstock

답 ❶ 비공개의 ❷ 강요하다

C

빈칸에 알맞은 표현 고르기

1. _____ sports, Anna was interested in music.

   ① Besides   ② Beside   ③ Inside

2. When the case was investigated more _____, witnesses were called.

   ① confident   ② close   ③ closely

3. _____ medicine can cure many problems but not diseases like cancer.

   ① Alternative   ② Alter   ③ Alternate

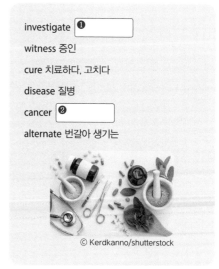

investigate ❶ [　　　　]
witness 증인
cure 치료하다, 고치다
disease 질병
cancer ❷ [　　　　]
alternate 번갈아 생기는

© Kerdkanno/shutterstock

답 ❶ 조사하다 ❷ 암

D

밑줄 친 부분과 의미가 같은 표현 고르기

1. Batman <u>changed</u> his voice when appearing as Bruce Wayne.

   ① affected   ② attended   ③ altered

2. After passing the Banking Law of 1934, the identities of Swiss bank account holders legally became <u>classified</u>.

   ① compulsory   ② confidential   ③ confident

3. He is expected to continue the court battle by hiring <u>able</u> lawyers and law firms.

   ① comparative   ② competent   ③ close

identity 신원
account 계좌
legally ❶ [　　　　]
court battle 법정 분쟁
hire ❷ [　　　　]
lawyer 변호사
law firm 법률 사무소

© wavebreakmedia/shutterstock

답 ❶ 법적으로 ❷ 고용하다

2주 2일 필수 체크 전략 ①

011 **considerate** [kənsídərət]   vs.   **considerable** [kənsídərəbl]

a. 배려하는, 이해심이 있는
(↔ inconsiderate *a.* 배려하지 않는)
He is kind and **considerate**. 그는 친절하고 **이해심이 있다**.

a. 고려할 만한, 상당한
considerable amount of money
상당한 양의 돈

012 **credit** [krédit]   vs.   **credible** [krédəbl]

n. 신용, 신뢰 *v.* 믿다, 신용하다
earn **credit**
신용을 얻다

a. 믿을 만한
(↔ incredible *a.* 믿을 수 없는, 놀라운)
a **credible** plan 믿을 만한 계획

013 **maintain** [meintéin]   vs.   **maintenance** [méintənəns]

v. 유지하다; 주장하다
maintain an average speed 평균 속도를 유지하다

n. 유지, 관리, 보수
building **maintenance** 건물 보수

014 **necessity** [nəsésəti]   vs.   **necessary** [nésəsèri]

n. 필요성; 필수품
the **necessities** of existence 생활 **필수품**

a. 필요한; 필수적인
a **necessary** condition 필수 조건

015 **emerge** [imə́ːrdʒ]   vs.   **emergency** [imə́ːrdʒənsi]

v. 나타나다; (문제가) 생기다
The sun has **emerge**d. 태양이 **나타났다**.

n. 비상사태
emergency services providers 긴급 서비스 지원자들

016 **expert** [ékspəːrt]   vs.   **expertise** [èkspərtíːz]

n. 전문가, 권위자
a computer **expert** 컴퓨터 전문가

n. 전문적 기술, 전문 지식
financial **expertise** 금융 전문 지식

017 **exposure** [ikspóuʒər]   vs.   **exposition** [èkspəzíʃən]

n. 노출; 폭로
radiation **exposure** 방사능 노출

n. 박람회; 전시
the International Garden **Exposition** 국제 정원 박람회

018 **hard** [hɑːrd]   vs.   **hardly** [hɑ́ːrdli]

a. 단단한, 어려운
Heating the clay makes it **hard**.
점토를 구우면 **단단해진다**.

ad. 거의 ~ 아니다
I can **hardly** believe it.
나는 그것을 **거의 믿을 수 없다**.

1. 우리말을 참고하여 네모 안에서 알맞은 낱말을 고르시오.

(1) The babies' family and the doctors witnessed the intangible force of love and the [credible / incredible] power of giving.

그 아기들의 가족과 의사들은 만질 수 없는 사랑의 힘과 믿을 수 없는 나눔의 힘을 목격하였다.

(2) Advertising has become a [necessity / necessary] in everybody's daily life.

광고는 일상생활에서 필수적인 것이 되었다.

Words

witness **❶**
intangible 만질 수 없는
advertising **❷**

目 ❶ 목격하다 **❷** 광고

© Getty Images Korea

 1-1

우리말을 참고하여 밑줄 친 부분을 바르게 고쳐 쓰시오.

(1) The degree of animals' tolerance for the human disturbance depends on the frequency of their <u>exposition</u> to humans.

인간의 방해에 대한 동물들의 참을성의 정도는 그들이 인간을 접하는 빈도에 달려 있다.

(2) If the tree has experienced stressful conditions, such as a drought, the tree might <u>hard</u> grow at all during that time.

만약 나무가 가뭄과 같은 힘든 기후 조건을 경험하게 되면, 그러한 기간에 나무는 거의 성장하지 못할 수 있다.

Words

degree 정도
tolerance 참을성
disturbance 방해
frequency 빈도
experience 경험하다
drought 가뭄

© idiz/shutterstock

 1-2

다음 영영 풀이에 해당하는 낱말을 각각 쓰시오.

(1) _____ : something that you need to have in order to live

(2) _____ : to believe that something is true

(3) _____ : a large public event at which you show or sell products, art, etc.

Words

in order to ~하기 위해
public 공공의; 공개적인

019 **potent** [póutnt] **vs.** **potential** [pəténʃəl]

☐
☐ *a.* 유력한, 강력한
☐ the most **potent** trait 가장 **강력한** 특징

a. 잠재적인, 가능성이 있는 *n.* 가능성, 잠재력
potential customers 잠재적인 고객들

020 **history** [hístəri] **vs.** **historical** [histɔ́ːrikəl]

☐
☐ *n.* 역사
☐ ancient **history** 고대사

a. 역사의, 역사에 관한
historical background 역사적 배경

021 **identify** [aidéntəfài] **vs.** **identity** [aidéntəti]

☐
☐ *v.* (사람·물건을) 확인하다; 분간[식별]하다
☐ **identify** handwriting 필적을 감정하다

n. 동일함; 신원; 정체성
a sense of **identity** 정체성

022 **equal** [íːkwəl] **vs.** **equality** [ikwɑ́ləti]

☐
☐ *a.* 똑같은, 동일한 *v.* 같다, 비등하다
☐ an **equal** number of votes 같은 수의 표

n. 평등, 균등
equality of opportunity 기회의 균등

023 **imaginary** [imǽdʒənèri] **vs.** **imaginative** [imǽdʒənətiv]

☐
☐ *a.* 가상의
☐ **imaginary** creatures 상상의 동물

a. 상상력이 풍부한
an **imaginative** child 상상력이 풍부한 아이

024 **practice** [prǽktis] **vs.** **practical** [prǽktikəl]

☐
☐ *n.* 관습, 관례; 관행; 연습
☐ follow the usual **practice** 일반적인 **관례**에 따르다

a. 실용적인
practical advice 실용적인 조언

025 **industry** [índəstri] **vs.** **industrial** [indʌ́striəl]

☐
☐ *n.* 산업; 근면
☐ the tourist **industry** 관광 산업

a. 산업의, 공업의
the **Industrial** Revolution 산업 혁명

026 **late** [leit] **vs.** **latest** [léitist]

☐
☐ *a.* 늦은 *ad.* 늦게
☐ be **late** for a meeting 회의에 늦다

a. 최근의, 최신의
the **latest** fashion 최신 유행

2. 우리말을 참고하여 네모 안에서 알맞은 낱말을 고르시오.

(1) Then only 17 himself and graduating from high school, he had called for equal / equality for African Americans.

그는 그 당시 단지 17살에 고등학교를 졸업했을 뿐인데, 아프리카계 미국인들을 위한 평등을 요구하였다.

(2) People find it very difficult to correctly identify / identity fruit-flavoured drinks if the colour is wrong, for instance an orange drink that is coloured green.

만약 예를 들어 초록색 빛깔의 오렌지 음료와 같이 색깔이 잘못되어 있다면, 사람들은 과일 맛이 나는 음료를 정확하게 식별하는 것이 매우 어렵다는 것을 알게 된다.

Words

graduate ❶ [　　]
call for ~을 요구하다
African American 아프리카계 미국인
correctly ❷ [　　]
fruit-flavoured 과일 맛이 나는
for instance 예를 들어

답 ❶ 졸업하다 ❷ 정확하게

 2-1
우리말을 참고하여 밑줄 친 부분을 바르게 고쳐 쓰시오.

(1) Students remember history facts when they are tied to a story.

학생들은 역사적 사실들이 이야기에 결합되어 있을 때 그것들을 기억한다.

(2) Being imaginary gives us feelings of happiness and adds excitement to our lives.

상상력이 풍부하다는 것은 우리에게 행복감을 주고 삶에 즐거움을 더한다.

Words

tie 묶다, 결합하다
happiness 행복
excitement 흥분, 즐거움

© Getty Images Korea

 2-2
다음 영영 풀이에 해당하는 낱말을 각각 쓰시오.

(1) _____ : powerful and effective

(2) _____ : the qualities and attitudes that a person or group of people have

(3) _____ : relating to real situations and events rather than ideas, emotions, etc.

Words

effective 효과적인
quality 특성, 자질
attitude 태도
situation 상황
emotion 감정

2주 2일 필수 체크 전략 ②

1 다음 글의 네모 안에서 문맥에 맞는 낱말을 고르시오.

> Animals as well as humans engage in play activities. In animals, play has long been seen as a way of learning and practicing skills and behaviors that are necessity / necessary for future survival. In children, too, play has important functions during development. From its earliest beginnings in infancy, play is a way in which children learn about the world and their place in it.

Words

engage in ~에 참여하다 activity 활동 practice 연습하다 behavior 행동 survival 생존 function 기능 development 발달 beginning 시작 infancy 유아기 place 위치

Tip

동물들에게 있어서 놀이는 생존에 ❶ [   ]한 기술과 행동을 익히는 방식이고, 아이들에게 있어서 놀이는 세상과 그 안에서의 ❷ [   ]에 대해 배우는 방식이라는 내용이다.

🔑 ❶ 필요 ❷ 위치

© Sunny studio/shutterstock

2 다음 글의 밑줄 친 부분 중, 문맥상 낱말의 쓰임이 적절하지 <u>않은</u> 것은?

> Activities that are ① <u>regarded</u> as play today may gain the ② <u>status</u> of sport in the future. For example, many people once played badminton in their backyards but this activity was ③ <u>hard</u> considered a sport. Since 1992, however, badminton has been an Olympic sport!

Words

gain 얻다 status 지위 once 언젠가, 한때 backyard 뒤뜰 consider 여기다

Tip

뒤뜰에서 즐기던 ❶ [   ]이 올림픽 스포츠가 된 것처럼 오늘날 놀이로 여겨지는 활동이 미래에 ❷ [   ]의 지위를 얻을 수도 있다는 내용이다.

🔑 ❶ 배드민턴 ❷ 스포츠

© Anton Starikov/shutterstock

[3~4] 다음 글을 읽고, 물음에 답하시오.

Study the lives of the great people who have made an impact on the world, and you will find that in virtually every case, they spent a (A) considerable / considerate amount of time alone thinking. Every political leader who had an impact on history practiced the discipline of being alone to think and plan. Great artists spend countless hours in their studios or with their instruments not just doing, but exploring their ideas and experiences. Time alone allows people to sort through their experiences, put them into perspective, and plan for the future. I strongly encourage you to find a place to think and to discipline yourself to pause and use it because it has the (B) _____ to change your life. It can help you to figure out what's really important and what isn't.

Words
make an impact on ~에 영향을 주다
virtually 사실상, 거의
case 경우
political 정치와 관련된, 정치적인
discipline 훈련; 훈련하다
countless 무수한, 셀 수 없이 많은
instrument 기구, 도구
explore 탐구하다
sort through ~을 자세히 살펴보다
put ~ into perspective ~을 통찰하다
strongly 강력하게
encourage 권장[장려]하다
figure out 이해하다, 알아내다

© Ollyy/shutterstock

3 윗글의 (A)의 네모 안에서 문맥에 맞는 낱말을 골라 쓰시오.

➡ _____

Tip
세상에 영향을 끼친 ❶ ☐ 사람들
이 저마다 혼자 생각하면서 ❷ ☐
양의 시간을 보냈다는 내용이다.

답 ❶ 위대한 ❷ 상당한

4 다음 영영 풀이를 참고하여 윗글의 빈칸 (B)에 들어갈 알맞은 낱말을 〈보기〉에서 골라 쓰시오.

┌ 보기 ────────────────────────
│   practice   practical   potent   potential
└──────────────────────────────

┌──────────────────────────────
│ the possibility that something will develop in
│   a particular way
└──────────────────────────────

➡ _____

Tip
'어떤 것이 특정한 ❶ ☐ 으로 발전
할 ❷ ☐ '이라는 의미의 단어를 생
각해 본다.

답 ❶ 방식 ❷ 가능성

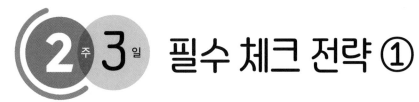
027 □□□ **likely** [láikli]

a. 가능성 있는, ~할 것 같은
likely to become defensive
방어적이 될 **가능성이 있는**

vs. **alike** [əláik]

a. 비슷한, 서로 같은 *ad.* 마찬가지로, 동등하게
Most twins look almost exactly **alike**.
대부분의 쌍둥이는 거의 **똑같이** 생겼다.

028 □□□ **literally** [lítərəli]

ad. 문자 그대로
translate **literally** 직역하다

vs. **literary** [lítərèri]

a. 문학의
literary criticism 문예 비평

029 □□□ **lively** [láivli]

a. 활기찬, 활발한
a **lively** child 활기찬 아이

vs. **alive** [əláiv]

a. 살아 있는
They're lucky to be **alive**. 그들은 다행히도 **살아 있다**.

030 □□□ **memorize** [méməràiz]

v. 기억[암기]하다
to **memorize** a poem 시를 암기하다

vs. **memorial** [məmɔ́ːriəl]

a. 기념의 *n.* 기념물
a **memorial** park 기념 공원

031 □□□ **motivate** [móutəvèit]

v. ~에 동기를 주다; (남에게) 흥미를 느끼게 하다
A good teacher **motivate**s her students.
좋은 교사는 그녀의 학생들에게 **동기를 준다**.

vs. **motivation** [mòutəvéiʃən]

n. 동기 부여
a high level of **motivation**
높은 수준의 **동기 부여**

032 □□□ **moment** [móumənt]

n. 순간, 찰나; 중요(성)
from that **moment** on 그 순간부터

vs. **momentary** [móuməntèri]

a. 순간적인
a **momentary** pause 순간적인 멈춤

033 □□□ **mostly** [móustli]

ad. 대개, 주로
He drinks sugar-free colas, **mostly**.
그는 **대개** 무설탕 콜라를 마신다.

vs. **almost** [ɔ́ːlmoust]

ad. 거의 (= nearly)
Dinner's **almost** ready.
저녁이 **거의** 준비되었다.

034 □□□ **objection** [əbdʒékʃən]

n. 이의, 반대
raise an **objection** 이의를 제기하다

vs. **objective** [əbdʒéktiv]

n. 목적, 목표 *a.* 객관적인
short range **objective** 단기 목표

3. 우리말을 참고하여 네모 안에서 알맞은 낱말을 고르시오.

(1) A passenger who would keep sitting up straight would
literary / literally be a pain in the behind.

계속 똑바로 앉아 있는 동승자는 말 그대로 뒷좌석의 골칫거리가 될 것이다.

(2) Associating what you are learning with what you already
know helps you memorize / memorial the learning material.

여러분이 배우고 있는 것을 이미 알고 있는 것과 관련지어 생각하는 것이 학습
내용을 외우는 데 도움이 된다.

(3) Friends, even best friends, don't have to be exactly
alike / likely .

친구들, 심지어 가장 친한 친구도 꼭 같을 필요는 없다.

Words

passenger 승객, 동승자
straight 똑바로, 수직으로
pain 곡칫거리
associate ❶
material 자료, 소재
exactly ❷ , 꼭

답 ❶ 관련시키다 ❷ 정확히

© Trendsetter Images/shutterstock

3-1

우리말을 참고하여 밑줄 친 부분을 바르게 고쳐 쓰시오.

(1) What really works to <u>motivation</u> people to achieve their
goals?

무엇이 사람들로 하여금 자신의 목표를 성취하도록 동기를 부여하기 위해
정말 효과가 있는가?

(2) At any <u>momentary</u>, you can choose to start showing more
respect for yourself or stop hanging out with friends who
bring you down.

언제든지 여러분은 자신을 더 존중하기 시작하거나 혹은 여러분을 힘들게
하는 친구들과 어울리는 것을 멈추기로 선택할 수 있다.

Words

achieve 성취하다
goal 목표
respect 존중
hang out with ~와 어울리다
bring ~ down ~를 의기소침하게 하다

© Getty Images Bank

3-2

다음 영영 풀이에 해당하는 낱말을 각각 쓰시오.

(1) _____ : still living and not dead
(2) _____ : a reason that you have for opposing
or disapproving of something
(3) _____ : to make someone want to do or
achieve something

Words

still 여전히, 아직
oppose 반대하다
disapprove 반대하다, 승인하지 않다

035 **observe** [əbzə́ːrv] **vs.** **observation** [àbzərvéiʃən]

v. 관찰하다; 준수하다
observe traffic rules 교통 규칙을 **준수하다**

n. 관찰
under close **observation** 면밀한 **관찰** 하에

036 **respect** [rispékt] **vs.** **respectful** [rispéktfəl]

n. 존경 v. 존경하다
in **respect** for ～에 **경의**를 나타내어

a. 공손한, 정중한 (ad. respectfully 공손하게)
respectful behavior 공손한 태도

037 **respectable** [rispéktəbl] **vs.** **respective** [rispéktiv]

a. 존경할 만한, 훌륭한
respectable motives
훌륭한 동기

a. 각자의, 각각의
the **respective** roles of teachers and students
교사와 학생 **각자의** 역할

038 **sense** [sens] **vs.** **sensible** [sénsəbl]

n. 감각 v. 느끼다
a natural **sense** of justice 자연스러운 정의감

a. 분별 있는; 현명한
a **sensible** decision 현명한 결정

039 **sensitive** [sénsətiv] **vs.** **sensory** [sénsəri]

a. 민감한
sensitive skin 민감한 피부

a. 감각의
sensory organ 감각 기관

040 **short** [ʃɔːrt] **vs.** **shortly** [ʃɔ́ːrtli]

a. 짧은; 부족한
short pants 짧은 바지

ad. 곧; 퉁명스럽게
shortly after ten 10시 조금 지나서

041 **succeed** [səksíːd] **vs.** **success** [səksés]

v. 성공하다; 계승하다
succeed in getting a job
직장을 얻는 데 **성공하다**

n. 성공; 성공한 사람[일]
The film was a great **success**.
그 영화는 큰 **성공**을 거두었다.

042 **value** [vǽljuː] **vs.** **valuable** [vǽljuəbl]

v. 중시하다 n. 가치, 가치관
value honor above riches 명예를 부(富)보다 **중시하다**

a. 가치 있는, 귀중한 (↔ valueless a. 가치 없는, 하찮은)
valuable data 귀중한 자료

4. 우리말을 참고하여 네모 안에서 알맞은 낱말을 고르시오.

(1) Ask yourself: Were observed / observations recorded during or after the experiment?

당신 자신에게 물어라: 관찰들이 실험 도중에 혹은 후에 기록되었나?

(2) Audience feedback assists the speaker in creating a respective / respectful connection with the audience.

청중의 반응은 연사가 청중과 존중하는 관계를 만드는 것을 도와준다.

(3) Your concepts are a primary tool for your brain to guess the meaning of incoming sensitive / sensory inputs.

당신의 개념은 입력되는 감각 정보의 의미를 추측하게 하는 뇌의 주요한 도구이다.

Words

record 기록하다
experiment ❶ [   ]
audience 청중
feedback ❷ [   ]
assist 돕다, 지원하다
create 만들어 내다
connection 연결, 관계
concept 개념
primary 주요한
incoming 들어오는
input 입력 정보

🔑 ❶ 실험 ❷ 반응

4-1

우리말을 참고하여 밑줄 친 부분을 바르게 고쳐 쓰시오.

(1) Before the show started, he took his son to see the animals in their <u>respectable</u> cages.

쇼가 시작되기 전, 그는 자신의 아들을 데리고 각자의 우리에 있는 동물들을 보러 갔다.

(2) They <u>observation</u> me threateningly and suddenly started to approach me.

그들은 위협적으로 나를 지켜보다가 갑자기 나를 향해 다가오기 시작했다.

Words

cage (짐승을 가두는) 우리
threateningly 위협적으로
suddenly 갑자기
approach 접근하다, 다가오다

© Macrovector/shutterstock

4-2

다음 영영 풀이에 해당하는 낱말을 각각 쓰시오.

(1) _____ : important because there is only a limited amount available

(2) _____ : reasonable, practical, and showing good judgement

(3) _____ : the process of watching something or someone carefully for a period of time

Words

limited 한정된
available 이용 가능한
reasonable 합리적인
practical 실용적인
judgement 판단
process 과정
carefully 주의 깊게
period 기간

2주 3일 필수 체크 전략 ②

1 다음 글의 네모 안에서 문맥에 맞는 낱말을 고르시오.

> Because trees are sensitive / sensible to local climate conditions, such as rain and temperature, they give scientists some information about that area's local climate in the past. For example, tree rings usually grow wider in warm, wet years and are thinner in years when it is cold and dry.

Words

local 지역의 climate 기후 condition 조건 temperature 온도 area 지역 past 과거
tree ring 나이테 wet 습한 thinner 더 좁은 dry 건조한

Tip

나무는 지역의 기후 조건에 ❶ ☐ 해서 ❷ ☐ 를 통해 그 지역의 과거 기후에 관한 정보를 얻을 수 있다는 내용 이다.

답 ❶ 민감 ❷ 나이테

2 다음 글의 밑줄 친 부분 중, 문맥상 낱말의 쓰임이 적절하지 <u>않은</u> 것은?

> You must never assume that what people say or do in a particular moment is a statement of their ① <u>permanent</u> desires. Yesterday they were in love with your idea; today they seem cold. This will confuse you and if you are not careful, you will waste ② <u>valueless</u> mental space trying to figure out their real feelings, their mood of the moment, and their fleeting ③ <u>motivations</u>.

Words

assume 가정하다 statement 진술 desire 바람 be in love with ~에 완전히 빠져들다
confuse 혼란스럽게 하다 waste 낭비하다 mood 기분 fleeting 잠깐 동안의

Tip

사람들이 특정 순간에 하는 말이나 행동은 그들의 ❶ ☐ 바람이 아니므로, 이를 파악하는 데 ❷ ☐ 정신적 공간을 허비하지 않도록 주의해야 한다는 내용 이다.

답 ❶ 영구적인 ❷ 소중한

© Kaspars Grinvalds/shutterstock

[3~4] 다음 글을 읽고, 물음에 답하시오.

> Curiosity makes us much more (A) alike / likely to view a tough problem as an interesting challenge to take on. A stressful meeting with our boss becomes an opportunity to learn. A nervous first date becomes an exciting night out with a new person. A colander becomes a hat. In general, curiosity (B) _____s us to view stressful situations as challenges rather than threats, to talk about difficulties more openly, and to try new approaches to solving problems. In fact, curiosity is associated with a less defensive reaction to stress and, as a result, less aggression when we respond to irritation.

Words

curiosity 호기심
tough 어려운, 거친
opportunity 기회
colander 체, 소쿠리
view A as B A를 B로 여기다
threat 위협
difficulty 어려움, 곤경
be associated with ~와 관련이 있다
reaction 반응
aggression 공격성
respond 반응하다
irritation 짜증

© NLshop/shutterstock

3 윗글의 (A)의 네모 안에서 문맥에 맞는 낱말을 골라 쓰시오.

➡ _____

Tip

호기심은 어려운 문제를 흥미로운 도전으로 여기게 할 ❶ [   ]이 있고, 문제 해결에 있어 ❷ [   ] 접근을 시도하도록 해 준다는 내용이다.

🔑 ❶ 가능성 ❷ 새로운

4 다음 영영 풀이를 참고하여 윗글의 빈칸 (B)에 들어갈 알맞은 낱말을 주어진 철자로 시작하여 쓰시오.

> to make someone want to do or achieve something

➡ m_____

Tip

'누군가가 어떤 것을 하거나 ❶ [   ] 싶게 ❷ [   ]'라는 의미의 단어를 생각해 본다.

🔑 ❶ 성취하고 ❷ 만들다

2주 4일 교과서 대표 전략 ①

대표 예제 1

다음 문장의 네모 안에서 문맥에 맞는 낱말을 고르시오.

> What else do you expect in summer in Seoul, beside / besides the long days and hot, sleepless nights?

개념 Guide

'긴 낮과 덥고 잠을 못 이루는 밤 ❶ 당신은 서울에서의 여름에 다른 무엇을 기대하는가?'라는 의미의 문장이다.

• expect 기대하다 sleepless ❷

답 ❶ 외에 ❷ 잠을 못 이루는

대표 예제 3

다음 문장에서 문맥상 낱말의 쓰임이 적절하지 않은 것을 찾아 바르게 고쳐 쓰시오.

> I definitely love upcycling, and it has awesome potent.

_____ ➡ _____

© Vanatchanan/shutterstock

개념 Guide

업사이클링에는 놀라운 ❶ 이 있다는 내용이 되는 것이 자연스럽다.

• definitely ❷ , 분명히 awesome 놀라운

답 ❶ 잠재력 ❷ 정말로

대표 예제 2

다음 영영 풀이에 해당하는 낱말로 가장 적절한 것은?

> having enough skill to do something to a satisfactory standard

① considerable   ② confidential
③ compulsory   ④ competent
⑤ compete

개념 Guide

'어떤 일을 만족할 만한 수준으로 할 충분한 ❶ 을 가진'의 의미를 가진 단어는 ❷ 이다.

답 ❶ 기술 ❷ competent

대표 예제 4

다음 문장의 빈칸에 알맞은 것은?

> The *Sillok* is considered more _____ and reliable than the historical records of any other nation.

① objection   ② objective
③ respective   ④ sensory
⑤ momentary

개념 Guide

조선왕조실록이 다른 어떤 역사적 기록들보다 더 ❶ 이고 신뢰할 만하다는 내용이다.

• reliable ❷

답 ❶ 객관적 ❷ 신뢰할 만한

대표 예제 5

다음 영영 풀이를 참고하여 빈칸에 알맞은 것을 고르면?

> With the help of Athena, Telemachus was able to protect himself in times of difficulty and _____ in finding his father.
>
> (= to do what you tried or wanted to do)

① succeed ② alter ③ compete
④ exceed ⑤ proceed

개념 Guide

'하려고 애쓰거나 [❶] 일을 하다'의 의미를 가진 단어는 [❷]이다.

• protect 보호하다 difficulty 어려움

답 ❶ 원하던 ❷ succeed

대표 예제 6

다음 밑줄 친 부분과 바꾸어 쓸 수 있는 것은?

> For a kite to remain flying, the amount of lift needs to be equivalent to the amount of weight so that those forces balance each other.

① potent ② late
③ comparative ④ lively
⑤ equal

© Photo Melon/shutterstock

개념 Guide

밑줄 친 equivalent는 '[❶]'이라는 의미로 이와 바꾸어 쓸 수 있는 단어는 [❷]이다.

• amount 양 lift 양력 weight 중력 force 힘

답 ❶ 동등한 ❷ equal

대표 예제 7

다음 글을 읽고, 물음에 답하시오.

> European rabbits keep the ecosystem ① balanced in many ways. First, they ② affection it by eating plants and spreading their seeds. This not only creates open spaces but also helps maintain plant ③ diversity.

(1) 윗글의 밑줄 친 부분 중 문맥상 낱말의 쓰임이 적절하지 않은 것은?

➡ _____

개념 Guide

유럽 토끼들이 식물을 먹고 그 씨앗을 퍼뜨림으로써 생태계에 [❶]을 미치며 [❷]을 맞춰 준다는 내용이다.

답 ❶ 영향 ❷ 균형

(2) 다음 영영 풀이에 해당하는 낱말을 윗글에서 찾아 쓰시오.

> to make something continue at the same standard as before

➡ _____

개념 Guide

'어떤 것을 전과 같은 [❶]으로 지속되게 하다'라는 의미를 가진 단어는 [❷]이다.

답 ❶ 수준 ❷ maintain

대표 예제 8

다음 밑줄 친 부분과 바꾸어 쓸 수 있는 것은?

> Artificial lighting reduces the production of these chemicals and <u>changes</u> the flowering cycle.

① alters ② attends ③ compares
④ competes ⑤ compels

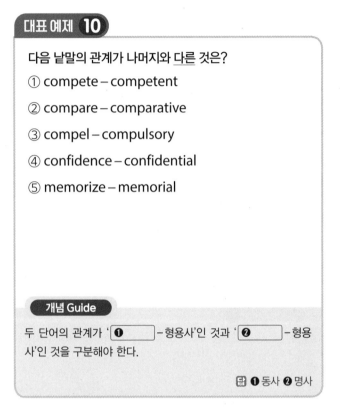

개념 Guide

밑줄 친 changes는 '**❶**　　　'라는 의미로, 이와 바꾸어 쓸 수 있는 단어는 **❷**　　　이다.

답 ❶ 바꾸다 ❷ alters

대표 예제 10

다음 낱말의 관계가 나머지와 <u>다른</u> 것은?

① compete – competent
② compare – comparative
③ compel – compulsory
④ confidence – confidential
⑤ memorize – memorial

개념 Guide

두 단어의 관계가 '**❶**　　　–형용사'인 것과 '**❷**　　　–형용사'인 것을 구분해야 한다.

답 ❶ 동사 ❷ 명사

대표 예제 9

다음 중 낱말의 영영 풀이가 알맞지 <u>않은</u> 것은?

① compete: to try to be more successful than someone or something else
② considerable: fairly large, especially large enough to have an effect
③ emerge: to believe that something is true
④ potent: powerful and effective
⑤ objection: a reason that you have for opposing or disapproving of something

개념 Guide

• fairly 꽤, 상당히 effective **❶**　　　 oppose **❷**　　　
disapprove 승인하지 않다

답 ❶ 효과적인 ❷ 반대하다

대표 예제 11

다음 빈칸에 알맞은 말을 〈보기〉에서 골라 쓰시오.

> • 보기 •
> necessity　necessary　sense　sensible

(1) I could ＿＿＿＿＿＿ their wisdom and strong determination to overcome the harsh environment.

(2) Plants need darkness to rest and create the chemicals ＿＿＿＿＿＿ for their daily functioning.

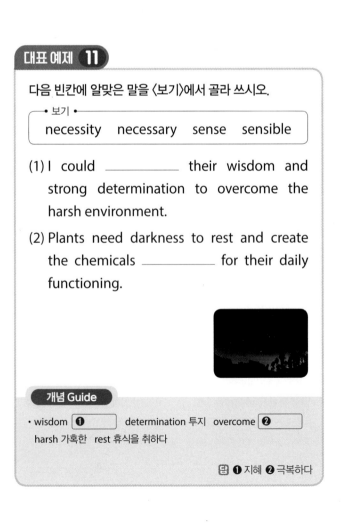

개념 Guide

• wisdom **❶**　　　 determination 투지 overcome **❷**　　　
harsh 가혹한   rest 휴식을 취하다

답 ❶ 지혜 ❷ 극복하다

대표 예제 12

다음 글의 밑줄 친 부분 중, 문맥상 낱말의 쓰임이 적절하지 않은 것을 골라 바르게 고쳐 쓰시오.

I have role models. They are the main characters in the film *Cool Runnings*. The movie is about Jamaican bobsledders who hoped to win an Olympic medal. However, Jamaica is an island country where it never snows. They were laughed at by others, but that didn't stop them from trying. Every scene where they practiced riding their bobsled was really funny and ① touching. That may be because their situation seemed very ② similar to mine. Actually, I'm a cross-country ski athlete. Sometimes I feel ③ frustrated when my colleagues and I don't get attention or support from people. However, when this happens, I ④ motivation myself by thinking about the characters in *Cool Runnings*. They make me set a clearer goal and keep ⑤ challenging myself.

_____ , _____ ⇒ _____

개념 Guide

스키 선수인 필자가 ❶ [　　　] 을 느낄 때마다 '쿨 러닝'의 주인공들을 생각하며 스스로에게 ❷ [　　　] 를 한다는 내용이다.

답 ❶ 좌절감 ❷ 동기 부여

대표 예제 13

(A), (B)의 각 네모 안에서 문맥에 맞는 낱말을 골라 쓰시오.

Language makes communication possible because its users share the same code. This does not mean, however, that the code is exactly the same for everyone. One user is different from another. Language users themselves may not be aware of it, but differences still exist. Some (A) [experts / expertises] are interested in studying these differences. They analyze the language used by different individuals. This analysis is possible because every person shows unique language characteristics. One person might use a certain word or phrase very often or have a different writing style from another person. In some cases, this personal language is so unique that specialists can (B) [identify / identity] the writer of documents within a group of suspects. In a criminal investigation, the police can turn to these experts to analyze documents.

(A) _____ (B) _____

© MongPro/shutterstock

개념 Guide

모든 사람이 독특한 언어 특징을 보여 주기 때문에 ❶ [　　　] 들이 용의자 그룹에서 문서의 글쓴이를 ❷ [　　　] 수 있다는 내용이다.

답 ❶ 전문가 ❷ 알아낼

2주 4일 교과서 대표 전략 ②

01 다음 글의 네모 안에서 문맥에 맞는 낱말을 고르시오.

Nowadays, anyone can access the *Sillok* online any time, any place. We see it used in movies, TV shows, and novels. It provides us with valuable / valueless insight into everyday affairs while enriching our lives as a whole. Truly, the *Joseonwangjosillok* is an example of the great culture of record-keeping in Korea.

© Getty Images Bank

> **Tip**
>
> 조선왕조실록은 우리의 ❶ [ ]을 풍요롭게 하고 우리에게 ❷ [ ] 통찰력을 제공한다는 내용이다.
>
> 답 ❶ 삶 ❷ 귀중한

02 다음 글의 밑줄 친 부분 중, 문맥상 낱말의 쓰임이 적절하지 <u>않은</u> 것은?

In 2030, the Ares 3 mission team is sent to Mars. During their mission they have an accident, and Mark Watney, one of the six members, goes missing. Thinking he is dead, the rest of the crew gets ① aboard a spaceship called *Hermes* and leaves Mars. However, Mark is still ② lively and finds himself alone on the harsh planet. Now, he must depend on his ③ expertise, experience, and ideas to survive.

© Pavel Chagochkin/shutterstock

> **Tip**
>
> Mark Watney는 화성에서 임무 수행 중에 실종되었고, 나머지 팀원들은 그가 ❶ [ ]고 생각해서 그를 두고 떠났지만, 그가 여전히 ❷ [ ]는 내용이다.
>
> 답 ❶ 죽었다 ❷ 살아 있다

Words

access 접근하다 novel 소설 provide A with B A에게 B를 제공하다
insight 통찰력 affair 문제, 일, 사건 enrich ~의 내용을 풍부하게 하다
record-keeping 기록 보관의

Words

mission team 탐사대 accident 사고 go missing 실종되다 rest 나머지
spaceship 우주선 harsh 험난한 planet 행성 depend on ~에 의존하다
survive 생존하다, 살아남다

[03~04] 다음 글을 읽고, 물음에 답하시오.

Today we honour the Indigenous peoples of Australia, the oldest continuing cultures in human history. We reflect on how badly we, the Australian Government, treated them in the past. We reflect in particular on the mistreatment of those who were Stolen Generations — the darkest chapter in our nation's history. The time has now come for the nation to turn a new page in Australia's history by righting the wrongs of the past and so moving forward with (A) confidence / confidential to the future.

We apologise for the laws and policies of former parliaments and governments that caused deep pain and suffering on the Indigenous peoples. We apologise especially for the removal of Aboriginal and Torres Strait Islander children from their families, their communities, and their country.

We the Parliament of Australia (B) r_____ request that this apology be received in the spirit in which it is offered — as part of the healing of the nation.

© zieusin/ shutterstock

Words

indigenous 고유의, 토착의 culture 문화 reflect 되돌아보다 treat 대우하다
mistreatment 학대, 혹사 stolen 빼앗긴 generation 세대 chapter 시기
right ~의 잘못을 바로잡다 apologise 사과하다 policy 정책
former 전의, 전임의 parliament 국회, 의회 pain 아픔 suffering 고통
removal 제거 aboriginal 원주민 strait 해협 request 요청하다

03 다음 영영 풀이를 참고하여 윗글의 (A)의 네모 안에서 문맥에 맞는 낱말을 골라 쓰시오.

the feeling that you can trust someone or something to be good, work well

➡ _____

Tip

'어떤 사람 또는 사물이 좋거나 잘될 거라고 ❶_____
수 있다는 느낌'의 의미를 가진 단어는 ❷_____이다.

답 ❶ 믿을 ❷ confidence

04 윗글의 (B)에 들어갈 알맞은 낱말을 주어진 철자로 시작하여 쓰시오.

➡ r_____

Tip

호주 의회가 과거의 잘못을 사과하고 호주 원주민에게 ❶_____를 받아들여 줄 것을 ❷_____ 요청하고 있는 내용이다.

답 ❶ 사과 ❷ 정중히

누구나 합격 전략

01 다음 빈칸에 알맞은 말을 〈보기〉에서 골라 쓰시오.

┌─ 보기 ─────────────────────┐
│ attention   identity   exposure │
└──────────────────────────┘

© Rawpixel.com/shutterstock

(1) We often choose friends as a way of expanding our sense of _____ beyond our families.

(2) Paying _____ to some people and not others doesn't mean you're being dismissive or arrogant.

02 우리말을 참고하여 괄호 안에서 알맞은 말을 고르시오.

(1) If you tried to copy the original rather than your (imaginative / imaginary) drawing, you might find your drawing now was a little better.

마음속에 존재하는 그림보다 원본을 베끼려고 애쓴다면 여러분의 그림은 이제 조금 더 나아졌다는 것을 알게될 것이다.

(2) Unfortunately, she didn't have the money (necessary / necessity) to start her treatment and pay for all the other expenses related to her disease.

불행히도, 그녀는 자신의 치료를 시작하고 병과 관련된 다른 비용들을 지불하는 데 필요한 돈이 없었다.

03 다음 우리말과 의미가 같도록 주어진 철자로 시작하는 낱말을 쓰시오.

(1) After more research, he concluded that stripes can l_____ save zebras from disease-carrying insects.

더 많은 연구 후에, 그는 줄무늬가 질병을 옮기는 곤충으로부터 얼룩말을 말 그대로 구할 수 있다는 결론을 내렸다.

(2) A snowy owl's ears are not visible from the outside, but it has i_____ hearing.

흰올빼미의 귀들은 외부에서는 보이지 않지만 놀라운 청력을 가지고 있다.

04 다음 영영 풀이에 알맞은 낱말을 쓰시오.

(1) _____ : the right of different groups of people to have a similar social position and receive the same treatment

(2) _____ : relating to real situations or actions rather than ideas or imagination

Words

01 expand 확장하다 beyond ~을 넘어서 dismissive 거만한 arrogant 오만한, 거만한
02 copy 베끼다 original 원본 unfortunately 불행히도 treatment 치료 expense 비용 related to ~와 관련된 disease 질병

03 conclude 결론을 내리다 stripe 줄무늬 disease-carrying 질병을 옮기는 insect 곤충 visible 눈에 띄는 hearing 청력
04 right 권리 similar 비슷한 position 지위 treatment 대우, 취급 imagination 상상

05 (A), (B), (C)의 각 네모 안에서 문맥에 맞는 낱말로 가장 적절한 것은?

The goal in anger management is to increase the options you have to express anger in a healthy way. By learning a variety of anger management strategies, you develop control, choices, and flexibility in how you respond to angry feelings. A person who has learned a variety of ways to handle anger is more (A) compete / competent and confident. And with competence and (B) confidence / confidential comes the strength needed to cope with situations that cause frustration and anger. The development of a set of such skills further enhances our (C) sense / sensible of optimism that we can effectively handle the challenges that come our way. In contrast, the individual who responds to anger in the same way every time has little capacity to constructively adapt his responses to different situations.

	(A)	(B)	(C)
①	compete	confidence	sense
②	competent	confidence	sense
③	compete	confidence	sensible
④	competent	confidential	sensible
⑤	compete	confidential	sense

06 다음 글의 밑줄 친 부분 중, 문맥상 낱말의 쓰임이 적절하지 <u>않은</u> 것은?

Social connections are so essential for our survival and well-being that we not only cooperate with others to build relationships, we also ① <u>compete</u> with others for friends. And often we do both at the same time. Take gossip. Through gossip, we bond with our friends, sharing interesting details. But at the same time, we are creating ② <u>potent</u> enemies in the targets of our gossip. Or consider rival holiday parties where people compete to see who will attend *their* party. We can even see this ③ <u>tension</u> in social media as people compete for the most friends and followers. At the same time, competitive exclusion can also generate ④ <u>cooperation</u>. High school social clubs and country clubs use this formula to great effect: It is through selective inclusion *and exclusion* that they produce ⑤ <u>loyalty</u> and lasting social bonds.

© STILLFX/shutterstock

Words

05 anger management 분노 조절 express 표출하다 a variety of 다양한 strategy 전략 flexibility 유연성 respond 대응하다 handle 다루다 cope with ~에 대처하다 frustration 좌절 enhance 강화하다 optimism 낙천주의 effectively 효과적으로 in contrast 대조적으로 capacity 능력 constructively 건설적으로 adapt 적응하다

Words

06 essential 필수적인 survival 생존 cooperate 협력하다 gossip 가십, 소문 bond 친밀한 인연을 맺다; 유대 target 표적, 대상 attend 참석하다 exclusion 배제 formula 공식 inclusion 포함 lasting 지속되는

A 다음 의미에 해당하는 낱말을 찾아 연결하시오.

1. 전문가, 권위자

2. 애정, 감정

3. 최근의, 최신의

4. ~ 옆에

5. ~에 동기를 주다

ⓐ last
ⓑ latest
ⓒ beside
ⓓ besides
ⓔ expert
ⓕ expertise
ⓖ affection
ⓗ affect
ⓘ motivate
ⓙ motivation

B 위에서 찾은 낱말 중 알맞은 것을 골라 문장을 완성하시오.

1. Advertising _____s have learned that the commercials we remember will hook us into a story.

2. During his childhood, he had a great _____ for his aunt Lucy.

3. I'm not one of those people who just "must" have the _____ phone.

4. The big black girl put her notebook down _____ Amy's.

© GLandStudio/shutterstock

5. It might seem that praising your child's intelligence or talent would boost his self-esteem and _____ him.

C 영영 풀이를 참고하여 퍼즐을 완성하시오.

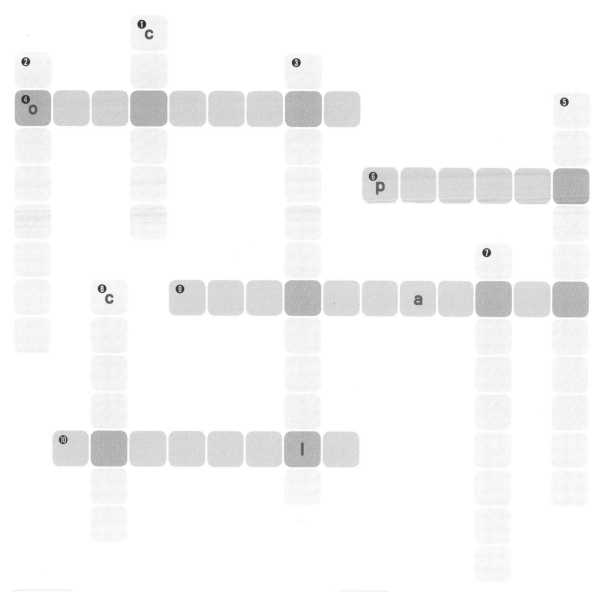

Across ▶

❹ a reason that you have for opposing or disapproving of something

❻ powerful and effective

❾ the process of watching something or someone carefully for a period of time

❿ reasonable, practical, and showing good judgement

Down ▼

❶ to believe that something is true

❷ to make someone want to do or achieve something

❸ fairly large, especially large enough to have an effect

❺ different from the one you have and can be used instead

❼ according to the most basic or original meaning of a word or expression

❽ to try to be more successful than someone or something else

D 우리말을 참고하여 철자의 순서를 바르게 배열하시오.

1.
_____ : 노출; 폭로

e   u   s   e
r   p   x   o

2.
_____ : 유지, 관리, 보수

n   t   e   a   c
n   a   i   m   n   e

3.
_____ : 확인하다

f   y   i   e
t   n   d   i

4.
_____ : 동기 부여

t   i   o   t   a
o   n   i   m   v

5.
_____ : 민감한

v   i   e   s
t   s   n   i   e

6.
_____ : 가치 있는

a   a   v   l
e   l   u   b

E 위 낱말 중 알맞은 것을 골라 문장을 완성하시오.

1. She is too _____ to criticism.

2. Eric is a bright enough student — he just lacks _____ .

3. Even a brief _____ to radiation is very dangerous.

4. These antiques are extremely _____ .

© Syda Productions/shutterstock

F   각 사람이 하는 말과 일치하도록 알맞은 카드를 골라 문장을 완성하시오.

1.   내가 잊을 것 같으니까 꼭 내게 알려줘.

➡ Do remind me because I'm _____ to forget.

2.   그는 거의 아무 것도 먹지 않았어.

➡ He _____ ate anything.

3.   너는 너의 직업에서 최고가 될 잠재력이 있어.

➡ You have the _____ to reach the top of your profession.

4.   어릴 때, 나에게는 가상의 친구가 있었어.

➡ As a child, I had an _____ friend.

considerate	considerable	hard	hardly
potent	potential	imaginary	imaginative
likely	alike	necessity	necessary

마무리 전략

● 아는 단어에 ☑ , 모르는 단어는 복습하기

☐ attract

☐ attack

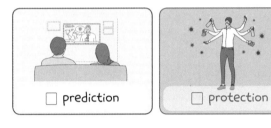

☐ prediction

☐ protection

☐ preserve	persevere
☐ cooperation	corporation
☐ explode	explore
☐ acquire	require
☐ formal	former
☐ general	generous
☐ through	thorough
☐ incline	decline
☐ access	assess
☐ diverse	reverse

☐ possibility	responsibility
☐ aboard	abroad
☐ complement	compliment
☐ admit	transmit
☐ attribute	contribute
☐ conserve	deserve
☐ defend	depend
☐ describe	prescribe
☐ involve	evolve
☐ obtain	retain

☐ pray

☐ prey

☐ precious

☐ previous

Week 2 　❍ 의미가 혼동되는 파생어를 점검해 보자.

● 아는 단어에 ☑ , 모르는 단어는 복습하기

☐ affect

☐ affection

☐ alter

☐ alternative

☐ close	closely
☐ considerate	considerable
☐ credit	credible
☐ maintain	maintenance
☐ necessity	necessary
☐ emerge	emergency
☐ expert	expertise
☐ exposure	exposition
☐ hard	hardly
☐ potent	potential

☐ compel	compulsory
☐ compose	composition
☐ confidence	confidential
☐ identify	identity
☐ practice	practical
☐ lively	alive
☐ memorize	memorial
☐ motivate	motivation
☐ objection	objective
☐ succeed	success

☐ observe
☐ observation

☐ sensitive

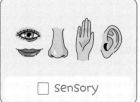
☐ sensory

신유형·신경향·서술형 전략

[1~2] 다음 글을 읽고, 물음에 답하시오.

People are innately (A) _____d to look for causes of events, to form explanations and stories. That is one reason storytelling is such a persuasive medium. Stories resonate with our experiences and provide examples of new instances. From our experiences and the stories of others we tend to form generalizations about the way people behave and things work. We (B) _____ causes to events, and as long as these cause-and-effect pairings make sense, we use them for understanding future events. Yet these causal attributions are often mistaken. Sometimes they implicate the wrong causes, and for some things that happen, there is no single cause. Rather, there is a complex chain of events that all (C) _____ to the result; if any one of the events would not have occurred, the result would be different. But even when there is no single causal act, that doesn't stop people from assigning one.

사람들은 선천적으로 사건의 원인을 찾는, 즉, 설명과 이야기를 구성하려는 경향이 있다. 그것이 스토리텔링이 그토록 설득력 있는 수단인 한 가지 이유이다. 이야기는 우리의 경험을 떠올리게 하고 새로운 경우의 사례를 제공한다. 우리의 경험과 다른 이들의 이야기로부터 우리는 사람들이 행동하고 상황이 작동하는 방식에 관해 일반화하는 경향이 있다. 우리는 사건에 원인을 귀착시키고 이러한 원인과 결과 쌍이 이치에 맞는 한, 그것을 미래의 사건을 이해하는 데 사용한다. 하지만 이러한 인과관계의 귀착은 종종 잘못되기도 한다. 때때로 그것은 잘못된 원인을 연관시키기도 하고 발생하는 어떤 일에 대해서는 단 하나의 원인만 있지 않기도 하다. 오히려 그 결과에 모두가 원인이 되는 복잡한 일련의 사건들이 있다. 만일 사건들 중에 어느 하나라도 발생하지 않았다면, 결과는 다를 것이다. 하지만 원인이 되는 행동이 단 하나만 있지 않을 때조차도, 그것이 사람들로 하여금 하나의 원인이 되는 행동의 탓으로 돌리는 것을 막지는 못한다.

1 우리말을 참고하여 윗글의 빈칸에 알맞은 낱말을 각각 골라 쓰시오.

incline   decline   attribute   contribute

© Rawpixel.com/shutterstock

2 다음 네모 안에서 알맞은 말을 골라 윗글의 요약문을 완성하시오.

People tend to look for causes of events and form generalizations, but in some cases there is no single cause that affects / affection the result.

[3~4] 다음 글을 읽고, 물음에 답하시오.

Gender research shows a complex relationship between gender and conflict styles. Some research suggests that women from Western cultures tend to be more caring than men. This tendency may result from socialization processes in which women are encouraged to care for their families and men are encouraged to be successful in competitive work environments. However, we live in a society where gender roles and boundaries are not as strict as in prior generations. There is significant variability in assertiveness and (A)　　　　　 among women, as well as among men. Although conflict resolution experts should be able to recognize cultural and gender differences, they should also be aware of within-group variations and the risks of stereotyping. Culture and gender may (B)　　　　　 the way people perceive, interpret, and respond to conflict; however, we must be careful to avoid overgeneralizations and to consider individual differences.

성별에 관한 연구는 성별과 갈등 유형 사이의 복잡한 관계를 보여 준다. 몇몇 연구는 서양 문화권에서 여성이 남성보다 더 주변을 돌보는 경향이 있다는 것을 시사한다. 이런 경향은 여성은 가족을 돌보도록 권장 받고, 남성은 경쟁적인 직업 환경에서 성공하도록 권장 받는 사회화 과정의 결과물일지 모른다. 그러나 우리는 성 역할과 경계가 이전 세대만큼 엄격하지 않은 사회에 살고 있다. 남성들 사이에서 뿐만 아니라 여성들 사이에서도 단호함과 협조성에 상당한 정도의 차이가 있다. 갈등 해결 전문가는 문화적 차이와 성별의 차이를 인지할 수 있어야 하지만, 그들은 또한 그룹 내의 차이와 고정 관념을 갖는 것의 위험성도 알고 있어야 한다. 문화와 성별은 사람들이 인식하고, 해석하고, 갈등에 반응하는 방식에 영향을 미칠 수도 있지만, 우리는 과잉 일반화를 피하고 개인적인 차이를 고려하도록 주의해야 한다.

3 우리말을 참고하여 윗글의 빈칸에 알맞은 낱말을 각각 골라 쓰시오.

(A)　　corporation　　　　cooperation

(B)　　affection　　　　affect

© Monkey Business Images/
shutterstock

4 다음 빈칸 (A), (B)에 주어진 철자로 시작하는 알맞은 말을 넣어 윗글의 요약문을 완성하시오.

Culture and gender may have an (A) i＿＿＿＿＿ on the way people handle conflict, but we should be careful not to (B) o＿＿＿＿＿ them and to think about individual differences.

[5~6] 다음 글을 읽고, 물음에 답하시오.

Music connects people to one another (A) through / thorough not only a shared interest or hobby, but also emotional connections to particular songs, communities, and artists. The significance of others in the search for the self is meaningful; as Agger, a sociology professor, states, "(B) identifies / identities are largely social products, formed in relation to others and how we think they view us." And Frith, a socio-musicologist, argues that popular music has such connections. For music fans, the genres, artists, and songs in which people find meaning, thus, function as (C) potent / potential "places" through which one's identity can be positioned in relation to others: they act as chains that hold at least parts of one's identity in place. The connections made through shared musical passions provide a sense of safety and security in the notion that there are groups of similar people who can provide the feeling of a community.

주제:
음악은 사람들을 서로 연결시켜.

대중음악의 연결 기능:
대중음악 팬들에게 장르, 예술가, 그리고 노래는 자신의 **❶** 이 다른 사람들과 연관되어 자리 잡히게 하는 **❷** 장소로서 기능해.

결론:
공유된 음악적 열정으로 만들어진 연결은 그 집단(공동체) 안에서 안전과 안정감을 제공해.

답 ❶ 정체성 ❷ 잠재적인

5 글의 흐름을 참고하여 (A), (B), (C)의 각 네모 안에서 문맥에 맞는 낱말을 골라 쓰시오.

(A) _____ (B) _____ (C) _____

© Getty Images Korea

6 다음 빈칸 (A), (B)에 주어진 철자로 시작하는 알맞은 말을 넣어 윗글의 요약문을 완성하시오.

Music can connect people to one another and function as (A) p_____ places to position your (B) i_____ in relation to others.

[7~8] 다음 글을 읽고, 물음에 답하시오.

FOBO, or Fear of a Better Option, is the ① anxiety that something better will come along, which makes it ② undesirable to commit to existing choices when making a decision. It's an affliction of abundance that drives you to keep all of your options open and to avoid risks. Rather than ③ accessing your options, choosing one, and moving on with your day, you ④ delay the inevitable. It's not unlike hitting the snooze button on your alarm clock only to pull the covers over your head and fall back asleep. As you probably found out the hard way, if you hit snooze enough times, you'll end up being late and racing for the office, your day and mood ⑤ ruined. While pressing snooze feels so good at the moment, it ultimately demands a price.

* affliction: 고통

FOBO란, 더 나은 선택에 대한 두려움, 즉 더 나은 것이 생길 것이라는 [❶]이야.

선택지들을 [❷]해서 한 가지를 선택하는 대신 선택을 미루게 만들어.

(FOBO는) 알람 시계의 다시 알림 버튼을 계속 누르다가 결국 늦어서 하루를 망치는 것과 같이 결국 대가를 요구해.

🅐 ❶ 불안감 ❷ 평가

7 글의 흐름을 참고하여 윗글의 밑줄 친 부분 중 문맥상 낱말의 쓰임이 적절하지 않은 것을 골라, 바르게 고쳐 쓰시오.

_____, _____ ➡ _____

© JRP Studio/shutterstock

8 다음 빈칸 (A), (B)에 주어진 철자로 시작하는 알맞은 말을 넣어 윗글의 요약문을 완성하시오.

FOBO makes you (A) d_____ making your decisions like the snooze button on your alarm clock and it eventually (B) d_____ a pay.

01 다음 영영 풀이에 해당하는 낱말로 가장 적절한 것은?

> to say or think that something is the result of a particular thing

① attribute   ② contribute

③ assume   ④ resist

⑤ insist

02 다음 밑줄 친 부분과 바꾸어 쓸 수 있는 것은?

> Teachers in the past less often arranged group work or encouraged students to <u>acquire</u> teamwork skills.
>
>
> © Rawpixel.com/shutterstock

① divide   ② lose

③ achieve   ④ share

⑤ release

03 다음 영영 풀이를 참고하여 빈칸에 알맞은 것을 고르면?

> One day when the dogs jumped the fence, they _____ and severely injured several of the lambs.
> (= to deliberately use violence to hurt someone or something)

① adapted   ② adopted

③ complimented   ④ attracted

⑤ attacked

04 다음 문장의 네모 안에서 문맥에 맞는 낱말을 고르시오.

> There has been a general / generous belief that sport is a way of reducing violence.

05 다음 문장에서 문맥상 낱말의 쓰임이 적절하지 <u>않은</u> 것을 찾아 바르게 고쳐 쓰시오.

> She helped persevere some of Turkey's most important archaeological sites near the Ceyhan River and established an outdoor museum at Karatepe.

_____ ➡ _____

06 다음 중 낱말의 영영 풀이가 알맞지 <u>않은</u> 것은?

① access: the right to enter a place, use something, see someone etc.

② prediction: a statement about what you think is going to happen

③ cooperation: the act of working together with someone or doing what they ask you

④ explore: to burst, or to make something burst, into small pieces, usually with a loud noise

⑤ aboard: on or onto a ship, plane, or train

© Getty Images Bank

08 다음 낱말의 의미로 알맞지 <u>않은</u> 것은?

① previous: 이전의

② responsibility: 책임

③ compliment: 보충물

④ former: 앞의

⑤ reverse: 반대(의)

09 다음 빈칸에 알맞은 말을 〈보기〉에서 골라 쓰시오.

> • 보기 •
>
> obtain   retain   defend   depend

(1) People have changing values _____ing on the situation.

(2) They trained rats in cooperative task of pulling a stick to _____ food for a partner.

07 다음 밑줄 친 부분과 바꾸어 쓸 수 있는 것은?

> When you don't know something, <u>accept</u> it as quickly as possible and immediately take action—ask a question.

① admit   ② transmit

③ wander   ④ wonder

⑤ insist

10 다음 영영 풀이를 참고하여 빈칸에 알맞은 낱말을 주어진 철자로 시작하여 쓰시오.

> You would find it very difficult indeed to d_____ the *inside* of your friend, even though you feel you know such a great friend through and through.
>
> (= to say or write what someone or something is like)

11 다음 글의 빈칸에 들어갈 말로 가장 적절한 것은?

There have been occasions in which you have observed a smile and you could sense it was not genuine. The most obvious way of identifying a genuine smile from an insincere one is that a fake smile primarily only affects the lower half of the face, mainly with the mouth alone. The eyes don't really get _____.

© Oksana Mizina/shutterstock

① composed ② involved

③ deserved ④ evolved

⑤ conserved

12 다음 글의 밑줄 친 부분 중, 문맥상 낱말의 쓰임이 적절하지 않은 것은?

As the human capacity to speak developed, so did our ability not only to trick ① pray and deceive predators but to lie to other humans. This too could be ② advantageous. Those who could persuade members of a rival tribe that a westward-moving herd of caribou had migrated east won a battle in the war for ③ survival. Verbal ④ deceitfulness gave early humans such a survival advantage that some evolutionary biologists believe the capacity to speak and the ability to ⑤ lie developed hand in hand.

*caribou: (북아메리카산) 순록

13 (A), (B)의 각 네모 안에서 문맥에 맞는 낱말을 골라 쓰시오.

Twenty-three percent of people (A) transmit / admit to having shared a fake news story on a popular social networking site, either accidentally or on purpose, according to a 2016 Pew Research Center survey. It's tempting for me to (B) attribute / contribute it to people being willfully ignorant. Yet the news ecosystem has become so overcrowded and complicated that I can understand why navigating it is challenging. When in doubt, we need to cross-check story lines ourselves. The simple act of fact-checking prevents misinformation from shaping our thoughts. We can consult websites such as FactCheck.org to gain a better understanding of what's true or false, fact or opinion.

(A) ＿＿＿＿＿＿＿＿　　(B) ＿＿＿＿＿＿＿＿

14 다음 글의 밑줄 친 부분 중, 문맥상 낱말의 쓰임이 적절하지 <u>않은</u> 것은?

In 2000, the government in Glasgow, Scotland, appeared to stumble on a remarkable crime ① <u>prevention</u> strategy. Officials hired a team to beautify the city by installing a series of blue lights in various ② <u>noticeable</u> locations. In theory, blue lights are more ③ <u>attractive</u> and calming than the yellow and white lights that illuminate much of the city at night, and indeed the blue lights seemed to cast a soothing glow. Months passed and the city's crime statisticians noticed a striking trend: The locations that were newly bathed in blue experienced a dramatic ④ <u>incline</u> in criminal activity. The blue lights in Glasgow, which ⑤ <u>mimicked</u> the lights atop police cars, seemed to imply that the police were always watching. The lights were never designed to reduce crime, but that's exactly what they appeared to be doing.

© Oleksiy Mark/shutterstock

01 다음 문장의 빈칸에 들어갈 말로 가장 적절한 것은?

> Health and the spread of disease are very
> _____ linked to how we live and
> how our cities operate.

© Getty Images Korea

① compulsory   ② hardly

③ besides   ④ likely

⑤ closely

02 다음 밑줄 친 부분과 바꾸어 쓸 수 있는 것은?

> Sometimes the best way to accomplish a
> difficult <u>goal</u> is to stop thinking that it is
> possible, and just take things one step at
> a time.

① objection   ② objective

③ motivation   ④ observation

⑤ identity

03 다음 문장의 네모 안에서 문맥에 맞는 낱말을 고르시오.

> It's reasonable to assume that every
> adult | alive / lively | today has, at some
> point in their life, expressed or heard
> from someone else a variation of the
> following: "Where did all the time go?"

04 다음 문장에서 문맥상 낱말의 쓰임이 적절하지 <u>않은</u> 것을 찾아 바르게 고쳐 쓰시오.

> She told Serene that she had to keep
> trying if she wanted to success.

_____ ➡ _____

05 다음 빈칸에 들어갈 말로 가장 적절한 것은?

> It is important for the speaker to
> _____ his or her script to reduce
> onstage anxiety.

① respect   ② observe

③ memorize   ④ motivate

⑤ memorial

06 다음 중 낱말의 영영 풀이가 알맞지 <u>않은</u> 것은?

① affection: a feeling of liking or love and caring

② considerable: fairly large, especially large enough to have an effect

③ confidence: the feeling that you can trust someone or something to be good

④ credible: to believe that something is true

⑤ potential: the possibility that something will develop in a particular way

07 다음 영영 풀이를 참고하여 빈칸에 알맞은 단어를 고르면?

It is so important for us to _____ context related to information.
(= to recognize a problem, need, fact, etc. and to show that it exists)

① identify　　　　② identity

③ value　　　　④ sense

⑤ memorize

08 다음 영영 풀이에 해당하는 낱말로 가장 적절한 것은?

relating to experience, real situations, or actions rather than ideas or imagination

① latest　　　　② necessary

③ historical　　　④ practical

⑤ industrial

09 다음 밑줄 친 부분과 바꾸어 쓸 수 있는 것은?

Monopoly effects can <u>appear</u> in the labor market.

① credit　　　　② alter

③ emerge　　　　④ compare

⑤ maintain

© Getty Images Bank

10 다음 빈칸에 알맞은 말을 〈보기〉에서 골라 쓰시오.

• 보기 •
necessity　maintenance　composition

(1) He paid the least attention to downtime, recovery breaks or the general _____ of the machinery.

(2) The spacecraft carry instruments that test the _____s and characteristics of planets.

11 (A), (B), (C)의 각 네모 안에서 문맥에 맞는 낱말로 가장 적절한 것은?

I am sure you have heard something like, "You can do anything you want, if you just persist long and (A) hard / hardly enough." Perhaps you have even made a similar assertion to (B) motivate / motivation someone to try harder. Of course, words like these sound good, but surely they cannot be true. Few of us can become the professional athlete, entertainer, or movie star we would like to be. Environmental, physical, and psychological factors limit our (C) potential / potent and narrow the range of things we can do with our lives. "Trying harder" cannot substitute for talent, equipment, and method, but this should not lead to despair. Rather, we should attempt to become the best we can be within our limitations. We try to find our niche. By the time we reach employment age, there is a finite range of jobs we can perform effectively.

* assertion: 주장, 단언 ** niche: 적소(適所)

	(A)	(B)	(C)
①	hard	...... motivate	...... potential
②	hardly	...... motivate	...... potent
③	hard	...... motivate	...... potent
④	hardly	...... motivation	...... potent
⑤	hard	...... motivation	...... potential

12 다음 글의 밑줄 친 부분 중, 문맥상 낱말의 쓰임이 적절하지 <u>않은</u> 것은?

The foragers' secret of success, which protected them from starvation and malnutrition, was their ① <u>varied</u> diet. Farmers tend to eat a very limited and ② <u>unbalanced</u> diet. Especially in premodern times, most of the calories feeding an agricultural population came from a single crop—such as wheat, potatoes, or rice—that ③ <u>lacks</u> some of the vitamins, minerals, and other nutritional materials humans need. The typical peasant in traditional China ate rice for breakfast, rice for lunch, and rice for dinner. If she was lucky, she could expect to eat the same on the following day. By ④ <u>contrast</u>, ancient foragers regularly ate dozens of different foodstuffs. The peasant's ancient ancestor, the forager, may have eaten berries and mushrooms for breakfast; fruits and snails for lunch; and rabbit steak with wild onions for dinner. Tomorrow's menu might have been completely different. This variety ensured that the ancient foragers received all the ⑤ <u>necessity</u> nutrients.

* forager: 수렵 채집 생활인

13 (A), (B), (C)의 각 네모 안에서 문맥에 맞는 낱말로 가장 적절한 것은?

One real concern in the marketing industry today is how to win the battle for broadcast advertising (A) exposure / exposition in the age of the remote control and mobile devices. With the growing popularity of digital video recorders, consumers can mute, fast-forward, and skip over commercials entirely. Some advertisers are trying to (B) adapt / adopt to these technologies, by planting hidden coupons in frames of their television commercials. Others are desperately trying to make their advertisements more interesting and entertaining to discourage viewers from skipping their ads; still others are simply giving up on television advertising altogether. Some industry (C) expertises / experts predict that cable providers and advertisers will eventually be forced to provide incentives in order to encourage consumers to watch their messages. These incentives may come in the form of coupons, or a reduction in the cable bill for each advertisement watched.

*mute: 음소거하다

	(A)		(B)		(C)
①	exposure	......	adapt	......	expertises
②	exposition	......	adapt	......	experts
③	exposure	......	adapt	......	experts
④	exposition	......	adopt	......	experts
⑤	exposure	......	adopt	......	expertises

14 다음 글의 밑줄 친 부분 중, 문맥상 낱말의 쓰임이 적절하지 <u>않은</u> 것은?

Chewing leads to smaller particles for swallowing, and more ① <u>exposed</u> surface area for digestive enzymes to act on. In other words, it means the ② <u>extraction</u> of more fuel and raw materials from a mouthful of food. This is especially important for mammals because they heat their bodies from within. Chewing gives mammals the energy needed to be active not only during the day but also the cool night, and to live in colder climates or places with changing temperatures. It allows them to ③ <u>sustain</u> higher levels of activity and travel speeds to cover larger distances, avoid ④ <u>predators</u>, capture prey, and make and care for their young. Mammals are able to live in an ⑤ <u>credible</u> variety of habitats, from Arctic tundra to Antarctic pack ice, deep open waters to high-altitude mountaintops, and rainforests to deserts, in no small measure because of their teeth.

*enzyme: 효소

© Christopher Wood/shutterstock

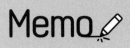

book.chunjae.co.kr

교재 내용 문의 ·················· 교재 홈페이지 ▶ 고등 ▶ 교재상담
교재 내용 외 문의 ················· 교재 홈페이지 ▶ 고객센터 ▶ 1:1문의
발간 후 발견되는 오류 ············· 교재 홈페이지 ▶ 고등 ▶ 학습지원 ▶ 학습자료실

실력향상 필수학습!
고득점을 예약하자!

시험적중
내신전략

고등 영어 **어휘**

BOOK 3

정답과 해설

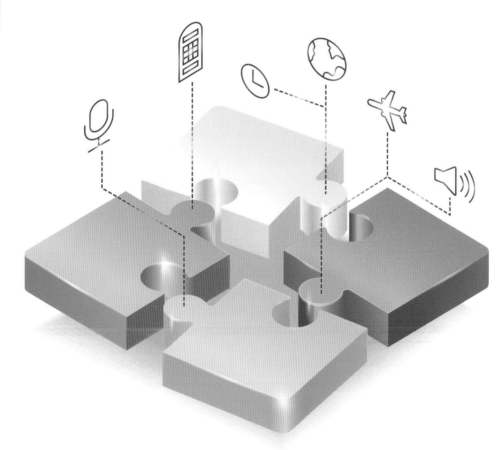

천재교육

정답과 해설
포인트 3가지

▶ 혼자서도 이해할 수 있는 친절한 문제 풀이

▶ 필수 어휘 중심의 자세한 해설

▶ 지문 해석 및 주요 어휘 수록

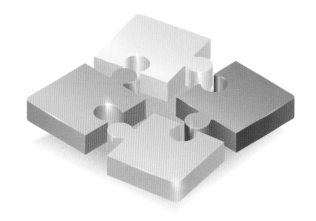

Book 1

정답과 해설

정답 과 해설

1주 - 접두어가 붙은 반의어

1주 1일 개념 돌파 전략 ①

pp. 8~11

1-1 accurate　　1-2 inaccurate　　2-1 convenient　　2-2 inconvenient　　3-1 dependent

3-2 independent　　4-1 legal　　4-2 Illegal　　5-1 impatient　　5-2 patient

6-1 Relevant　　6-2 irrelevant　　7-1 available　　7-2 unavailable　　8-1 comfortable

8-2 uncomfortable　　9-1 advantage　　9-2 disadvantages　　10-1 appeared　　10-2 disappeared

해석

1-2 그 책은 역사적으로 많은 면에서 정확하지 않았다.

2-2 그는 가장 좋아하는 식당이 문을 닫아서 불편했다.

3-2 인도는 1947년에 독립되었다.

4-2 미국에서 불법 이민은 논란거리로 남아 있다.

5-2 안내견들은 사람들을 좋아해야 하며, 순하고 참을성이 있어야 한다.

6-2 그가 그 일을 할 수 있다면 그의 나이는 전혀 문제가 되지 않는다.

7-2 대부분의 빈곤한 국가에서 깨끗한 물을 구할 수 없다.

8-2 메신저들의 보안 문제가 사용자들을 불편하게 한다.

9-2 도시 생활의 단점은 교통과 혼잡함을 포함한다.

10-2 해가 구름 뒤로 숨었다.

1주 1일 개념 돌파 전략 ②

pp. 12~13

A 1. 의존하는, 의지하는　　2. 이용할[구할] 수 있는　　3. 참을성[인내심] 있는　　4. 편리한, 간편한　　5. 장점, 이점, 유리한 점

6. 합법적인, 적법한　　7. 정확한, 틀림없는　　8. independent　　9. unavailable　　10. impatient

11. inconvenient　　12. disadvantage　　13. illegal　　14. inaccurate

B 1. available　　2. advantage　　3. relevant　　4. disappear　　5. comfortable

C 1. ③　2. ①　3. ②

D 1. ②　2. ①　3. ③

해석

B 1. 사용되거나, 사거나 혹은 찾을 수 있는

2. 더 성공하도록 당신을 돕는 좋은 것

3. 일어나거나 언급되는 것과 관련이 있는

4. 갑자기 어딘가로 가서 더 이상 보거나 찾을 수 없게 되다

5. 편안하고 고통이 없는

C 1. 그 대학은 2,000 강좌 모두를 온라인에서 이용할 수 있게 만들고 있다.

2. 재정적으로 부모님에게서 독립하는 것은 중요하다.

3. 로봇이 인간 교사보다 나은 점은 무엇이 있을까?

D 1. 단점에도 불구하고, 그 영화는 전반적으로 꽤 괜찮았다.

2. 그 책은 아주 많은 관련 주제에 관해 언급한 점에서 꽤 가치가 있다.

3. 나는 그것이 내 잘못이라는 불편한 기분이 들었다.

필수 예제 **1.** (1) informal (2) valid
확인 문제 **1-1** (1) inexpensive → expensive
　　　　　 (2) inability → ability
확인 문제 **1-2** (1) inequality (2) informal (3) curable

필수 예제 **2.** (1) mature (2) irregular (3) proper
확인 문제 **2-1** (1) impolite → polite
　　　　　 (2) impractical → practical
　　　　　 (3) a responsible → an irresponsible
확인 문제 **2-2** (1) rational (2) regular (3) mature

확인 문제 **1-2**

해석 (1) 어떤 사람들이 다른 사람들에 비해 더 많은 기회, 돈 등을 가질 때 사회가 불공평해지는 상황
(2) 올바른 행동에 대한 규칙에 제한되지 않고 편안하고 우호적인
(3) (병에 대해) 그것이 사라지고 그것을 가졌던 사람이 다시 나아질 수 있는 방식으로 치료될 수 있는

확인 문제 **2-2**

해석 (1) 명확한 생각과 이성에 기초한
(2) 동일하거나 비슷한 양의 공간 또는 시간 사이에 고정된 양식으로 반복적으로 존재하거나 발생하는
(3) 성인의 정신적, 정서적 자질을 갖거나 보여 주는

1 active **2** ② **3** inadequate **4** rationally

1 오늘 더 '활동적(active)일수록' 오늘 더 많은 에너지를 소비하고 내일 소비할 더 많은 에너지를 가지게 될 것이라는 내용이 자연스럽다.
지문 해석 여러분의 몸은 여러분이 사고하기 위해, 움직이기 위해, 운동하기 위해 필요한 만큼의 에너지를 저장한다. 여러분이 오늘 더 활동적일수록, 오늘 더 많은 에너지를 소비하고 그러면 내일 소비할 더 많은 에너지를 가지게 될 것이다. 신체 활동은 여러분에게 더 많은 에너지를 주고 여러분이 지치는 것을 막아 준다.

2 ② 첫 번째 문장에서 뇌는 다른 기관보다 훨씬 더 많은 에너지를 사용한다고 했고, 이어지는 문장은 이를 부연 설명하고 있다. 역접의 접속사 But으로 이어지므로 이와 반대되는 내용인 뇌가 놀랍도록 '효율적(efficient)'이라는 내용이 되는 것이 자연스럽다.
지문 해석 물질 단위당, 뇌는 다른 기관보다 훨씬 더 많은 에너지를 사용한다. 그것은 우리 장기 중 뇌가 단연 가장 에너지 소모가 많다는 것을 의미한다. 하지만 그것은 또한 놀랍도록 비효율적(→ 효율적)이다. 뇌는 하루에 약 400 칼로리의 에너지만 필요로 하는데, 블루베리 머핀에서 얻는 것과 거의 같다.

3 (A) 바로 뒤에서 사람들이 이성에 근거하여 답을 찾기 시작했다고 했으므로, 전통적인 종교적 설명이 '충분하지 않다'는 것을 알게 되었다는 내용이 되어야 자연스럽다.
지문 해석 인류 역사의 시작부터, 사람들은 세상과 그 세상 속에 있는 그들의 장소에 관하여 질문해 왔다. 초기 사회에 있어, 가장 기초적 의문에 대한 대답은 종교에서 발견되었다. 그러나 몇몇 사람들은 그 전통적인 종교적 설명이 충분하지 않다는 것을 알게 되었고, 이성에 근거하여 답을 찾기 시작하였다. 이러한 변화는 철학의 탄생을 보여 주었고, 우리가 아

는 위대한 사상가들 중 첫 번째 사람은 Miletus의 Thales였다. 그는 우주의 본질을 탐구하기 위해 이성을 사용하였고, 다른 사람들도 이와 같이 하도록 권장하였다. 그는 자신의 추종자들에게 자신의 대답뿐만 아니라 어떤 종류의 설명이 만

족스러운 것으로 여겨질 수 있는가에 대한 생각과 함께 이성적으로 생각하는 과정도 전했다.

4 [해석] 감정보다는 이성과 명확한 사고에 기초한 방식으로

 3일 **필수 체크 전략 ①**   pp. 20~23

필수 예제 **3.** (1) complicated (2) unconscious

확인 문제 **3-1** (1) cover → uncover
(2) unemployment → employment

확인 문제 **3-2** (1) uncommon (2) uncertain (3) realistic

필수 예제 **4.** (1) unfamiliar (2) Unfortunately
(3) disagree

확인 문제 **4-1** (1) disconnection → connection
(2) disregarded → regarded
(3) disapprove → approve

확인 문제 **4-2** (1) disorder (2) disregard (3) connection

확인 문제 **3-2**

[해석] (1) 자주 보이거나 발생하거나 경험되지 않는
(2) 무언가에 대해 의심을 느끼는; 확실하지 않은
(3) 사실인 것들을 받아들이고 미래에 대해 가망이 없는 희망에 근거해서 결정을 내리지 않는

확인 문제 **4-2**

[해석] (1) 정리가 안 되거나 체계가 없는 상태
(2) 무언가를 무시하다
(3) 누군가 혹은 다른 무언가와 연결된 상태

 3일 **필수 체크 전략 ②**   pp. 24~25

1 conscious   2 ①   3 (A) Unfortunately (B) Unrealistic   4 dissatisfaction

---

1 네모 뒤에 이어지는 예시들은 우리들이 '의식적으로' 기억하려고 하는 일들이므로 네모 안에는 conscious(의식하는, 의식이 있는)가 들어가는 것이 자연스럽다.

[지문 해석] 여러분은 매일 의식적 차원에서 외재적 기억을 사용한다. 열쇠를 찾기 위해 노력하는 것, 행사가 언제 개최되는지, 어디서 그것이 개최되는지, 그리고 누구와 함께 그 행사에 가야 하는지 기억하려고 노력하는 것. 외재적 기억들은 여러분이 여러분의 달력이나 일정표에 적어 왔던 과업들이다.

2 ① 문장 중반부에서 역접의 접속사 but이 나오고 같은 사람들이 자율 주행차에 본인이 타는 것은 달가워하지 않는다고 했으므로 이들이 자율 주행차에 대해 일반적으로 '찬성한다(approve)'는 내용이 되는 것이 자연스럽다.

[지문 해석] Science지에 게재된 새로운 연구에 의하면, 보행자를 지키기 위해 탑승자를 희생하도록 프로그램 된 운전자 없는 자동차들, 즉 자율 주행차에 대하여 사람들은 일반적으로 반대하지만(→ 찬성하지만), 이 동일한 사람들은 그러한 자율 주행차를 본인이 스스로 타는 것에 대해서는 열광하지 않는다는 것이 드러났다. 이러한 불일치는 개인의 이익과 공

공의 이익 사이의 윤리적 긴장을 설명한다.

3 (A) 바로 뒤에서 많은 이들이 그들이 가지고 있지 않은 것에 더 집중한다고 했으므로 네모 안에는 Unfortunately(불행히도)가 들어가는 것이 지연스럽다.

(B) 뒤에 이어지는 내용에서 자신의 현실과는 다른 것을 바라는 마음에서 불행함을 느끼게 된다고 했으므로 네모 안에는 Unrealistic(비현실적인)이 들어가는 것이 자연스럽다.

지문 해석 여러분은 가지고 있는 것보다 가지고 있지 않은 것에 더 많이 집중하는 경향이 있는가? 불행히도, 많은 사람이 그들이 가지고 있지 않은 것에 집중하는 경향이 있는데, 실제로 그때 그들은 축복들의 너미 위에 앉아 있다! 비현실적인 기대와 다른 사람들과의 비교는 질투심으로 이어진다. 다른

사람들이 가지고 있는 것을 부러워하는 것은 여러분이 개인적으로 가지고 있는 것에 대해 불행함을 느끼게 하는 역할을 할 뿐이다. 자신이 가지고 있지 않은 것 또는 자신이 생각하기에 가져야 하는 것에 대해서만 생각한다면 감사하기가 어렵다. 흔히 좌절과 불만족은 실제로는 우리에 대한 비현실적인 기대의 결과물이다. 우리는 자신들의 상황이 이렇게 또는 저렇게, 혹은 최소한 지금 상태와는 다르게 되어야 한다고 생각한다. 감사는 기대에 관한 것이 아니라, 자신들의 기대가 무엇이든지 간에 우리의 상황에 대해 감사하게 여기는 것에 관한 것이다.

4 해석 만족하지 못하는 감정

1주 4일 교과서 대표 전략 ①

pp. 26~29

대표 예제 **1** proper　대표 예제 **2** ②　대표 예제 **3** familiar → unfamiliar　대표 예제 **4** ③　대표 예제 **5** ③　대표 예제 **6** ①
대표 예제 **7** (1) ② (2) logic　대표 예제 **8** ①　대표 예제 **9** ④　대표 예제 **10** ⑤　대표 예제 **11** (1) valid (2) curable
대표 예제 **12** ①, inconvenient → convenient　대표 예제 **13** (A) unrealistic (B) agreed

대표 예제 1

해석 신뢰성은 적절한 전달에서 온다.

어휘 credibility 신뢰성　delivery 전달

대표 예제 2

해석 무언가에 대해 의심을 느끼는; 확실하지 않은: ② 불확실한, 변하기 쉬운

① 부당한, 불공평한 ③ 드문, 흔치 않은 ④ 덮개를 벗기다, 밝히다 ⑤ 익숙지 않은, 낯선

대표 예제 3

해석 뭔가 새롭고 익숙한(→ 낯선) 것을 시도해 보는 데 확신이 들지 않을 때는 다른 사람들이 당신에 대해 어떻게 생각할지를 걱정하는 대신 당신의 감정에 집중하라.

어휘 sure 확신하는　focus on ~에 집중하다
instead of ~ 대신에　worry 걱정하다

대표 예제 4

해석 자신이 이용할 수 있는 어떤 기회라도 이용할 준비를 분명히 하도록 해라.

① 공식적인 ② 비공식적인 ③ 이용할[구할] 수 있는 ④ 이용할[구할] 수 없는 ⑤ 무례한, 불손한

대표 예제 5

해석 삶은 목적의식이 있는 여행으로 여겨지기에, 우리는 그것이 출발점, 여정 그리고 도착지들이 있다고 생각한다.

(= 어떤 사람이나 사물을 특정한 방식으로 생각하다)

① 숨기는 ② 밝히는 ③ 여겨지는 ④ 무시되는 ⑤ 반대되는

대표 예제 6

해석 오늘 나는 시험이 두 개 있었는데, 불행히도, 물리학이 먼저였다.

① 불행히도 ② 흥미롭게도 ③ 명백히 ④ 다행히도 ⑤ 우연히

대표 예제 7

(1) 페즈의 메디나는 9,000여 개의 좁은 골목들이 어떤 양식이나 규칙 없이 서로 엉켜 있다고 했으므로 '복잡하다'는 내용이 자연스럽다.

지문 해석 페즈의 메디나를 더욱 특별하게 만드는 것은 세계에서 가장 크고 가장 단순한(→ 복잡한) 미로이다. 9,000여 개의 좁은 골목들이 어떤 양식이나 규칙 없이 서로 엉켜 있어서 당신은 가끔 막다른 길에 이르게 될 수도 있다.

어휘 narrow 좁은 alley 골목 dead end 막다른 길

(2) **해석** 특히 합리적이고 올바른 판단에 기초한 특정한 사고방식

대표 예제 8

① inability는 '무능'이라는 의미로 ability와 반대의 의미이고, 나머지는 모두 '능력'이라는 의미이다.

해석 피아노를 칠 능력이 없는 베토벤을 누가 상상할 수 있겠는가?

대표 예제 9

④ '합리적이지 않거나 현실적이지 않은'은 impractical(비실용적인, 비합리적인)의 영영 풀이이다.

해석 ① 이용할[구할] 수 있는: 사용되거나 사거나 혹은 찾을 수 있는

② 합법적인, 적법한: 법과 연관된

③ 편안한: 편안하고 고통이 없는

⑤ 연결: 다른 사람 혹은 사물과 연결되어 있는 상태

어휘 law 법 sensible 합리적인 state 상태

대표 예제 10

⑤ sight는 '시각, 시야'라는 의미이고 insight는 '통찰력'이라는 의미이다. 나머지는 모두 접두어 in-이 붙어 반의어가 된 경우이다.

해석 ① 정확한, 틀림없는 – 부정확한, 틀린 ② 편리한, 간편한 – 불편한, 부자연스러운 ③ 의존하는, 의지하는 – 독립한, 독립적인 ④ 적당한, 알맞은; 충분한 – 부적당한, 불충분한

어휘 insight 통찰력

대표 예제 11

해석 (1) 당신의 왕복 차표는 3개월간 유효합니다.

(2) 대부분의 피부암은 완전히 치료할 수 있지만, 몇몇은 치명적

일 수 있다.

어휘 return ticket 왕복 차표 skin cancer 피부암 fatal 치명적인

대표 예제 12

이 글은 ICT로 인해 간단해지고 편리해지는 생활 환경에 관해 언급하고 있으므로 ① inconvenient(불편한)를 convenient(편리한)로 바꾸어 쓰는 것이 자연스럽다.

지문 해석 ICT(정보 통신 기술)는 우리 생활을 간단하고 불편하게(→ 편리하게) 해 준다. 스마트폰으로 집 안 온도와 전등을 원격으로 제어할 수 있다. 앱을 사용하여 버스가 어디에 있는지, 언제 도착할지 알 수 있다. 교육이나 보건과 같이 ICT 사용이 점점 늘어나는 분야가 많다. 농업도 예외가 아니다. 농업에 ICT를 사용하는 스마트 농업에는 드론, 로봇 그리고 빅 데이터와 같은 것들이 포함된다. 그것은 농부가 일하는 방식에 혁신을 일으키고 있다.

어휘 ICT 정보 통신 기술(information and communication technology) simple 단순한 control 제어하다 temperature 온도 remotely 원격으로 area 분야 increasingly 늘어나는 agriculture 농업 exception 예외 drone 드론 revolutionize 혁신을 일으키다

대표 예제 13

(A) 학교의 모든 숨은 영웅들을 위한 이벤트를 개최한다는 아이디어는 '비현실적(unrealistic)'이다.

(B) 바로 뒤 문장에서 거의 모든 학생들이 급식 직원분들을 선택했다고 했으므로, 논쟁 끝에 다수결에 따르기로 '동의했음'을 알 수 있다.

지문 해석 점심시간 동안 우리는 누구에게 감사해야 할지에 관해 논의했다. 지원이는 "교통 정리원분들을 위해 이벤트를 개최하는 게 어때?"라고 말했다. 예리는 "나는 학교의 모든 기기를 주로 고쳐 주시는 수리 기사분을 추천해."라고 말했다. 나는 "나는 급식 직원분들에게 감사를 표하고 싶어. 그분들은 매일 우리 점심을 조리하고 나누어 주는 일을 담당하고 계시잖아. 우리 학교에는 대략 700명 정도의 학생이 있고, 그렇게 많은 양의 음식을 준비하는 것은 쉽지 않을 거라고 생각해."라고 덧붙였다.

몇몇 학생은 모든 숨은 영웅들을 위해 이벤트를 개최하고 싶어 했지만 그것은 비현실적이었다. 우리는 후보를 좁히기로 결정했다. 우리는 한동안 논쟁을 벌였고 모두가 다수결에 따르기로 동의했다. 우리 학급의 거의 모든 학생이 급식 직원분들을 선택했다!

1주 4일 교과서 대표 전략 ②

pp. 30~31

01 illegally 02 practical 03 common 04 connecting

01 석탑이 일본 법원 공무원에 의해 분해되어 일본으로 옮겨졌다고 했으므로 '불법적으로(illegally)' 옮겨졌다는 말이 들어가는 것이 자연스럽다.

지문 해석 경천사 십층 석탑은 정교한 장식과 화려한 형태, 그리고 독특한 구조로 유명하다. 이 탑은 원래 고려 시대인 1348년에 지어졌으나 일본 법원 공무원에 의해 분해되어 불법적으로 일본으로 옮겨졌다. 그것은 1918년에 한국에 돌아왔다.

02 타진은 덮개를 덮어 증기를 순환시켜 음식의 수분을 유지시켜 준다고 했으므로 이 조리법은 물 공급이 제한적인 지역에서 매우 '실용적(practical)'이라는 내용이 이어지는 것이 자연스럽다.

지문 해석 조리 기구 타진은 아래 둥근 부분과 원뿔 모양의 커다란 덮개 두 부분으로 이루어져 있다. 덮개는 요리하는 동안 증기를 순환시켜서 음식의 수분을 유지시켜 준다. 이 조리법은 물 공급이 제한적인 지역에서 매우 실용적이다.

03 해석 많은 장소 혹은 많은 사람들 사이에서 자주 발견되는

지문 해석 Gutenberg의 시대에는 두 가지 장치가 흔히 사용되었는데, 포도주 압착기와 주화 제조기였다. 첫 번째 것은 포도주를 만들기 위해 포도를 압착했고, 다른 하나는

동전에 이미지를 새겨 넣었다. 어느 날, Gutenberg는 재미 삼아 자신에게 물었다: "만약 주화 제조기 여러 개를 포도주 압착기 아래에 놓아 종이에 이미지를 남기게 하면 어떨까?" 결국, 두 가지 장치를 연결하려는 그의 아이디어가 현대 인쇄기의 탄생으로 이어졌다. 이것은 역사를 영원히 바꾸어 놓았다.

Gutenberg는 자신의 아이디어를 갑자기 끄집어낸 것이 아니다. 그는 그 시대의 두 가지 장치에 대해 알았다. 그는 그것들이 어떻게 작동하는지, 무엇을 할 수 있는지를 알았다. 다시 말해, 발명의 뿌리가 이미 거기에 존재하고 있었다. Gutenberg가 한 것은 두 가지 장치를 새로운 방식으로 보고 그것들을 결합한 것이었다. 이렇게 하여, Gutenberg는 현대 발명가인 Steve Jobs가 언급했던 것, 즉 "창의성이란 단지 사물들을 연결하는 것이다."라는 말의 전형적인 예가 되었다.

04 앞에서 Gutenberg가 당대의 흔한 두 장치인 포도주 압착기와 주화 제조기를 결합하여 현대 인쇄기를 발명한 예시를 보여 주었으므로 창의성이란 단지 사물들을 '연결하는 것(connecting)'이라는 내용이 이어지는 것이 자연스럽다.

1주 누구나 합격 전략

pp. 32~33

01 (1) unconscious (2) unrealistic 02 (1) certain (2) uncomfortable 03 (1) (a)greed (2) (A)vailable
04 (1) (a)ccurate (2) (a)pprove 05 ⑤ 06 ⑤

01 [해석] (1) 자신을 살리려는 우리의 목표가 우리의 자동적이고 무의식적인 습관에 의해 이행된다.
(2) 어떤 부모들은 교사에 대해 완전히 비현실적인 기대를 갖고 있다.

04 [해석] (1) 올바르고, 정확하며, 어떤 실수도 없는
(2) 어떤 사람이나 사물에 대해 긍정적인 의견을 갖다

05 (A) 앞에서 평소와는 다른 공원을 선택하는 편이 좋겠다고 했으므로 다른 공원에서 다른 기운과 '연결(connection)' 되는 것이 필요하다는 말이 자연스럽다.
(B) 평소에 가던 공원이 아닌 '다른(different)' 공원에서 새로운 가장 친한 친구를 사귈 수 있다는 말이 자연스럽다.
(C) 새로운 장소에 가라는 내용이 글의 전반적인 내용이므로 '편안함(comfortable)'을 느끼는 지대 밖으로 나가고 나서야 어떤 대단한 일이 일어날지 알게 된다는 말이 자연스럽다.

[지문 해석] 보통 어떤 공원에 산책이나 운동을 하러 간다고 하자. 어쩌면 오늘 여러분은 다른 공원을 선택하는 편이 좋겠다. 왜? 글쎄, 누가 알겠는가? 어쩌면 여러분이 다른 공원에서 다른 기운과 연결되는 것이 필요하기 때문일 것이다. 어쩌면 여러분은 거기서 전에 만난 적이 없는 사람들을 만나게 될 것이다. 여러분은 그저 다른 공원을 방문함으로써 새로운 가장 친한 친구를 사귈 수 있다. 여러분이 편안함을 느끼는 지대 밖으로 나가고 나서야 비로소 자신에게

어떤 대단한 일이 일어날지 안다. 여러분이 안락 지대에 머무르고 있고, 자신을 밀어붙여 늘 똑같은 기운에서 벗어나도록 하지 않는다면, 자신의 진로에서 앞으로 나아가지 못할 것이다.

06 앞에 언급된 연구 결과에서 웃음 이모티콘을 사용하는 것이 당신을 무능력하게 보이게 만든다고 했다. 따라서 업무상 이메일에 웃음 이모티콘을 포함시킨다면 동료들은 당신이 '적합하지 않아서(inadequate)' 정보 공유를 하지 않아야겠다고 생각한다는 내용이 이어지는 것이 적절하다.

[지문 해석] 누군가를 직접 만났을 때, 신체 언어 전문가들은 미소 짓는 것은 자신감과 친밀감을 드러낼 수 있다고 말한다. 그러나 온라인에서 웃음 이모티콘은 당신의 경력에 상당한 손상을 입힐 수 있다. 새로운 연구에서, 연구자들은 웃음 이모티콘을 사용하는 것이 당신을 무능력하게 보이게 만든다는 것을 알아냈다. 그 연구는 "실제 미소와 달리, 웃음 이모티콘은 친밀감에 대한 인식을 증진시키지 않고, 실제로 능력에 대한 인식을 감소시킨다."라고 한다. 그 보고서는 또한 "능력이 낮다고 인식되는 것은 그 결과로 정보 공유를 감소시켰다."라고 설명한다. 만약에 당신이 업무상의 이메일에 웃음 이모티콘을 포함시키고 있다면, 당신이 가장 바라지 않을 만한 일은 동료들이 당신이 너무 적합해서(→ 적합하지 않아서) 정보 공유를 하지 않아야겠다고 생각하는 상황일 것이다.

1주 창의·융합·코딩 전략 ① pp. 34~35

A 1. ⓐ 2. ⓔ 3. ⓒ 4. ⓑ, ⓓ, ⓕ
B 1. unconscious 2. inconvenient 3. disagree 4. impatient 5. inexpensive 6. independent
C [Across] ❷ disorder ❺ approve ❽ practical ❾ legal ❿ proper
[Down] ❶ valid ❸ expensive ❹ regular ❻ disregard ❼ relevant

B

해석

1. 코알라들은 하루에 16시간에서 18시간 동안 휴식을 취하는데, 의식이 없는 상태로 그 시간의 대부분을 보낸다.
2. 현대식 건물에서 불편하고 안전하지 않은, 계단이 포함된 건물의 수직 공간에서 계단을 오르는 것을 선택하는 사람은 거의 없을 것이다.
3. 서로 다른 전문가 집단은 무엇이 '최선의 (의료) 행위'인가에 대해 의견이 상당히 다를 수 있다.
4. 어느 정도 시간이 지난 뒤, 그의 상대는 조급해졌고 서둘러 공격했다.
5. 수면 근처에서, 아마추어 사진작가가 서렴한 수중 카메라로 멋진 사진을 찍을 가능성이 상당히 높다.
6. 언어의 구조는 환경과 무관하다.

C

해석

[Across]

❷ 정리가 안 되거나 체계가 없는 상태
❺ 어떤 사람이나 사물에 대해 긍정적인 의견을 갖다
❽ 생각이나 상상보다는 경험, 실제 상황, 또는 행동에 관련된
❾ 법과 연관된
❿ 옳거나 적합하거나 적절한

[Down]

❶ 법적으로 또는 공식적으로 받아들여지는
❸ 많은 돈이 드는
❹ 동일하거나 비슷한 양의 공간 또는 시간 사이에 고정된 양식으로 반복적으로 존재하거나 발생하는
❻ 무언가를 무시하다
❼ 일어나거나 언급되는 것과 관련이 있는

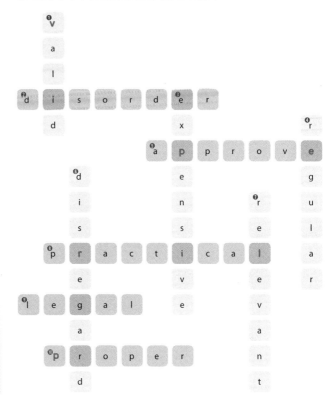

pp. 36~37

1주 창의·융합·코딩 전략 ②

D 1. illegal 2. impatient 3. available 4. irrelevant 5. invalid 6. rational
E 1. invalid 2. impatient 3. irrelevant 4. illegal
F 1. inadequate 2. impolite 3. common 4. unfair

E

해석

1. 유감스럽게도 당신의 운전면허증은 유럽에서는 무효합니다.
2. 그녀는 느린 학습자들에게 조금 참을성이 없을 수 있다.
3. 네가 취하는 행동이 도덕적이든 비도덕적이든 크게 관계가 없다.
4. 절도는 도덕적으로 잘못되었을 뿐만 아니라 불법이다.

정답 과 해설

2주 - 형태가 다른 반의어

2주 1일 개념 돌파 전략 ①

pp. 40~43

1-1 allowed 　 1-2 forbidden 　 2-1 expanded 　 2-2 shrunk 　 3-1 improve 　 3-2 decline

4-1 admits 　 4-2 denied 　 5-1 gathered 　 5-2 scatter 　 6-1 Follow 　 6-2 ignored

7-1 revealed 　 7-2 concealed 　 8-1 continues 　 8-2 ceased 　 9-1 optional 　 9-2 obligatory

10-1 promotes 　 10-2 prevent

해석

1-2 그는 벌로 집을 떠나는 것이 금지되었다.

2-2 그 회사의 직원은 단 세 명으로 줄었다.

3-2 나이가 들면서 그의 영향력이 쇠퇴하기 시작했다.

4-2 그 회장은 그 비리 사건과의 어떤 연관성도 부인했다.

5-2 샐러드를 버무리고, 위에 견과를 흩뿌리세요.

6-2 그는 무례하게 그 질문을 무시했다.

7-2 보도에 따르면 그 회사는 투자자들에게 그 정보를 감추었다.

8-2 비가 그치고 하늘이 갰다.

9-2 이 액션 영화는 필수적인 추격 장면을 포함하고 있다.

10-2 그들은 액운을 막기 위해 연을 날린다.

2주 1일 개념 돌파 전략 ②

pp. 44~45

A 1. 드러내다, 밝히다 　 2. 모으다, 모이다 　 3. 향상되다, 개선하다 　 4. 따르다, 추종하다

5. 확대[팽창]하다; ~을 확장하다 　 6. ~을 인정하다, ~을 시인하다

7. 허용하다, 허락하다; 가능하게 하다 　 8. conceal 　 9. scatter 　 10. decline

11. ignore 　 12. shrink 　 13. deny 　 14. forbid

B 1. ignore 　 2. cease 　 3. optional 　 4. shrink 　 5. scatter

C 1. ② 2. ① 3. ③

D 1. ① 2. ① 3. ②

해석

B 1. 들은 어떤 것에 주의를 기울이지 않다

2. 더 이상 계속되지 않다

3. 선택이 포함된; 의무적이지 않은

4. 더 작아지다

5. 다른 방향으로 멀리 떨어지(게 하)다

C 1. 당신이 틀릴지도 모른다고 인정하는 것은 어렵다.

2. 그녀의 의사는 그녀가 술을 마시는 것을 엄격히 금지했다.

3. 폭력의 종식을 요구하기 위해 사람들이 함께 모였다.

D 1. 오랜 친구와는 가벼운 농담을 하고, 민감한 개인적 사실들을 밝힐 수 있다.

2. 인문학은 모든 학문의 기초임에도 불구하고, 많은 학자들에게 소홀히 여겨져 왔다.

3. 어느 정도의 부를 이루자마자, 그 나라의 노력은 줄어들 것이다.

2주 2일 필수 체크 전략 ①

필수 예제 **1.** (1) scarce (2) common

확인 문제 **1-1** (1) presence → absence
(2) losses → benefits

확인 문제 **1-2** (1) float (2) numb (3) consumption

필수 예제 **2.** (1) relative (2) mental (3) acknowledged

확인 문제 **2-1** (1) concrete → abstract
(2) descendants → ancestors

확인 문제 **2-2** (1) concrete (2) deny (3) initial

확인 문제 1-2

해석 (1) 액체의 표면 위에서 가라앉지 않고 머물거나 움직이다

(2) 어떤 감정도 느낄 수 없거나 명확하게 생각할 수 없는

(3) 제품을 사거나 사용하는 행위

확인 문제 2-2

해석 (1) 명확하고 구체적인

(2) 어떤 것이 사실이 아니라고 말하거ㅏ 어떤 것을 믿지 않는다고 말하다

(3) 처음에 발생한

2주 2일 필수 체크 전략 ②

1 absolute **2** ② **3** mental **4** sensitive

1 처음 읽기를 배울 때는 철자 소리에 관한 지식이 읽기 영역에 한정되지만, 나중에는 소리에 관한 지식과 읽는 능력 모두를 일반적인 방식으로 사용하게 된다고 했으므로 일반적 지식과 특수 지식 사이에 '절대적인(absolute)' 경계는 없다는 말이 들어가는 것이 자연스럽다.

지문 해석 일반적 지식과 영역 특수 지식 사이에 절대적인 경계는 없다. 당신이 처음 읽기를 배웠을 때, 당신은 철자들의 소리에 관한 특정한 사실들을 배웠을 것이다. 그때는, 철자 소리에 관한 지식이 읽기 영역에 한정되었다. 하지만 이제 당신은 소리에 관한 지식과 읽는 능력 모두를 좀 더 일반적인 방식들로 사용할 수 있다.

2 헌혈할지를 생각할 때 감안하는 요소들을 열거하고 있고, ② 뒤에 예시로 언급된 '감소된 죄책감, 사회적 인정, 좋은 감정'은 헌혈로 인한 손실이 아니라 이점들에 해당하므로 losses(손실들)를 benefits(이점들)로 고쳐 쓰는 것이 적절하다.

지문 해석 우리의 지속적인 목표는 보상을 최대화하고 비용을 최소화하는 것이다. 만약 당신이 헌혈할지를 생각한다면, 당신은 그렇게 하는 것의 손실들(→ 이점들)(감소된 죄책감,

사회적 인정, 그리고 좋은 감정) 대비 비용들(시간, 불편함, 그리고 걱정)을 측정할지도 모른다. 만약 그 보상들이 비용들을 초과한다면 당신은 도울 것이다.

3 암기된 정보 덩어리들이 더 노력이 필요한 사고를 할 수 있도록 해 준다는 내용이므로 여기서는 '정신적인(mental)' 공간을 열어 준다는 내용이 자연스럽다.

지문 해석 습관은 숙달의 토대를 만든다. 체스에서 체스를 두는 사람이 게임의 다음 레벨에 집중할 수 있게 되는 것은 오직 말의 기본적인 움직임이 자동적으로 이루어지고 나서이다. 암기된 각각의 정보 덩어리는 더 노력이 필요한 사고를 할 수 있도록 정신적 공간을 열어 준다. 이것은 여러분이 시도하는 어떤 것에도 적용된다. 간단한 동작을 매우 잘 알고 있어서 생각하지 않고도 할 수 있을 때, 더 높은 수준의 세부 사항에 자유롭게 집중하게 된다. 이런 식으로, 습관은 그 어떤 탁월함을 추구할 때도 중추적인 역할을 한다. 그러나 습관의 이점에는 대가가 따른다. 처음에, 각각의 반복은 유창함, 속도, 그리고 기술을 발

정답 과 해설

달시킨다. 그러나 그 다음에 습관이 자동화되면서 여러분은 피드백에 덜 민감해지게 된다. 여러분은 무의식적인 반복으로 빠져든다.

4 해석 물질이나 온도와 같은 것에 쉽게 영향을 받는

 2주 3일 필수 체크 전략 ① pp. 52~55

필수 예제 **3.** (1) defensive (2) Modern

확인 문제 **3-1** (1) scorned → respected

(2) guilty → innocent

확인 문제 **3-2** (1) release (2) lazy (3) defensive

필수 예제 **4.** (1) constructed (2) shortages (3) fake

확인 문제 **4-1** (1) forgettable → memorable

(2) compulsory → voluntary

확인 문제 **4-2** (1) cause (2) fire (3) destroy

확인 문제 3-2

해석 (1) 누군가를 어딘가에 잡아 두었다가 풀어 주다

(2) 일하려고 하지 않거나 어떤 노력도 하지 않는

(3) 어떤 사람이나 사물을 공격으로부터 보호하기 위해 사용되는

확인 문제 4-2

해석 (1) 어떤 일이 일어나게 하는 사람, 사건, 또는 사물

(2) 누군가로 하여금 직장을 떠나게 만들다

(3) 무언가를 더 이상 존재하지 못할 정도로 심하게 손상하다

2주 3일 필수 체크 전략 ② pp. 56~57

1 ancient **2** ① **3** respect **4** genuine

1 네모 앞에서 인류의 지속적인 생존 원인이 환경에 적응하는 능력이라고 했고, 네모 뒤에서 필요에 의해 새로운 기술을 배웠다고 했으므로 네모에는 이제는 필요 없어진 기술인 'ancient(고대)' 조상들의 생존 기술 중 일부라는 말이 들어가는 것이 자연스럽다.

지문 해석 인류의 지속적인 생존은 환경에 적응하는 우리의 능력으로 설명될 수 있을 것이다. 우리가 고대 조상들의 생존 기술 중 일부를 잃어버렸을지도 모르지만, 새로운 기술이 필요해지면서 우리는 새로운 기술을 배웠다.

2 ① 바로 앞에서 좋은 것에도 지나침이 있을 수 있다고 했고, 뒤에 나오는 예시에서도 균형의 중요성에 대해 말하고 있으므로 인생에서 최상의 것도 '지나치면(excess)' 그리 좋지 않다는 내용이 되는 것이 자연스럽다.

지문 해석 인생의 거의 모든 것에는, 좋은 것에도 지나침이 있을 수 있다. 심지어 인생에서 최상의 것도 부족하면(→ 지나치면) 그리 좋지 않다. 이 개념은 적어도 아리스토텔레스 시대만큼 오래전부터 논의되어 왔다. 그는 미덕이 있다는 것은 균형을 찾는 것을 의미한다고 주장했다. 예를 들어, 사람들은 용감해져야 하지만, 만약 어떤 사람이 너무 용감하다면 그 사람은 무모해진다. 사람들은 (타인을) 신뢰해야 하지만, 만약 어떤 사람이 (타인을) 너무 신뢰한다면 그들은 잘 속아 넘어가는 사람으로 여겨진다.

3 네모 뒤에 동기 부여의 예시들이 이어지고 있다. 교실 문에서 매일 하는 인사, 학생들의 말을 들을 때의 온전한 집중, 어깨 토닥임, 포용적인 미소 등과 함께 어울릴 수 있는 표현은

'respect(존중)'이다.

지문 해석 동기 부여는 여러 원천에서 올 수 있다. 그것은 내가 모든 학생에게 하는 존중, 교실 문에서 매일 하는 인사, 학생의 말을 들을 때의 완전한 집중, 일을 잘했든 못했든 해 주는 어깨 토닥임, 포용적인 미소, 혹은 "사랑해"라는 말이 가장 필요할 때 그저 그 말을 해주는 것일 수도 있다. 그것은 그저 집에 별일이 없는지를 물어보는 것일지도 모른다. 학교를 중퇴하는 것을 고려하던 한 학생에게, 그것은 그 학생의 잦은 결석 중 어느 한 결석 후에 그 학생을 학교에서 보니 매우 기뻤다고 쓴 나의 짧은 편지였다. 그

학생은 눈물을 글썽이며 그 편지를 들고 내게 와서 고맙다고 했다. 그 학생은 올해 졸업할 것이다 어떤 기법이 사용되든, 학생들은 여러분이 그들에게 관심을 갖는다는 것을 틀림없이 알 것이다. 그런데 그 관심은 진심이어야 하는데 학생들이 속을 리가 없기 때문이다.

4 해석 진심으로 정직하게 느끼거나 경험한

4일 교과서 대표 전략 ①

pp. 58~61

대표 예제 1 modern   대표 예제 2 ④   대표 예제 3 acknowledged   대표 예제 4 ⑤   대표 예제 5 ②   대표 예제 6 ②
대표 예제 7 (1) ③ (2) allow   대표 예제 8 ③   대표 예제 9 ③   대표 예제 10 ④   대표 예제 11 (1) respect (2) float
대표 예제 12 ②, reveal → conceal   대표 예제 13 (A) allowing (B) improves

대표 예제 1

해석 그린란드의 수도인 누크는 매우 현대적이고 깨끗해 보였다.

어휘 capital 수도   quite 꽤

대표 예제 2

해석 어떤 나쁜 일에 대해 어떤 사람이나 사물이 책임이 있다고 말하거나 생각하다: ④ 비난하다; 비난
① 풀어주다, 석방하다; 석방 ② 방어하다, 지키다; 방어 ③ 건설하다 ⑤ 파괴하다

대표 예제 3

해석 업사이클링은 쓰레기를 재활용하는 아주 새로운 방식으로 널리 거부되고(→ 인정받고) 있다.

어휘 upcycling 업사이클링   widely 널리
recycle 재활용하다   waste 쓰레기

대표 예제 4

해석 보존 과학은 역사적 진실을 밝히는 데 중요한 역할을 한다.
① 조장하는 ② 흩뿌리는 ③ 방지하는 ④ 감추는 ⑤ 밝히는

어휘 conservation 보존   historical 역사적인

대표 예제 5

해석 나는 그 모든 추상적인 이론들을 명확하게 이해할 수가 없어서 물리가 싫었다.
(= 구체적인 예시보다는 일반적인 관념이나 원칙에 기초한)
① 풍부한 ② 추상적인 ③ 동일한 ④ 정신적인 ⑤ 자연적인

어휘 physics 물리학   theory 이론

대표 예제 6

해석 '오호'를 만드는 것은 병을 제조하는 과정에서 생기는 이산화탄소 배출을 야기하지 않기 때문에 기후에도 이익이 된다.
① 손실 ② 이점 ③ 부재 ④ 소비 ⑤ 존재

어휘 climate 기후   emission 배출

대표 예제 7

(1) 연을 만들고 연 꼬리의 기능을 이해하고 있었던 사람들은 '조상들'이었다는 내용이 자연스럽다.

지문 해석 때때로 연에는 꼬리가 달리기도 한다. 이는 연의 하단부에 중력뿐만 아니라 항력을 더해 줌으로써 연이 더 안정적으로 날 수 있게 도와준다. 그러나 꼬리의 길이는 적당해야 한다. 짧은 꼬리를 달면 연은 제자리에서 돌거나 심하게 흔들릴 것이

다. 긴 꼬리를 달면 연이 잘 날게 도와주어, 많이 흔들리지 않고 높이 올라갈 수 있게 해 줄 것이다. 우리 후손들(→ 선조들)은 이 모든 것을 알았고, 꼬리를 적당한 길이로 만들었다.

어휘 stably 안정적으로　weight 중력　drag 항력

(2) **해석** 어떤 일이 일어날 수 있도록 혹은 누군가가 어떤 일을 하는 것을 가능하게 하다

대표 예제 8

③ rare는 '드문'이라는 의미로 common과 반의어이고, 나머지는 모두 유의어이다.

해석 줄다리기는 벼농사가 흔했던 한국의 중부와 남부 지방에서 널리 인기가 있었다.

대표 예제 9

③ '더 이상 계속하지 않다'는 cease(그만두다, 그치다, 금지하다)의 영영 풀이이다.

해석 ① 확대[팽창]하다, ~을 확장하다: 크기, 수, 또는 양이 커지다

② 무시하다, 묵살하다: 들은 것에 대해 관심을 갖지 않다

④ 의무적인: 법이나 양심에 구속된

⑤ 석방하다; 석방: 누군가를 어딘가에 잡아 두었다가 풀어 주다

어휘 amount 양　bind 묶다, 구속하다　conscience 양심
go free 해방되다

대표 예제 10

④ refuse와 decline은 둘 다 '거절하다'라는 의미로 유의어 관계이고 나머지는 모두 반의어 관계이다.

해석 ① 풍부한 – 부족한 ② 동일한 – 반대의 ③ 절대적인 – 상대적인 ⑤ 자연적인 – 인공적인; 인조의

대표 예제 11

해석 (1) 당신이 명확한 표현을 사용하고 청중에 대한 존경심을 보여 준다면, 그들은 대개 당신을 더 믿을 것이다.

(2) 서로 다른 모양의 거대한 빙산들이 바다에 떠다니고 있었다.

어휘 expression 표현　audience 청중　trust 신뢰하다
enormous 거대한　iceberg 빙산

대표 예제 12

사관들이 왕들을 계속 따라다니면서 그들의 일거수일투족을 모두 기록했다고 했으므로 왕들은 자신들의 실수를 그들에게서 감추려고 했을 것이고 이마저도 기록되었다고 추측할 수 있다. 따라서 ② reveal(드러내다)을 conceal(감추다)로 바꾸어 쓰는 것이 적절하다.

지문 해석 사관들은 왕들의 행동과 말을 기록할 책임이 있는 관리들이었다. 그들이 쓴 기록들은 실록 내용의 주요한 출처가 되었다. 사관들은 왕들을 계속 따라다니며 그들이 보고 들은 모든 것을 객관적으로 기록하도록 명령받았다. 그들은 심지어 왕들이 자신들의 실수를 사관들에게 드러내려는(→ 숨기려는) 시도까지 기록하였다.

"왕이 사냥 중에 말에서 떨어졌으나, 그는 신하들에게 사관들이 이 일에 대해 알지 못하게 하라고 명령하였다."

　　　　　　　　　　　　　 – 《태종실록》, 태종 4년(1404년) 2월

사관들이 그렇게 할 수 있었던 것은 그들이 기록할 자유가 법으로 보장되었기 때문이다. 그러나 기록을 누설한 사관은 누구든 엄격하게 처벌받았다. 심지어 왕들도 그 기록을 읽는 것이 허용되지 않았다. 왕이 죽은 후에야 그의 통치 기간에 대한 실록이 편찬되었다.

어휘 official 관리　in charge of 책임이 있는
record 기록; 기록하다　objectively 객관적으로
attempt 시도　reveal 드러내다　fall off 떨어지다
freedom 자유　guarantee 보장하다　severely 엄격히
punish 처벌하다

대표 예제 13

(A) 소에 부착된 센서가 농부 대신 소들을 관찰하므로 농부로 하여금 소의 질병이 심각해지기 전에 처리할 수 있게 '해 준다(allow)'는 내용이 오는 것이 자연스럽다.

(B) 소가 더 오래 건강하게 살게 되면 우유의 생산량도 'improve(증가한다)'는 내용이 오는 것이 자연스럽다.

지문 해석 소에 부착된 센서가 소의 체온, 움직임, 행동 등을 확인한다. 변화가 관찰되면, 센서는 농부의 전화기나 컴퓨터로 메시지를 보낸다. 예를 들어, 이 센서는 동물의 뒷다리가 내려가기 시작하는지 감지하기 위해 사용되고 있는데, 이것은 동물이 병에 걸렸을 때 나타나는 첫 번째 징후 중 하나이다. 이것은 또한 소가 임신했는지를 감지할 수

있다. 이 기술은 센서가 없다면 농부가 소를 하나하나 면밀히 관찰하는 데 들이게 될 일주일의 수십 시간을 절약하게 해 준다. 또한 농부가 소의 질병을 너무 심각해지기 전에 처리할 수 있게 함으로써 수의사에게 지불할 돈을 절약하게 해 준다. 센서를 사용해 개별 소의 건강을 모니터하면 소는 더 오래 더 건강하게 살게 되고 우유 생산량 또한 증가한다는 것은 말할 필요도 없다.

어휘 sensor 센서 attach 부착하다 temperature 온도, 체온
behavior 행동 observe 관찰하다 detect 감지하다
illness 질병 pregnant 임신한 technology 기술
save 절약하다 dozens of 많은, 수십의
otherwise 그렇지 않으면 monitor 감시하다, 관찰하다
it goes without saying that ~은 말할 나위도 없다

2주 4일 교과서 대표 전략 ②

pp. 62~63

01 continued **02** ③ **03** natural **04** (m)emorable

---

01 Rousseau는 비평가들의 혹독한 비평에도 불구하고 자신의 스타일을 절대 포기하지 않았다고 했으므로 자신의 그림을 그리고 그것들을 살롱에 제출하는 일을 '계속했다(continued)'는 말이 들어가는 것이 자연스럽다.
지문 해석 Rousseau의 스타일은 당대의 주류와 현저하게 달랐다. 한 비평가는 심지어 "Rousseau 씨는 눈에 눈가리개를 두르고 발로 그림을 그린다."라고 말했다. 그런 혹독한 비평에도 불구하고, Rousseau는 자신의 스타일을 절대 포기하지 않았다. 그는 자신의 그림을 그려 그것들을 살롱에 제출하는 것을 계속했다.

02 앞 내용에서 줄다리기가 단순한 운동으로 뿐만 아니라 하나의 의식으로 여겨졌다고 했고, 이는 줄다리기 의식을 준비하는 일과 그 이후의 행사들을 포함한다. 따라서 줄다리기는 공동체의 화합과 통합을 '방지하는(prevent)'것이 아니라 '증진시키는(promote)' 완벽한 방법이었다는 내용이 되어야 한다.
지문 해석 줄다리기는 단순한 운동으로 뿐만 아니라 하나의 의식으로 여겨졌다. 줄다리기 의식에서는, 일반적으로 줄 만들기, 의식 거행하기, 줄 당기기, 그리고 경기 후 특별한 행사 연출하기와 같은 일련의 행동이 같은 방식으로 수행되었다. 줄다리기는 사람들이 협동하도록 돕고 공동체의 화합과 통합을 방지하는(→ 촉진하는) 완벽한 방법이었을 것이다.

03 (A) 앞에서 모든 사람들이 이러한 바람들이 실현될 수 없다는 것을 알고 있다고 했고, 역접의 접속사 However가 나왔으므로 비록 이 가사가 실현될 수 없을지라도 자연스럽게 들린다는 내용이 되는 것이 적절하다.
지문 해석 당신은 가수들과 시인들이 적은 단어들로 어떻게 그렇게 많은 것을 표현하는지 궁금해한 적이 있었는가? 예를 들어 아래 가사를 살펴보자. 미국 그룹, Gym Class Heroes의 유명한 노래 가사다.

내 심장은 스테레오야.
그것은 너를 위해 뛰고 있으니, 귀 기울여 들어 봐.
모든 음에 담겨 있는 나의 생각들을 들어 봐.
나를 너의 라디오로 만들어 봐.
그리고 네가 우울할 때 볼륨을 높여 봐.

작사가는 그의 심장이 스테레오가 되길 원하고, 그 자신이 라디오이길 바란다. 모든 사람은 이 바람들이 실현 될 수 없다는 것을 안다. 그러나, 가사는 자연스럽게 들린다. 그렇지 않은가? 더 간결하지만 기억할 만한 방법으로 사랑의 감정을 전달하도록 비교가 이루어진다. 다른 말로 하면, "스테레오" 와 "라디오"의 비유는 가수의 강렬한 감정을 가능한 한 적은 단어를 사용해 표현하기 위해 사용된다.

04 해석 아주 좋거나 재미있거나, 또는 특별해서 기억할 가치가 있는

2주 누구나 합격 전략

pp. 64~65

01 (1) presence (2) compliment　**02** (1) opposite (2) consumption　**03** (1) (d)efensive (2) (m)emorable
04 (1) (o)ffensive (2) (d)iligent　**05** ③　**06** ③

01 해석 (1) 휴대폰의 존재는 대화에 참여하는 사람들 간의 관계를 약화시킨다. (2) "나는 네가 참 자랑스러워."라는 칭찬에 있어 잘못된 점이 무엇일까?

04 해석 (1) 아주 무례하거나 모욕적이고 사람들을 화나게 할 가능성이 있는 (2) 열심히 일하고 빈틈없는

05 (A) 이어지는 내용에서 자연스러운 강의 흐름을 거스르는 것의 역효과를 소개하고 있으므로 '자연(natural)' 체계의 복잡한 형태가 강의 기능에 필수적이라는 내용이 적절하다. (B) 자연 발생적인 강의 불규칙함이 수위와 속도 변화를 조절할 '수 있게 한다(allows)'는 내용이 자연스럽다. (C) 강을 자연의 방식이 아닌 질서 정연한 기하학적 구조에 끼워 넣는 것은 기능적 수용 능력을 '파괴하는(destroys)' 일이라는 내용이 이어지는 것이 적절하다.

지문 해석 지난 20년 혹은 30년 동안의 상세한 연구는 자연계의 복잡한 형태가 그것의 기능에 필수적이라는 것을 보여 주고 있다. 강을 직선화하고 규칙적인 횡단면으로 만들고자 하는 시도는 아마도 이러한 형태-기능 관계의 가장 피해가 막심한 사례가 될 수 있다. 자연 발생적인 강은 매우 불규칙한 형태를 가지고 있다. 그것은 많이 굽이치고, 범람원을 가로질러 넘쳐흐르고, 습지로 스며들어 끊임없이 변화하여, 엄청나게 복잡한 강가를 만든다. 이것은 강의 수위와 속도 변화를 조절할 수 있게 한다. 강을 질서 정연한 기하학적 구조에 맞춰 넣는 것은 기능적 수용 능력을 파괴하고 1927년과 1993년 Mississippi강의 홍수와, 더 최근에는, 허리케인 Katrina와 같은 비정상적인 재난을 초래한다.

06 예전에 사람들이 세상이 편평하다고 믿었을 때는 탐험도 하지 않고, 지구의 가장자리에서 떨어질까 봐 두려워했다고 했다. 그러다가 사소한 사항이 ③ '감춰지고(concealed)' 나서 대대적으로 행동이 변화했다는 말은 어색하다. 따라서 ③을 'revealed(드러나고)'로 고쳐 써야 한다.

지문 해석 우리는 우리가 안다고 '생각하는' 것에 기초하여 결정을 한다. 대다수의 사람들이 세상이 편평하다고 믿었던 것은 그다지 오래되지 않았다. 이렇게 인지된 사실은 행동에 영향을 미쳤다. 이 기간 동안에는, 탐험이 거의 없었다. 사람들은 만약 그들이 너무 멀리 가면, 지구의 가장자리에서 떨어질까 봐 두려워했다. 그래서 대체로 그들은 감히 이동하지 않았다. 대대적으로 행동이 변화한 것은 비로소 그런 사소한 사항—세상은 둥글다—이 감춰지고(→ 드러나고) 나서였다. 이것이 발견된 후 곧, 사람들은 세상을 돌아다니기 시작했다. 무역 경로가 만들어졌고, 향신료가 거래되었다. 모든 종류의 혁신과 진보를 고려했던 사회들 사이에 수학과 같은 새로운 개념이 공유되었다. 단순한 잘못된 가정의 수정이 인류를 앞으로 나아가게 했다.

2주 창의·융합·코딩 전략 ①

pp. 66~67

A 1. ⓒ　2. ⓕ　3. ⓓ　4. ⓐ　5. ⓔ　6. ⓑ
B 1. modern　2. final　3. respect　4. fake　5. guilty　6. improve
C [Across] ❸ voluntary ❺ sink ❻ blame ❼ expand ❾ diligent ❿ cease
　　[Down] ❶ release ❷ ignore ❹ abstract ❽ fire

B

해석

1. 우리는 현대 세계에 사는 석기 시대의 뇌를 가지고 있다.
2. 우리의 패션 디자이너들이 최종 수상자들을 결정할 것입니다.
3. 여러분의 애완동물의 특별한 욕구를 인식하고 그것을 존중해 주는 것이 중요하다.
4. 가짜 미소는 얼굴의 절반 아래쪽 부분에만, 대개 입에만 주로 영향을 미친다.
5. 이러한 수감자들 중 75퍼센트가 잘못된 목격자 진술에 기초하여 유죄로 판결을 받았었다.
6. 당신의 선택을 개선하기 위해, 크래커와 사탕 대신 사과와 피스타치오 같은 좋은 음식이 나와 있도록 해라.

C

해석

[Across]

❸ 억지로 하지 않고 자발적으로
❺ 물, 진흙 등의 수면 아래로 내려가다
❻ 어떤 나쁜 일에 대해 어떤 사람이나 사물이 책임이 있다고 말하거나 생각하다
❼ 크기, 수, 또는 양이 커지다

❾ 열심히 일하고 빈틈없는
❿ 더 이상 계속되지 않다

[Down]

❶ 누군가를 어딘가에 잡아 두었다가 풀어 주다
❷ 들은 것에 대해 관심을 갖지 않다
❹ 구체적인 예시보다는 일반적인 관념이나 원칙에 기초한
❽ 누군가로 하여금 직장을 떠나게 만들다

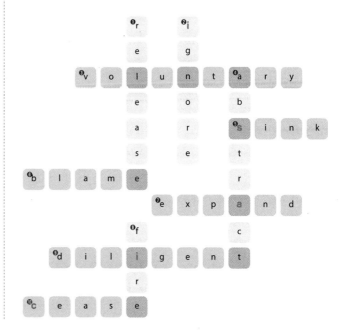

---

2 창의·융합·코딩 전략 ② pp. 68~69

D 1. obligatory 2. consumption 3. presence 4. harmful 5. physical 6. release
E 1. presence 2. harmful 3. physical 4. consumption
F 1. admitted 2. concealing 3. benefit 4. offensive

E

해석

1. 그 문서는 두 명의 증인이 참석한 상태에서 서명되었다.
2. 태양의 해로운 효과로부터 당신의 피부를 보호하는 것은 중요하다.
3. 그녀의 신체적 외양에는 아무런 이상이 없었다.
4. 미국은 석유 소비에 있어서 세계적인 리더이다.

신유형·신경향·서술형 전략

1 (A) ability (B) consciousness (C) natural
2 (A) (n)atural (B) (p)hotosynthesis
3 (A) destroyed (B) satisfaction
4 (A) (b)havior (B) (s)hared

5 (A) equality (B) unfair (C) prevent
6 (c)ontrol
7 ④, denied → acknowledged
8 (A) (c)aculus (B) (e)ssential

---

1 (A) 앞에서 식물들이 물, 토양, 햇빛 등을 귀한 물질들로 바꾸는 능력에 관해 언급하고 있으므로 '능력'이라는 말이 들어가는 것이 자연스럽다.

(B) 식물의 능력과 비교되는 인간의 능력에 관해 언급하는 부분이므로 '의식'을 완성했다는 내용이 들어가는 것이 알맞다.

(C) 우리가 의식을 완성하고 두 발로 걷게 된 것과 동일한 과정이라고 했으므로, 광합성을 발명하고 유기 화학을 완성한 것은 '자연' 선택이라는 내용이 자연스럽다.

어휘 alchemist 연금술사 expert 전문적인; 전문가 transform *A* into *B* A를 B로 바꾸다 an array of 다수의 precious 귀한 substance 물질 conceive 상상하다 natural selection 자연 선택 astonishing 놀라운 convert 전환하다 organic chemistry 유기 화학 compound 화합물 nourish 영양분을 공급하다

2 **해석** (A) 자연 선택 과정에 의해 식물들은 (B) 광합성을 발명했고, 화합물들을 방출했다.

3 (A) 일부 사람들이 자신이 사용할 몫보다 더 많은 휴지를 가져갔다고 했으므로 공공재가 '파괴되었다'는 말이 들어가는 것이 알맞다.

(B) Rhonda가 화장실에 쪽지를 둔 후 화장지가 다시 나타났다고 했으므로 그녀는 '만족'스러웠을 것임을 짐작할 수 있다.

어휘 attend (~에) 다니다 toilet paper 화장지 classic 전형적인 tragedy 비극 commons 공유지 situation 상황 public resource 공공재 behavior 행동 reappear 다시 나타나다

4 **해석** 자그마한 상기물은 필요한 것보다 더 많은 (B) 공유재를 가져갔던 사람들의 (A) 행동에 변화를 가져왔다.

5 (A) 뒤에 이어지는 내용에서 Dworkin의 주장은 기회의 '평등'에 관한 내용이라는 것을 알 수 있다.

(B) Dworkin은 사람의 운명이 그 사람의 통제 안에 있는 것들에 의해 결정되어야 한다고 했으므로 통제 바깥에 있는 것들에 의해 결정되는 행복은 '불공평'하다고 하는 것이 자연스럽다.

(C) 개인의 선택이나 취향 차이에 따른 행복의 불평등에 관한 앞 내용과 대조를 이루어야 하므로 개인의 책임이 아니면서 개인이 중요하게 여기는 것을 성취하지 못하게 '막는' 요소에 의한 행복의 불평등이 언급되어야 한다. 따라서 prevent가 들어가는 것이 자연스럽다.

지문 해석 Dworkin은 어떤 한 종류의 기회의 평등에 관한 고전적 주장을 제시한다. Dworkin의 관점에서 정의는 한 사람의 운명이 운이 아닌 그 사람의 통제 내에 있는 것들에 의해 결정될 것을 요구한다. 행복에 있어서의 차이가 개인의 통제 밖에 있는 환경에 의해 결정된다면, 그 차이는 불공평하다. 이 주장에 따르면, 개인의 선택이나 취향의 차이에 의해 만들어진 행복의 불평등은 허용 가능하다. 그러나 우리는 개인의 책임이 아니면서 개인이 자신이 중요하게 여기는 것을 성취하지 못하게 막는 요소에 의해 만들어지는 행복의 불평등을 제거하기 위해 노력해야 한다. 우리는 기회의 평등 또는 기본적인 자원에의 접근의 평등을 보장함으로써 그렇게 한다.

어휘 argument 주장 opportunity 기회 justice 정의 fate 운명 determine 결정하다 control 통제 luck 운 well-being 행복 circumstance 환경 individual 개인 lie 있다, 놓여 있다 acceptable 허용할 수 있는 seek 추구하다 eliminate 제거하다 factor 요소 responsibility 책임 achieve 성취하다 value 중시하다 ensure 보장하다 access 접근 fundamental 기본적인 resource 자원

6 해석 Dworkin에 따르면, 기회의 평등을 보장함으로써 행복의 차이가 개인의 통제 안에 있는 요소들에 의해서만 결정되어야 한다.

7 ④ 뒤에 인용된 자신이 거인들의 어깨 위에 서 있다는 Newton의 말에서 그 역시 혼자만의 천재성으로 미적분학을 밝혀낸 것이 아님을 인정했다는 것을 알 수 있다. 따라서 ④ denied를 acknowledged로 고쳐 써야 한다.

지문 해석 수학의 모든 역사는 그 순간의 가장 좋은 생각들을 취하여 새로운 확장, 변이, 그리고 적용을 찾아가는 하나의 긴 연속이다. 오늘날 우리의 삶은, 주로 미적분학의 통찰을 요구하는 과학적이고 기술적인 혁신 때문에, 300년 전 사람들의 삶과는 전적으로 다르다. Isaac Newton과 Gottfried von Leibniz는 (각자) 독립적으로 17세기 후반에 미적분학을 발견하였다. 하지만 역사 연구는 수학자들이 Newton 또는 Leibniz가 나타나기 전에 미적분학의 모든 주요한 요소들에 대해 생각했었다는 것을 보여 준다. Newton 그 자신이 "만약 내가  다른 사람들보다 더 멀리 보았다면 그것은 내가 거인들의 어깨 위에 섰기 때문이다."라고 썼을 때 이러한 흘러가는 현실을 부인하였다(→ 인정하였다). Newton과 Leibniz는 본질적으로 동시대에 그들의 뛰어난 통찰력을 내놓았는데 왜냐하면 그것은 이미 알려진 것으로부터의 큰 도약은 아니었기 때문이었다. 모든 창의적인 사람들은, 심지어 천재라고 여겨지는 사람들조차, 천재가 아닌 사람으로 시작하여 거기에서부터 아기 걸음마를 뗀다.

어휘 sequence 연속 extension 확장 variation 변형 application 적용 totally 전적으로 owing to ~ 때문에 innovation 혁신 insight 통찰력 calculus 미적분학 reveal 드러내다 essential 주요한 element 요소 come up with ~을 떠올리다 brilliant 뛰어난 essentially 본질적으로 leap 도약 creative 창의적인 genius 천재

8 해석 Newton과 Leibniz가 독립적으로 (A) 미적분학을 발견했지만, 그들 앞에 수학자들이 그것의 (B) 주요한 요소들을 생각했기 때문에 동시에 그 생각을 떠올릴 수 있었다.

적중 예상 전략 1회

pp. 76~79

01 ④ 02 ③ 03 ② 04 Unfortunately 05 rational → irrational 06 ③ 07 ⑤ 08 ③ 09 (1) Realistic (2) active 10 (c)omplicated 11 ③ 12 ① 13 ② 14 ③

01 해석 자주 보이거나, 발생하거나, 경험되지 않는: ④ 드문, 흔치 않은
① 비현실적인 ② 이용할[구할] 수 없는 ③ 덮개를 벗기다, 밝히다 ⑤ 의식을 잃은, 무의식적인

02 해석 환하게 웃으며, 그녀는 앞줄에 있는 낯익은 얼굴들을 바라보았다. (= 전에 보거나 만났기 때문에 알아보기 쉬운)
① 타당한, 공평한 ② 책임감 있는 ③ 익숙한, ~을 아주 잘 아는 ④ 확실한 ⑤ 정확한, 틀림없는

03 해석 문제에 직면할 때 우리는 항상 개방적인 마음을 가져야 하고, 관련된 모든 정보를 고려해야 한다.
① 실용적인, 현실적인 ② 관계가 있는, 적절한 ③ 효력 없는, (법적으로) 무효한 ④ 참을성[인내심] 있는 ⑤ 편리한, 간편한

04 해석 안타깝게도 그때 근무 중이었던 직원들이 저희의 고객 서비스 정책을 잘 반영하지 못했습니다.
어휘 staff 직원 on duty 근무 중인 reflect 반영하다 policy 정책

05 [해석] 많은 부모들은 그들의 십 대 아이들이 때때로 합리적(→ 비합리적)이거나 위험한 방식으로 행동하는 이유를 알지 못한다.

06 ③ '더 성공하도록 당신을 돕는 좋은 것'은 advantage(장점, 이점, 유리한 점)의 영영 풀이이다.
[해석] ① 합법적인, 적법한: 법과 연관된
② 편안한, 쾌적한: 편안하고 어떤 고통도 없는
④ 비싼: 많은 돈이 드는
⑤ 불확실한, 변하기 쉬운: 무언가에 대해 의심을 느끼는; 확실하지 않은

07 [해석] 발굴 작업은 체육관, 레슬링 경기장, 탈의실 그리고 욕조의 유적을 발견했다.
① 승인[찬성]하지 않았다 ② 동의하지 않았다 ③ 사라졌다
④ 무시했다
[어휘] excavation 발굴 작업 remain 유적

08 ③은 '누르다 – 감명을 주다'라는 의미로 접두어 im-이 '~ 안으로'라는 의미로 쓰인 경우이고 나머지는 모두 반의어 관계이다.
[해석] ① 적절한, 알맞은 – 부적절한 ② 예의 바른, 공손한 – 무례한, 불손한 ④ 성숙한 – 미성숙한, 미완성의 ⑤ 실용적인, 현실적인 – 비실용적인, 비현실적인

09 [해석] (1) 현실적인 낙관주의자들은 그들이 성공할 것이라고 믿을 뿐만 아니라, 그들이 성공이 일어날 수 있도록 만들어야 한다고 믿는다.
(2) 질문을 하는 습관을 갖는 것은 당신을 적극적인 청자로 바꾼다.

10 [해석] 면역 체계는 너무나 복잡해서 그것을 설명하려면 책 한 권이 있어야 할 것이다.
(= 이해하기 어려운 방식으로 많은 여러 가지 다른 부분들이 연관된)

11 도입부에서 컴퓨터는 인간에 비해 빠르고 정확하게 작동한다고 했고, 빈칸 뒤에 역접의 접속사 however가 나왔으므로 이와 상반되는 내용이 이어져야 한다. 따라서 빈칸에는 컴퓨터가 '독립적인' 결정을 하지 못한다는 말이 들어가는 것이 적절하다.
[해석] ① 공식적인 ② 실용적인, 현실적인 ④ 의존하는, 의지하는 ⑤ 부적당한, 불충분한
[지문 해석] 컴퓨터는 빠르고 정확하게 작동한다; 인간은 상대적으로 느리게 일하고 실수를 한다. 그러나 컴퓨터는, 인간에 의해서 그렇게 하도록 프로그램되지 않는 한, 독립적인 결정을 하거나 문제를 해결하기 위해 단계들을 만들어낼 수 없다. 컴퓨터로 하여금 학습하고 그것이 학습한 것을 실행하도록 하는 정교한 인공 지능조차, 초기의 프로그래밍은 인간에 의해 수행되어야 한다.
[어휘] accurately 정확하게 relatively 상대적으로
decision 결정 formulate 만들어내다
unless ~하지 않으면 sophisticated 정교한
artificial intelligence 인공 지능
enable ~을 할 수 있게 하다 implement 실행하다

12 [해석] ① 뒤에 나오는 역접의 접속사 but 뒤에서 우리는 감정에 의해 주로 지배당하고 이것이 인지에 영향을 준다고 했으므로 앞 내용에서는 이와 반대되는 '이성적'이라는 말이 들어가는 것이 적절하다. 따라서 ①을 rational(이성적)로 바꾸어 써야 한다.
[지문 해석] 우리는 우리의 결정이 얼마나 많이 비이성적(→ 이성적) 고려에 근거하는지 보여 주고 싶어 하지만, 진실은 우리가 우리의 감정에 의해 주로 지배당하고 있고, 이것은 계속적으로 우리의 인지에 영향을 준다는 것이다. 이것이 의미하는 것은 끊임없이 그들 감정의 끌어당김 아래에 있는 여러분의 주변 사람들이 날마다 혹은 시간마다 그들의 기분에 따라 그들의 생각을 바꾼다는 것이다. 여러분이 그 과정에 사로잡히지 않도록 하기 위해서는 그들의 변화하는 감정들로부터 거리감과 어느 정도의 분리감을 기르는 것이 최선이다.
[어휘] be based on ~에 근거하다 consideration 고려
govern 지배하다 emotion 감정
continually 계속적으로 influence 영향을 미치다
perception 인지 constantly 끊임없이
cultivate 기르다 detachment 분리, 고립
shifting 변화하는 process 과정

13 (A) 지구상에 음식이 여전히 부족한 지역이 있다는 사실은 '불행한' 일이다.

(B) 앞 내용과 대조적으로 세계 인구 대부분에게는 '이용 가능한' 많은 음식이 있다는 내용이 들어가는 것이 알맞다.

(C) 이미 충분한 음식이 있기 때문에 칼로리가 높은 음식이 더 이상 생존의 문제와는 '관련이 없다'는 말이 알맞다.

지문 해석 비록 불행하게도 음식이 여전히 부족한 세계의 일부 지역들이 있지만, 오늘날 세계 인구 대부분은 생존과 번영을 위해 이용 가능한 많은 음식을 가지고 있다. 그러나 이러한 풍요로움은 새로운 것이고, 당신의 몸은 따라잡지 못하여, 당신은 당신에게 필요한 것보다 더 많이 먹고 당신이 가장 칼로리가 높은 음식을 먹는 것에 대해 (몸이) 여전히 자연스럽게 보상한다. 이것들은 타고난 습관이지 단순한 중독은 아니다. 그것들은 당신의 몸에서 시작된 자기 보호 기제이고, 당신의 미래 생존을 보장해 주지만, 그것들은 이제 관련이 없다. 그러므로 음식이 풍부한 새로운 환경과 타고난 과식 습관을 변화시킬 필요와 관련하여 당신의 몸과 대화하는 것은 당신의 책임이다.

어휘 still 여전히 scarce 부족한 population 인구
plenty of 충분한 thrive 번영하다, 번창하다
abundance 풍부, 풍족함 reward 보상하다
calorie-dense 칼로리가 높은 innate 타고난, 선천적인
addiction 중독 self-preserving 자기 보존의
mechanism 기제 initiate 시작하다 ensure 보장하다
weaken 약화시키다 inborn 타고난 overeating 과식

14 ③ 지속적인 식량 공급이 확실하다면 불안감을 느낄 필요가 없을 것이므로 certain(확실한)을 uncertain(불확실한)으로 바꾸어 써야 한다.

지문 해석 인간과 동물의 욕망을 비교할 때 우리는 많은 특별한 차이점을 발견한다. 동물은 위장으로, 사람은 뇌로 먹는 경향이 있다. 동물은 배가 부르면 먹는 것을 멈추지만, 인간은 언제 멈춰야 할지 결코 확신하지 못한다. 인간은 배에 담을 수 있는 만큼 먹었을 때, 여전히 허전함을 느끼고, 추가적인 만족감에 대한 충동을 느낀다. 이것은 주로 지속적인 식량 공급이 확실하다는(→ 불확실하다는) 인식에 따른 불안감 때문이다. 그러므로 그들은 먹을 수 있을 때 가능한 한 최대로 많이 먹는다. 또한, 그것은 불안정한 세상에서 즐거움이 불확실하다는 인식 때문이다. 따라서 즉각적인 먹는 즐거움은 소화에 무리가 되더라도 충분히 이용하여야 한다.

어휘 compare 비교하다 desire 욕망
extraordinary 특별한 tend to ~하는 경향이 있다
stomach 위, 배 belly 배 urge 충동 further 추가적인
gratification 만족감 anxiety 불안감
knowledge 지식 constant 지속적인
insecure 불안정한 immediate 즉각적인
exploit 이용하다 violence 폭력 digestion 소화

적중 예상 전략 ②회

pp. 80~83

01 ④ **02** ③ **03** promote **04** cease → continue **05** ④ **06** ③ **07** ⑤ **08** ① **09** ② **10** (1) fake (2) scarce
11 ② **12** ③ **13** ③ **14** ④

---

01 **해석** 토네이도나 허리케인이 접근하는 경우에 사람들은 드론에 의해 수집된 정보의 도움으로 안전을 추구할 수 있다.
① 따르는 ② 거부된 ③ 흩어진 ⑤ 숨겨진

02 **해석** 운동선수가 더 높은 경쟁적 수준까지 올라감에 따라서 도덕적 분별력과 바람직한 스포츠 행위가 감소하는 것

같다.
① 향상되다 ② 금지하다 ④ 사라지다 ⑤ 증가하다

03 **해석** 질문은 또한 학생들의 이해를 심화시키기 위해 그들의 증거 탐색과 텍스트로 되돌아가야 할 필요를 촉진할 수 있다.

정답과 해설

04 해석 연구는 두뇌가 청소년기에 걸쳐서 그리고 초기 성인기까지 멈춰서(→ 계속해서) 성숙하고 발달한다는 것을 보여 준다.

어휘 mature 성숙하다 adolescence 청소년기
adulthood 성인기

05 해석 예약은 입장 1시간 전까지 받아들여질 것입니다.
① 거부되는 ② 비난받는 ③ 무시당하는 ④ 밝혀지는
어휘 booking 예약 entry 입장

06 ③ forbid와 ban은 둘 다 '금지하다'라는 의미로 유의어 관계이고 나머지는 모두 반의어 관계이다.
해석 ① 이익, 이점, 혜택 – 손실, 줄임, 감소 ② 뜨다 – 가라앉다 ④ 부재 – 존재 ⑤ 생산 – 소비

07 해석 일반적으로, 아시아인들은 낯선 사람에게 관심을 보이지 않는다. (= 대부분 혹은 모든 사람, 사물, 또는 장소와 관련된)
① 진짜의 ② 가짜의, 모조의 ③ 특정한 ④ 고대의, 옛날의

08 해석 누군가에게 어떤 일을 하도록 강요할 힘이 있는: ① 강제적인, 의무적인
② 자발적인 ③ 공격적인 ④ 방어적인 ⑤ 무죄의

09 해석 그녀는 그녀의 혹사당한 몸에 귀 기울이는 것을 거부했기 때문에 최근 자신의 발에 피로 골절을 입었다.
② 체포했다 ③ 방어했다 ④ 해고했다 ⑤ 칭찬했다

10 해석 (1) 가짜 뉴스의 확산을 막기 위해, 기사를 공유하기 전에 그것을 읽어 보아라.
(2) 책에 접근할 수 있는 사람은 거의 없었는데, 그 책들은 손으로 쓰였고 드물고 비쌌다.

11 제조 식품에 관해 언급하고 있으므로 '인공적인(artificial)' 재료를 함유하고 있다는 내용이 이어지는 것이 자연스럽다.
① 동일한 ③ 자연적인 ④ 일반적인 ⑤ 진짜의
지문 해석 '여러분이 먹는 것이 여러분을 만든다.' 그 구절은 흔히 여러분이 먹는 음식과 여러분의 신체 건강 사이의 관계를 보여 주기 위해 사용된다. 하지만 여러분은 가공식품, 통조림 식품, 포장 판매 식품을 살 때 자신이 무엇을 먹고 있는 것인지 정말 아는가? 오늘날 만들어진 제조 식품 중 다수가 너무 많은 화학 물질과 인공적인 재료를 함유하고 있어서 때로는 정확히 그 안에 무엇이 들어 있는지 알기가 어렵다. 다행히도, 이제는 식품 라벨이 있다. 식품 라벨은 여러분이 먹는 식품에 관한 정보를 알아내는 좋은 방법이다.

어휘 phrase 구절 relationship 관계
processed food 가공식품 canned food 통조림 식품
packaged 포장된 manufactured 제조된
contain 포함하다, 함유하다 chemical 화학 물질
ingredient 재료 exactly 정확히 label 라벨, 상표

12 앞에서 적절한 기대감을 가지는 방법을 찾으라고 했고, 뒤에서 그 예로 훌륭한 포도주나 품위 있는 실크 블라우스를 특별한 경우를 위해 아껴 두라고 했으므로 ③에는 멋진 경험들을 '드문(rare)' 상태로 유지하라는 말이 들어가는 것이 알맞다.
지문 해석 사람들은 삶이 나아질수록 더 높은 기대감을 지닌다. 하지만 기대감이 더 높아질수록 만족감을 느끼기는 더욱 어려워진다. 우리들은 기대감을 통제함으로써 삶에서 느끼는 만족감을 늘릴 수 있다. 적절한 기대감은 많은 경험들을 즐거운 놀라움이 되도록 하는 여지를 남긴다. 문제는 적절한 기대감을 가지는 방법을 찾는 것이다. 이것을 위한 한 가지 방법은 멋진 경험들을 흔한(→ 드문) 상태로 유지하는 것이다. 당신이 무엇이든 살 여유가 있더라도, 특별한 경우를 위해 훌륭한 포도주를 아껴 두어라. 품위 있는 실크 블라우스를 특별한 즐거움이 되게 하라. 이것은 당신의 욕구를 억제하는 행동처럼 보일 수도 있지만, 내 생각은 그렇지 않다. 반대로, 그것은 당신이 즐거움을 계속해서 경험할 수 있도록 보장해 주는 방법이다. 멋진 포도주와 멋진 블라우스가 당신을 기분 좋게 만들지 못한다면 무슨 의미가 있겠는가?
어휘 expectation 기대 satisfied 만족하는
increase 늘리다 satisfaction 만족
control 통제하다 adequate 적절한
leave room for ~의 여지가 있다 experience 경험
pleasant 즐거운 challenge 문제 proper 적절한

afford 여유가 있다 occasion 경우 elegantly 우아하게
treat 기쁨, 즐거움 desire 욕구 on the contrary 반대로

13 (A) 뒤에 이어지는 내용에서 귀여운 공격성은 사람들로 하
여금 귀여운 생명체를 보면 그들은 보살피고 싶은 마음이
들게 한다고 했으므로 이러한 충동은 '일반적(general)'이
라는 말이 알맞다.

(B) 뒤에 이어지는 내용에서 연구자들이 귀여운 공격성에
대한 연구 결과를 소개하고 있으므로 'revealed(드러냈
다)'가 알맞다.

(C) 귀여운 공격성으로 인해 우리가 귀여운 것들을 돌볼 수
밖에 없도록 만든다고 했으므로 'allows(허용하다, 허락하
다)'가 알맞다.

지문 해석 우리가 귀여운 생명체를 볼 때, 우리는 그 귀여
운 것을 꽉 쥐고자 하는 압도적인 충동과 싸워야 한다. 그
리고 꼬집고, 꼭 껴안고, 심지어 깨물고 싶을 수도 있다. 이
것은 완전히 일반적인 심리학적 행동, 즉 '귀여운 공격성'이
라 불리는 모순 어법이며, 비록 이것이 잔인하게 들리기는
하지만, 이것은 해를 끼치는 것에 관한 것은 결코 아니다.
사실, 충분히 이상하게도, 이러한 충동은 실제로는 우리로
하여금 (남을) 더 잘 보살피게 한다. 인간 뇌에서 귀여운 공
격성을 살펴본 최초의 연구가 이것이 뇌의 여러 부분과 관
련된 복잡한 신경학적인 반응이라는 것을 이제 드러냈다.
연구자들은 귀여운 공격성이 우리가 너무 감정적으로 과부
하가 걸려서 정말 귀여운 것들을 돌볼 수 없게 만드는 것을
막을지도 모른다고 제시한다. "귀여운 공격성은 우리가 제
대로 기능히도록 해 주고, 우리가 처음에 압도적으로 귀엽
다고 인지하는 것을 실제로 돌볼 수 있도록 해 주는 조절
기제로 기능할지도 모른다."라고 주 저자인 Stavropoulos
는 설명한다.

어휘 adorable 귀여운 creature 생명체
overwhelming 압도적인 urge 충동 squeeze 꽉 쥐다
cuteness 귀여움 pinch 꼬집다 cuddle 꼭 껴안다
bite 깨물다 perfectly 완벽하게
psychological 심리적인 aggression 공격성
cruel 잔인한 compulsion 충동 complex 복잡한
neurological 신경학적인 response 반응

overloaded 과부하가 걸린 temper 완화시키다
mechanism 기제 function (제대로) 기능하다
perceive 인지하다 lead author 주 저자

14 세계화와 소셜 미디어의 순기능에 관한 긍정적인 시각과
달리 일부 사이버 부족들은 분열을 조장하고, 이들 부족들
사이에는 많은 분쟁이 존재한다는 내용이므로 ④에는
'compliment(칭찬)'가 아니라 blame(비난)이 들어가는
것이 알맞다.

지문 해석 Thomas Friedman의 2005년 저서의 제목
인 'The World Is Flat'은 세계화가 필연적으로 우리를
더 가깝게 만들 것이라는 믿음에 근거하였다. 그것은 그렇
게 해 왔지만, 또한 우리가 장벽을 쌓도록 해 왔다. 금융 위
기, 테러 행위, 폭력적 분쟁, 난민과 이민자, 증가하는 빈부
격차 같은 인지된 위협들에 직면할 때, 사람들은 자신의 집
단에 더 단단히 달라붙는다. 한 유명 소셜 미디어 회사 설
립자는 소셜 미디어가 우리를 결합시킬 것이라고 믿었다.
어떤 면에서는 그래 왔지만, 그것은 동시에 새로운 사이버
부족들에게 목소리와 조직력을 부여해 왔고, 이들 중 일부
는 월드 와이드 웹(World Wide Web)에서 칭찬(→ 비난)
과 분열을 퍼뜨리는 데 자신의 시간을 보낸다. 지금까지 그
래 온 만큼이나 현재 많은 부족들, 그리고 그들 사이의 많
은 분쟁이 존재하는 것처럼 보인
다. '우리와 그들'이라는 개념이 남
아 있는 세계에서 이러한 부족들
이 공존하는 것이 가능할까?

어휘 belief 믿음 globalization 세계화
inevitably 필연적으로 inspire 고취하다 barrier 장벽
face 직면하다 threat 위협 financial 금융의 crisis 위기
terrorism 테러리즘 violent 폭력적인 conflict 분쟁
refugee 난민 immigration 이민 gap 차이
cling 매달리다, 집착하다 founder 설립자
unite 결합시키다 respect (측)면
simultaneously 동시에 organizational 조직적인
tribe 부족 division 분열 conflict 분쟁
coexist 공존하다 concept 개념 remain 남아 있다

Book 2

정답과 해설

정답과 해설

1주 - 형태가 비슷한 혼동어

1주 1일 개념 돌파 전략 ①

pp. 8~11

1-1 attract   1-2 attack   2-1 adapt   2-2 adopted   3-1 hospitality   3-2 hostility
4-1 precious   4-2 previous   5-1 preserved   5-2 persevered   6-1 prediction   6-2 protection
7-1 possibility   7-2 responsibility   8-1 simultaneous   8-2 spontaneous   9-1 aboard   9-2 abroad
10-1 complements   10-2 complimented

해석

1-2 표범이 마을의 가축들을 공격하기 시작했다.

2-2 내 친구는 길 잃은 고양이를 입양했다.

3-2 그의 부적절한 행동들이 다른 사람들의 반감을 불러일으켰다.

4-2 그 차의 전 주인은 그것을 잘 관리하지 않았다.

5-2 그는 영어를 전혀 몰랐지만, 끈기 있게 노력했고 좋은 학생이
되었다.

6-2 이 경량 재킷은 비바람을 훌륭히 막아 준다.

7-2 어떤 변화에 대해서라도 우리에게 알리는 것이 당신의
책임이다.

8-2 나의 자연스러운 반응은 도망치는 것이었다.

9-2 그녀는 종종 사업차 해외에 간다.

10-2 그는 나의 유머 감각에 대해 칭찬했다.

1주 1일 개념 돌파 전략 ②

pp. 12~13

A   1. 소중한, 귀중한   2. 가능성, 기회   3. 환대, 대접   4. 끌다, 끌어당기다   5. 예측, 예보
   6. 보존하다, 보호하다   7. (배·비행기 등을) 타고   8. previous   9. responsibility   10. hostility
   11. attack   12. protection   13. persevere   14. abroad
B   1. compliment   2. prediction   3. abroad   4. hostility   5. simultaneous
C   1. ②   2. ③   3. ②
D   1. ①   2. ②   3. ③

해석

B   1. 칭찬 혹은 존경을 표현하는 말

   2. 무슨 일이 일어날지 생각하는 것에 관한 진술

   3. 외국에 또는 외국으로

   4. 누군가가 비우호적인 경우

   5. 정확히 같은 시간에 일어나거나 행해지는

C   1. 우리는 소중한 시간을 낭비할 여유가 없다.

2. 소수를 향한 적개심은 전염될 수 있다.

3. 외국 문화 속에서 사는 것에 적응하는 일은 일반적으로
어렵다.

D   1. 이전 우승자를 제외하고 누구나 대회에 참가할 수 있다.

   2. 거리에 쓰레기통이 있을 때, 그것은 쓰레기를 끌어모은다.

   3. 그들은 야생 식물을 보호하려는 노력에 착수했다.

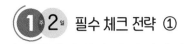

1주 2일 필수 체크 전략 ①

필수 예제 **1.** (1) acquire (2) generous

확인 문제 **1-1** (1) corporation → cooperation
(2) explode → explore

확인 문제 **1-2** (1) decline (2) prey (3) require

필수 예제 **2.** (1) wander (2) aspect (3) diverse

확인 문제 **2-1** (1) assess → access
(2) resisting → insisting

확인 문제 **2-2** (1) assess (2) distract (3) resist

확인 문제 1-2

해석 (1) 양이나 중요성이 감소하다
(2) 포식자가 먹이로 삼은 동물
(3) 권리와 권위로 주장하거나 요구하다

확인 문제 2-2

해석 (1) 어떤 것의 양, 가치, 질, 또는 중요성을 판단하거나 결정하다
(2) 누군가의 관심을 어떤 것으로부터 돌리다
(3) 당신을 공격하는 무언가 또는 누군가와 싸우다

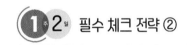

1주 2일 필수 체크 전략 ②

1 admitting **2** ① **3** require **4** decline

1 지적 겸손은 뒤에 이어지는 내용처럼 자신의 의견과 관점이 편향되어 있다는 것, 즉 자신이 가진 지식에 한계가 있다는 것을 '인정하는(admitting)' 것이라는 내용이 자연스럽다.
지문 해석 지적 겸손이란 여러분이 인간이고 여러분이 가진 지식에 한계가 있다는 것을 인정하는 것이다. 그것은 여러분이 인지적이고 개인적인 편견을 가지고 있고, 여러분의 두뇌가 자신의 의견과 관점이 다른 것보다 선호되는 방식으로 사물을 바라보는 경향이 있다고 인정하는 것을 포함한다.

2 ① 활기로 가득한 사람을 만났을 때 느끼는 감정이므로 그들이 같은 행성에서 온 사람인지 '궁금해한다(wonder)'는 내용이 되어야 한다.
지문 해석 여러분은 자신의 인생에서 많은 다른 종류의 사람을 만난다. 때때로 여러분은 활기로 가득한 사람을 마주치고, 그들이 여러분과 같은 행성에서 왔는지 방황한다(→ 궁금해한다). 면밀한 관찰 후에 여러분은 그들 또한 힘든 일과 문제에 직면한다는 것을 알아차린다. 그들은 여러분과 같은 양의 압박과 스트레스를 받는다. 하나의 단어가 엄청난 변화를 가져온다. 태도!

3 해석 권리와 권위로 주장하거나 요구하다
지문 해석 결정적인 한순간의 중요성을 과대평가하고 매일 작은 발전을 이루는 것의 가치를 과소평가하기는 매우 쉽다. 너무 자주 우리는 거대한 성공에는 거대한 행동이 필요하다고 굳게 믿는다. 그것이 체중을 줄이는 것이든, 결승전에서 이기는 것이든, 혹은 어떤 다른 목표를 달성하는 것이든 간에, 우리는 모두가 이야기하게 될 지축을 흔들 만한 발전을 이루도록 우리 스스로에게 압력을 가한다. 한편, 1퍼센트 발전하는 것은 특별히 눈에 띄지는 않지만, 장기적으로는 훨씬 더 의미가 있을 수 있다. 시간이 지남에 따라 이 작은 발전이 이룰 수 있는 변화는 놀랍다. 다음과 같이 계산이 이루어지는데, 만일 여러분이 1년 동안 매일 1퍼센트씩 더 나아질 수 있다면, 끝마칠 때 즈음 여러분은 결국 37배 더 나아질 것이다. 역으로, 1년 동안 매일 1퍼센트씩 나빠지면, 여러분은 거의 0까지 떨어질 것이다. 작은 승리나 사소한 패배로 시작한 것은 쌓여서 훨씬 더 큰 무언가가 된다.

4 빈칸 앞에서 1년 동안 매일 1퍼센트씩 더 나아지는 상황을 가정했고, **Conversely**(역으로)라는 말이 나왔으므로 반대로

1년 동안 매일 1퍼센트씩 나빠지면 거의 0까지 떨어질 것 (**decline**)이라는 말이 이어지는 것이 자연스럽다.

 3일 필수 체크 전략 ① pp. 20~23

필수 예제	**3.** (1) distraction (2) assume (3) confirmed
확인 문제	**3-1** (1) attractions → distractions
	(2) defending → depending
확인 문제	**3-2** (1) attribute (2) prescribe (3) conform

필수 예제	**4.** (1) extinct (2) instant (3) involves
확인 문제	**4-1** (1) expend → expand
	(2) retaining → obtaining
확인 문제	**4-2** (1) constant (2) distinct (3) estimate

확인 문제 3-2
[해석] (1) 어떤 것이 특정한 것의 결과라고 말하거나 생각하다
(2) 누군가에게 그들이 어떤 약을 먹거나 치료를 해야 하는지 말하다
(3) 사회에 의해 기대되는 일반적인 행동 기준에 따라 행동하다

확인 문제 4-2
[해석] (1) 많이 혹은 항상 발생하는
(2) 확실히 다른; 확실히 눈에 띄는
(3) 어떤 것의 크기, 속도, 가격 등을 정확히 계산하지 않고 판단하려고 하다

 3일 필수 체크 전략 ② pp. 24~25

1 expend **2** ② **3** (e)xpand **4** assume

1 네모 뒤에 이어지는 새 스마트폰을 사고자 하는 동기가 있는 사람이 하는 행동들을 통해 동기 부여가 된 사람은 시간과 돈을 쓸 의지가 있음을 알 수 있다. 따라서 네모 안에는 **expend**(소비하다; 지출하다)가 들어가는 것이 자연스럽다.
[지문 해석] 동기 부여는 목표를 더 가까이 가져오는 최종 행동을 이끌 뿐만 아니라, 준비 행동에 시간과 에너지를 쓸 의지를 만들기도 한다. 따라서 새 스마트폰을 사고자 하는 동기가 있는 사람은 그것을 위해 추가적인 돈을 벌고, 가게에 가기 위해 폭풍 속을 운전하며, 그것을 사려고 줄을 서서 기다릴지도 모른다.

2 ② 그물망이 미세 플라스틱을 '고치는(**correct**)' 것이 아니라 '수거한다(**collect**)'는 내용이 되는 것이 자연스럽다.
[지문 해석] 대부분의 플라스틱은 자외선에 노출될 때 점점 더 작은 조각으로 분해되어 미세 플라스틱을 형성한다. 이러한 미세 플라스틱은 일단 그것들을 고치는(→ 수거하는) 데 일반적으로 사용되는 그물망을 통과할 만큼 충분히 작아지면 측정하기가 매우 어렵다. 미세 플라스틱이 해양 환경과 먹이 그물에 미치는 영향은 아직도 제대로 이해되지 않고 있다.

3 낯선 사람들을 만남으로써 얻게 되는 결과는 친구의 범위를 '확장'하는 것이므로 빈칸에는 **expand**(확장하다)가 들어가는 것이 자연스럽다.

지문 해석 당신은 당신의 아이들에게 낯선 사람을 멀리하라고 조언하는가? 그것은 어른들에게는 무리한 요구이다. 결국, 당신은 낯선 사람들을 만남으로써 당신의 친구의 범위를 확장하고 잠재적인 사업 파트너를 만든다. 그러나 이 과정에서, 사람들의 성격을 이해하기 위해 그들을 분석하는 것은 잠재적인 경제적 또는 사회적 이익에 대한 것만은 아니다. 당신이 사랑하는 사람들의 안전뿐만 아니라, 당신의 안전도 생각해야 한다. 그런 이유로, 은퇴한 FBI 프로파일러인 Mary Ellen O'Toole은 그들을 이해하기 위해 사람의 피상적인 특성을 넘어설 필요성을 강조한다. 예를 들어, 단지 낯선 이들이 공손하다는 이유로 그들이 좋은 이웃이라고 가정하는 것은 안전하지 않다. 매일 아침 잘 차려입고 외출하는 그들을 보는 것이 전부는 아니다. 사실, O'Toole은 당신이 범죄자를 다룰 때, 심지어 당신의 느낌도 당신에게 도움이 되지 않을 수 있다고 말한다. 그것은 범죄자들이 조작과 사기의 기술에 통달했기 때문이다.

4 **해석** 질문이나 증거 없이 어떤 것을 진실로 받아들이다

1주 4일 교과서 대표 전략 ①

pp. 26~29

대표 예제 1 adapt　　대표 예제 2 ③　　대표 예제 3 thorough → through　　대표 예제 4 ④　　대표 예제 5 ⑤　　대표 예제 6 ④

대표 예제 7 (1) ②　(2) estimate　　대표 예제 8 ①　　대표 예제 9 ②　　대표 예제 10 ④　　대표 예제 11 (1) describe　(2) expand

대표 예제 12 ⑤, persevere → preserve　　대표 예제 13 (A) former (B) cooperation

대표 예제 1

해석 모든 세대의 요구에 적응할 수 있는 한 지의 능력은 이 전통적인 종이의 부활로 이어졌다.

어휘 generation 세대　revival 부활

대표 예제 2

해석 특히 기대되는 것보다 더 많은 돈, 도움, 친절 등을 기꺼이 주는: ③ 관대한

① 천재 ② 유전적인 ④ 일반적인 ⑤ 진짜의

대표 예제 3

해석 그들은 파나마 지협을 철저한(→ 통과하는) 운하를 짓기로 결정했는데, 이것은 북아메리카와 남아메리카 대륙을 연결하는 것이었다.

어휘 canal 운하　isthmus 지협　continent 대륙

대표 예제 4

해석 뉴욕시에 있는 한 박물관이 최근에 고대 이집트 반지를 입수했는데, Shirley 아버지의 도움을 필요로 했다.

① 보증했다 ② 물었다 ③ 요구했다 ④ 입수했다 ⑤ 조사했다

대표 예제 5

해석 모두가 인터넷에 접근하는 것은 아니지만, 우리는 쇼핑할 수 있는 많은 방법에 둘러싸여 있다.

(= 어떤 장소에 들어가거나, 어떤 것을 사용하거나, 누군가를 만날 권리)

① 자산, 재산 ② 초과하다 ③ 과잉, 초과 ④ 평가하다 ⑤ 접근(법); 접근하다

대표 예제 6

해석 당신은 왜 소매점들이 품목들을 할인 판매하는지 궁금했던 적이 있습니까?

① 탐험했던 ② ~하고 싶어졌던 ③ 얻었던 ④ 궁금했던 ⑤ 방황했던

대표 예제 7

(1) 미국인들이 플라스틱 물병에 담긴 물을 1인당 36.5갤런 '소비했다'는 내용이 들어가는 것이 자연스럽다.

지문 해석 플라스틱 물병의 소비가 증가하고 있다. 예를 들면, 2015년에 미국은 물병에 담긴 물을 1인당 36.5갤런 추정한(→ 소비한) 것으로 추정되었다. 문제는 대부분의 플라스틱 물병이 버려져서 쓰레기 매립지에 자리를 차지하게 된다는 것이다.

(2) [해석] 어떤 것의 크기, 속도, 가격 등을 정확히 측정하지 않고 판단하려고 하다

대표 예제 8

밑줄 친 aimed는 '의도했다'라는 의미로 쓰였으므로, 이와 바꾸어 쓸 수 있는 단어는 intended이다.

[해석] 디젤 엔진의 발명가인 Rudolf Diesel은 애초에 농부들이 스스로 연료를 경작하는 것을 의도했다.

① 의도했다 ② 주장했다 ③ (주의 등을) 딴 데로 돌렸다 ④ 받아들였다 ⑤ ~인 체했다

대표 예제 9

② '권리나 권위로 주장하거나 요구하다'는 require(필요로 하다; 요구하다)의 영영 풀이이다.

[해석] ① 멸종한: 지금은 존재하지 않는

③ (~의) 탓으로 돌리다: 어떤 것이 특정한 것의 결과라고 말하거나 생각하다

④ 막다, 방어하다: 어떤 사람이나 사물을 공격이나 비난으로부터 보호하다

⑤ 반대(의): 막 일어난 일과 반대인

[어휘] exist 존재하다 claim 요구하다 opposite 반대의

대표 예제 10

[해석] 보통의 250ml 탄산음료 한 캔은 설탕 30그램을 포함하고 있다.

① 접근하다 ② 추정하다 ③ 배치하다 ④ 포함하다 ⑤ 얻다

대표 예제 11

[해석] (1) 벽들은 성경 속 사건들을 묘사하는 조각상들로 장식되어 있다.

(2) 서비스에 대한 수요가 증가하자, 한 사업가가 점심 배달 서비스를 현재 형태로 시작했다.

[어휘] decorate 장식하다 sculpture 조각상 demand 수요 present 현재의 format 형태

대표 예제 12

사회자가 핵심종을 보호하기 위해 사람들이 할 일을 묻고 있고 Walters 박사가 이에 대해 답하고 있으므로 미래에 핵심종을 더 잘 '보호하기' 위해 핵심종인 동물과 식물을 찾아야 한다는 내

용이 들어가는 것이 알맞다. 따라서 ⑤ persevere(인내하다, 끈기 있게 노력하다)를 preserve(보존하다, 보호하다)로 고쳐 써야 한다.

[지문 해석] 사회자: 핵심종을 보호하기 위해서 사람들이 할 일이 있을까요?

Walters 박사: 예, 많은 것들이 있습니다만, 가장 중요한 것은 그것들을 사냥하거나 생태계를 심각하게 교란하지 않는 것입니다. 예를 들어, 탄자니아의 많은 코끼리가 사람들의 사냥으로 인해 사라졌습니다. 우리는 또한 훨씬 더 많은 연구도 해야 합니다. 이것은 사냥을 안 하는 것만큼이나 중요합니다. 미래에 핵심종을 더 잘 인내할 (→ 보호할) 수 있도록 우리는 핵심종인 동물과 식물을 찾아야 합니다.

[어휘] protect 보호하다 keystone species 핵심종 avoid 피하다 disturb 교란하다 ecosystem 생태계 significantly 심각하게 disappear 사라지다 identify 찾다

대표 예제 13

(A) 네모 뒤에서 '후자(latter)'가 이길 경우를 이야기하고 있으므로 네모에는 '전자(former)'가 이길 경우에 대해 언급하는 것이 알맞다.

(B) 화자가 경험한 것은 줄다리기에서 서로 힘을 합해 경쟁하는 것이었으므로 '협동(cooperation)' 정신을 경험했다는 말이 자연스럽다.

[지문 해석] 지난 4월에, 나는 충청남도 당진에서 열린 기지시 줄다리기 축제에 참여했다. 수천 명의 사람들이 모여서 '지네' 밧줄을 끌어당겨 이기려고 했다. 양 팀이 모두 최선을 다했지만, 이긴 것은 바로 우리 팀이었다. 사실, 어느 팀이 이길지는 그리 중요하지 않다. 전통에 의해, 참가자들은 마을에 따라 두 개의 팀 즉, 북쪽 지역인 수상팀과 남쪽 지역인 수하팀으로 나뉜다. 사람들이 말하기를 전자의 팀이 이기면 나라가 평화롭고, 후자가 이기면 풍년이 들 것이라고 한다. 나는 내가 풍년이 오도록 도왔다는 사실을 알고 기분이 좋았다! 협동 정신 안에서 한국 전통문화를 경험한 것은 멋진 일이었다. 무엇보다도, 재미있었다.

[어휘] gather 모이다 pull 끌어당기다 centipede 지네 try one's best 최선을 다하다 tradition 전통 participant 참가자 be divided into ~으로 나뉘다 township 마을 peaceful 평화로운 harvest 추수 latter 후자 spirit 정신

01 reverse **02** ① **03** prey **04** (a)ttracted

---

01 네모 앞에서 새 방문객들을 맞이하는 밥 부즐루드의 앞쪽에 대해 설명했으므로 네모 뒤에는 메디나를 향하고 있는 반대쪽에 대해 설명하는 것이 자연스럽다. 따라서 네모에 들어갈 말로는 reverse(반대(의))가 알맞다.

지문 해석 페즈의 랜드마크인 밥  부즐루드는 페즈의 메디나로 들어가는 정문이다. 새 방문객들을 맞이하는 쪽은 우아한 파란색으로 칠해져 있다. 메디나를 향하고 있는 반대쪽은 초록색으로 칠해져 있다. 파란색 문을 통과할 때 당신은 마치 현대에서 중세 시대로 여행하는 것 같은 기분이 들 것이다.

02 ① 인과 관계를 나타내는 접속사 So 뒤에 언덕 위에 자리를 잡고 한참을 기다렸다는 내용이 이어지므로 Nielsen 씨가 일찍 자리를 잡아야 한다고 주장했다고 하는 것이 자연스럽다. 따라서 resisted를 insisted로 고쳐야 한다.

지문 해석 Nielsen 씨는 날이 어두워진 후에는 북극광이 언제든 나타날 수 있다며, 우리가 일찍 자리를 잡아야 한다고 반대했다(→ 주장했다). 그래서, 우리는 어느 언덕 위에 자리를 잡고 북극광을 조용히 기다리면서 저녁을 먹었다. 하늘에서 북극광에 관한 어떤 조짐도 없  이 수 시간이 흘렀다. 나는 우리가

북극광을 볼 수 있을지 의심하기 시작했다. 그때, 엄마가 외쳤다. "저 위를 봐!" 약간의 불빛들이 하늘에 나타나기 시작했다!

03 **해석** 포식자가 먹이로 삼은 동물

지문 해석 '잠자는 집시'는 환상적이고 신비한 작품으로 여겨진다. 풍부하고 강렬한 그림의 색채는 우리의 마음을 사로잡고, 그림의 고요함은 마치 우리가 실제로 그곳에 있는 것처럼 느끼게 한다. 하지만, 주의 깊게 살펴보면, 우리는 그 그림이 이치에 맞지 않는다는 것을 알 수 있다. 어떻게 야수가 자신의 먹이를 공격하지 않을 수 있는가? 어떻게 사막에 강이 있는가? 프랑스 시인이자 영화감독인 Jean Cocteau는 "아마도 그녀는 사자와 강에 관한 꿈을 꾸고 있을 것이다."라고 말했다. 실제로, 그것은 꿈을 꾸고 있는 한 여인에 관한 그림인 것처럼 보인다. 이제 여러분은 무엇이 이 그림에 이상하고 신비한 분위기를 주는지 이해할지도 모르겠다. 그것은 실재와 공상이라는 다른 두 개의 세상에 존재하는 것의 익숙하지 않은 조합이다. 그리고 그것이 많은 사람이 이 그림에 끌리는 이유이다.

04 현실과 공상을 조합한 듯한 그림의 신비로운 분위기에 많은 사람들이 매료된다는 내용이므로 빈칸에 들어갈 말로는 attracted(끌리다)가 알맞다.

---

01 (1) precious (2) generous **02** (1) explore (2) thorough **03** (1) (p)rey (2) (a)ssess(ing) **04** (1) intend (2) retain **05** ② **06** ③

---

01 **해석** (1) 부모가 소중한 시간을 가정을 위해 투자하지 않으면 가정은 강해지지 않는다.

(2) 아리스토텔레스는 미덕은 너무 관대하지도 너무 인색

하지도 않은, 너무 두려워하지도 너무 무모하게 용감하지도 않은 중간 지점에 있다고 말한다.

04 해석 (1) 계획이나 목적으로 마음속에 무언가를 가지고 있다
(2) 무언가를 유지하거나 계속 가지고 있다

05 (A) 태블릿과 스마트폰 같은 통신 기술이 나오기 이전 세대에는 기사들을 모으고 편집할 장소가 필요했을 것이므로, 기자들이 신문 기사나 보도 등을 제출할 중심 장소를 '필요로 했다(required)'는 내용이 자연스럽다.
(B) 기자가 즉각적으로 기사를 작성하고 촬영하므로 전 세계에서 이것을 보는 일이 '가능해졌다(available)'는 내용이 흐름상 자연스럽다.
(C) 바로 앞에서 기자의 일이 멈추지 않는다고 했고, 뉴스가 계속 순환한다고 했으므로 '끊임없이 계속되는 것(constant)'이라는 결론이 이어지는 것이 적절하다.

지문 해석 기동성은 저널리스트들의 환경에 대한 변화를 제공한다. 신문 기사, 텔레비전 보도, 그리고 심지어 초기의 온라인 보도는 (태블릿과 스마트폰 같은 통신 기술 이전에는) 기자가 인쇄, 방송, 또는 게시를 위해 자신의 뉴스 기사를 제출할 하나의 중심적인 장소를 필요로 했다. 그러나 이제 기자는 자신의 스마트폰 또는 태블릿으로 비디오를 촬영하고, 오디오를 녹음하며, 직접 타이핑해서 즉시 뉴스 기사를 게시할 수 있다. 저널리스트들은 그들 모두가 정보의 원천과 접촉하거나, 타이핑하거나, 또는 비디오를 편집하는 중심 장소에 보고할 필요가 없다. 기사는 즉각적으로 작성되고, 촬영되고, 전 세계에서 보는 것이 가능해질 수 있다. 뉴스의 순환, 결국 저널리스트의 일은, 결코 멈추지 않는다. 그러므로 케이블 TV의 성장으로 나타난 '24시간'의 뉴스 순환은 이제 과거의 것이다. 뉴스 '순환'은 정말로 끊임없이 계속되는 것이다.

06 뒤에 이어지는 예시에서 '샐러드와 해산물 요리부터 햄버거와 감자튀김에 이르기까지' 먹는 것을 즐긴다고 했으므로 이 사람들은 다양한 종류의 음식을 즐기는 경향이 있다는 것을 알 수 있다. 따라서 ③ reverse(반대의)를 diverse(다양한)으로 고쳐 써야 한다.

지문 해석 호주의 한 연구에 따르면, 한 사람의 부엌에서의 자신감은 자신이 즐겨 먹는 경향이 있는 음식의 종류와 연관성이 있다. 평  균적인 사람과 비교해 보면, 자신이 만든 요리에 자부심을 가지는 사람들은 채식과 건강에 좋은 음식을 좀 더 즐기는 경향이 있다. 게다가, 이러한 집단은 평균적인 사람보다 샐러드와 해산물 요리부터 햄버거와 감자튀김에 이르기까지 반대의(→ 다양한) 종류의 음식을 먹는 것을 즐기는 경향이 더 많다. 반대로, "나는 요리하기보다는 차라리 청소를 하겠다."라고 말하는 사람들은 음식에 대한 이러한 광범위한 열정을 공유하지 않는다. 그들은 평균적인 사람보다 다양한 종류의 음식을 즐길 가능성이 낮다. 일반적으로 그들은 평균적인 사람보다 패스트푸드 음식점에서 먹는 때를 제외하고는 외식을 덜 한다.

(1주) 창의·융합·코딩 전략 ①

pp. 34~35

A 1. ⓔ 2. ⓖ 3. ⓐ 4. ⓒ 5. ⓘ
B 1. aspect 2. responsibility 3. extinct 4. evolve 5. contain
C [Across] ❶ expand ❹ resist ❺ cooperation ❽ describe ❾ evolve ❿ wander
[Down] ❷ previous ❸ attribute ❻ persevere ❼ adapt

B

해석

1. 그들이 어떻게 하루를 시작하는지가 그날뿐만 아니라 삶의 모든 측면에도 영향을 끼친다.

2. 성장의 시작은 당신이 자신의 선택에 대한 책임을 스스로 받아들이기 시작할 때 일어난다.

3. 아이들이 공룡을 그렇게 많이 좋아하는 이유는 공룡이 크고, 오늘날 살아 있는 그 어떤 것과도 다르고, 멸종되었기 때문이

라고 생각한다.

4. 인간의 뇌와 신체의 구성 요소들이 그래왔듯이, 인간 언어의 모든 측면은 대화와 사회생활에 관여하도록 진화해 왔다.

5. 한 식품이 다른 어떤 성분보다 설탕을 더 많이 함유하고 있다면, 정부 규정은 설탕이 라벨에 첫 번째로 기재될 것을 요구한다.

C

해석

[Across]

❶ 크기, 수 또는 중요성이 증가하다

❹ 당신을 공격하는 무언가 또는 누군가와 싸우다

❺ 누군가와 힘께 일하는 행위 또는 그들이 당신에게 요구하는 것을 하는 것

❽ 어떤 사물이나 사람이 어떠한지 말하거나 쓰다

❾ 점진적으로 발전하다

❿ 분명한 목적 없이 느긋하게 천천히 걷다

[Down]

❷ 당신이 지금 이야기하고 있는 사건, 시간 또는 일 이전에 일어난 일

❸ 어떤 것이 특정한 것의 결과라고 말하거나 생각하다

❻ 일이 어렵거나 오랜 시간이 걸리더라도 계속해서 어떤 일을 성취하기 위해 노력하다

❼ 새로운 상황에서 성공하기 위해 행동과 태도를 점차적으로 바꾸다

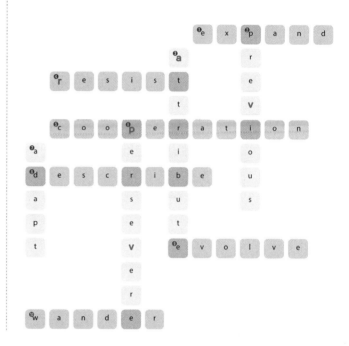

---

①주 창의·융합·코딩 전략 ②

pp. 36~37

D 1. distract 2. preserve 3. spontaneous 4. generous 5. wander 6. deserve
E 1. preserve 2. Wander 3. deserve 4. distract
F 1. incline 2. generous 3. pretend 4. acquire

E

해석

1. 로마의 요새 유적은 잘 보존되어 있다.

2. 혼자서 이리저리 돌아다니다가 그는 땅 위에 놓여 있는 이상한 금반지를 발견했다.

3. 당신은 당신의 모든 노력으로 우리의 특별한 감사를 받을 자격이 있습니다.

4. 걱정이 그녀의 정신을 산만하게 한다.

정답 과 해설

2주 - 의미가 혼동되는 파생어

2주 1일 개념 돌파 전략 ①

pp. 40~43

1-1 affects 1-2 affection 2-1 alter 2-2 alternative 3-1 attend 3-2 attention
4-1 beside 4-2 Besides 5-1 close 5-2 closely
6-1 compare 6-2 comparative 7-1 compete 7-2 competent 8-1 compel 8-2 compulsory
9-1 composed 9-2 compositions 10-1 confidence 10-2 confidential

해석

1-2 그들의 어머니는 그들에게 절대로 큰 애정을 보이지 않았다.

2-2 나는 자백하는 수밖에 다른 방도가 없었다.

3-2 나는 그녀가 하는 말에 집중하려고 애썼다.

4-2 그는 그녀를 돕고 싶어 했다. 게다가, 그는 그녀에게 할 말이 있었다.

5-2 유권자들은 모든 쟁점들을 면밀히 검토해야 한다.

6-2 다른 종류의 에너지를 사용하는 데 우리가 비교 우위를 가지고 있을까?

7-2 그녀는 이 나라를 통치하기에 충분한 능력이 있는 유일한 정당의 지도자이다.

8-2 자동차 보험은 의무이다.

9-2 몇몇 광물들은 복잡한 화학 구조를 갖고 있다.

10-2 모든 정보는 기밀이 될 것이다.

2주 1일 개념 돌파 전략 ②

pp. 44~45

A 1. 영향을 미치다 2. 비교하다; 비유하다 3. 출석하다, 참석하다 4. 경쟁하다, 겨루다
   5. 가까운; 가까이; 닫다 6. 바꾸다, 고치다 7. 자신(감), 확신; 신뢰; 비밀 8. affection 9. comparative
   10. attention 11. competent 12. closely 13. alternative 14. confidential
B 1. compete 2. confidential 3. alternative 4. affect 5. compel
C 1. ① 2. ③ 3. ①
D 1. ③ 2. ② 3. ②

해석

B 1. 어떤 사람 또는 사물보다 더 성공하려고 애쓰다
   2. 종종 공식적, 기업적, 또는 군사적 상황에서 비밀의 또는 비공개의
   3. 당신이 가진 것과 다르고 대신 사용될 수 있는
   4. 어떤 것에 영향을 주거나 변화를 일으키는 어떤 일을 하다
   5. 누군가에게 어떤 것을 하도록 강요하다

C 1. 운동 이외에도, Anna는 음악에 관심이 있었다.
   2. 그 사건이 더 면밀히 조사될 때, 증인들이 소환되었다.
   3. 대체 의학은 많은 문제들을 고칠 수 있지만 암과 같은 질병들은 아니다.

D 1. 배트맨은 Bruce Wayne으로 등장할 때 그의 목소리를 바꿨다.

2. 1934년에 은행법이 통과된 후에, 스위스 은행 계좌 보유자들의 신원은 법적으로 기밀이 되었다.

3. 그는 유능한 변호사들과 법률 사무소를 고용하여 법정 분쟁을 계속할 예정이다.

 2^주 2^일 필수 체크 전략 ①

필수 체크 전략 ①

pp. 46~49

필수 예제 **1.** (1) incredible (2) necessity
확인 문제 **1-1** (1) exposition → exposure
　　　　　　　 (2) hard → hardly
확인 문제 **1-2** (1) necessity (2) credit (3) exposition

필수 예제 **2.** (1) equality (2) identify
확인 문제 **2-1** (1) history → historical
　　　　　　　 (2) imaginary → imaginative
확인 문제 **2-2** (1) potent (2) identity (3) practical

확인 문제 1-2

해석 (1) 살기 위해 갖고 있어야 하는 것
(2) 어떤 것이 진실이라고 믿다
(3) 상품이나 미술품 등을 보여 주거나 파는 대규모의 공개적인 행사

확인 문제 2-2

해석 (1) 강력하고 효과적인
(2) 어떤 사람 또는 같은 무리의 사람들이 가진 특징이나 태도
(3) 생각이나 감정 등보다는 실제 상황이나 사건과 관련된

 2^주 2^일 필수 체크 전략 ②

pp. 50~51

1 necessary　**2** ③　**3** considerable　**4** potential

1 동물에게 놀이는 미래 생존에 '필요한(necessary)' 기술과 행동을 학습하고 연마하는 방식이라는 내용이 자연스럽다.

　지문 해석 인간뿐만 아니라 동물도 놀이 활동에 참여한다. 동물에게 있어 놀이는 오랫동안 미래 생존에 필요한 기술과 행동을 학습하고 연마하는 방식으로 여겨져 왔다. 아이들에게 있어서도 놀이는 발달하는 동안 중요한 기능을 한다. 유아기의 가장 초기부터, 놀이는 아이들이 세상과 그 안에서의 그들의 위치에 대해 배우는 방식이다.

2 ③ 흐름상 많은 사람들이 한때 놀이로서 배드민턴을 쳤지만 그것을 '거의(hardly)' 스포츠로 여기지 않았다는 내용이 되어야 한다.
　지문 해석 오늘날 놀이로 여겨지는 활동이 미래에 스포츠의

지위를 얻을 수도 있다. 예를 들면, 많은 사람들이 한때 자기 뒤뜰에서 배드민턴을 쳤지만 이 활동은 거의 스포츠로 여겨지지 않았다. 하지만 1992년 이래 배드민턴은 올림픽 스포츠가 되었다!

3 네모 뒤에 이어지는 예에서 모든 정치 지도자나 위대한 예술가들이 혼자 생각하며 셀 수 없이 많은 시간을 보냈다고 했으므로 위대한 사람들이 혼자 생각하는 '상당한' 양의 시간을 보냈다는 말이 들어가야 한다. 따라서 빈칸에는 '상당한'이라는 의미의 considerable이 들어가는 것이 자연스럽다.
　지문 해석 세상에 영향을 끼친 위대한 사람들의 삶을 연구하라, 그러면 여러분은 사실상 모든 경우에 있어서 그들이 혼자 생각하는 상당한 양의 시간을 보냈다는 것을 알게 될 것이다. 역사에 영향을 끼친 모든 정치 지도자는 생각하고 계획하기 위한 혼자 있는 훈련을 실천했다. 위대한 예술가들은 셀 수

없이 많은 시간을 그들의 스튜디오에서 혹은 도구를 가지고 무언가를 하는 것뿐만 아니라, 그들의 아이디어와 경험을 탐구하는 데 쓴다. 혼자 있는 시간은 사람들로 하여금 그들의 경험을 정리하고, 통찰하고, 미래를 계획하게 한다. 혼자 있는 시간은 여러분의 삶을 변화시킬 잠재력을 가지고 있기 때문에 나는 여러분이 생각할 수 있는 장소를 찾고 여러분 자신을

잠시 멈추고 그것을 사용할 수 있도록 훈련시킬 것을 강력하게 권장한다. 그것은 여러분이 무엇이 정말 중요한지 중요하지 않은지를 파악하는 데 도움을 줄 수 있다.

4 해석 어떤 것이 특정한 방식으로 발전할 가능성

2주 3일 필수 체크 전략 ①

pp. 52~55

필수 예제 **3.** (1) literally (2) memorize (3) alike

확인 문제 **3-1** (1) motivation → motivate

(2) momentary → moment

확인 문제 **3-2** (1) alive (2) objection (3) motivate

필수 예제 **4.** (1) observations (2) respectful
(3) sensory

확인 문제 **4-1** (1) respectable → respective
(2) observation → observed

확인 문제 **4-2** (1) valuable (2) sensible (3) observation

확인 문제 **3-2**

해석 (1) 죽지 않고 여전히 살아 있는

(2) 어떤 것을 반대하거나 승인하지 않는 것에 대한 이유

(3) 누군가가 어떤 것을 하거나 성취하고 싶게 만들다

확인 문제 **4-2**

해석 (1) 한정된 양만이 이용 가능하므로 중요한

(2) 합리적이고, 실용적이며, 좋은 판단을 하는

(3) 일정 기간 동안 어떤 사물이나 사람을 주의 깊게 관찰하는 과정

2주 3일 필수 체크 전략 ②

pp. 56~57

1 sensitive **2** ② **3** likely **4** (m)otivate

---

1 네모 뒤에 이어지는 예시에서 나무의 나이테가 온화하고 습한 해에는 더 넓어지고 춥고 건조한 해에는 더 좁아진다고 했으므로 나무는 지역의 기후 조건에 민감하다는 사실을 알 수 있다. 따라서 네모 안에는 sensitive(민감한)가 들어가는 것이 자연스럽다.

지문 해석 나무는 비와 온도 같은, 지역의 기후 조건에 민감하므로, 그것들은 과거의 그 지역 기후에 대한 약간의 정보를 과학자에게 제공해 준다. 예를 들어, 나이테는 온화하고 습한 해에는 (폭이) 더 넓어지

고 춥고 건조한 해에는 더 좁아진다.

2 ② 흐름상 다른 사람들의 말이나 행동이 영원한 것이 아니라 지나가는 것일 뿐이므로 그것을 알아내려고 노력하는 것은 자신의 '소중한(valuable)' 정신적 공간을 허비하는 일이라는 내용이 되는 것이 자연스럽다.

지문 해석 여러분은 사람들이 특정한 순간에 말하거나 행동하는 것이 그들의 영구적인 바람에 대한 진술이라고 가정해서는 안 된다. 어제 그들은 여러분의 생각에 완전히 빠져 있었지만, 오늘 그들은 냉담해 보인다. 이것이 여러분을 혼란스

렇게 할 것이고, 만약 여러분이 조심하지 않는다면, 여러분은 그들의 실제 감정, 그 순간 그들의 기분, 그들의 잠깐 동안의 열의를 알아내려고 노력하는 데 <u>가치 없는</u>(→ 소중한) 정신적 공간을 허비할 것이다.

3 호기심은 우리로 하여금 어려운 문제를 흥미로운 도전으로 여기도록 할 '가능성이 있는' 것이므로 네모 안에는 likely(가능성 있는, ~할 것 같은)가 들어가는 것이 자연스럽다.

지문 해석 호기심은 우리로 하여금 어려운 문제를 맡아야 할 흥미로운 도전으로 여기게 할 <u>가능성</u>이 훨씬 더 높다. 스트레

스를 유발하는 상사와의 회의는 배울 수 있는 기회가 된다. 긴장이 되는 첫 데이트는 새로운 사람과의 멋진 밤이 된다. 주방용 체는 모자가 된다. 일반적으로, 호기심은 우리로 하여금 스트레스를 유발하는 상황을 위협보다는 도전으로 여기게 하고, 어려움을 터놓고 말하게 하고, 문제 해결에 있어 새로운 접근을 시도하도록 동기를 부여해 준다. 실제로 호기심은 스트레스에 대한 방어적인 반응이 줄어들고, 그 결과 짜증에 반응할 때 공격성이 줄어드는 것과 관련이 있다.

4 해석 누군가가 어떤 것을 하거나 성취하고 싶게 만들다

---

②주 4일 교과서 대표 전략 ①

대표 예제 1 besides   대표 예제 2 ④   대표 예제 3 potent → potential   대표 예제 4 ②   대표 예제 5 ①   대표 예제 6 ⑤
대표 예제 7 (1) ② (2) maintain   대표 예제 8 ①   대표 예제 9 ③   대표 예제 10 ④   대표 예제 11 (1) sense (2) necessary
대표 예제 12 ④, motivation → motivate   대표 예제 13 (A) experts (B) identify

---

대표 예제 1

해석 긴 낮과 덥고 잠을 못 이루는 밤 <u>외에</u> 당신은 서울에서의 여름에 다른 무엇을 기대하는가?

어휘 expect 기대하다 sleepless 잠을 못 이루는

대표 예제 2

해석 어떤 일을 만족할 만한 수준으로 할 충분한 기술을 가진
① 고려할 만한, 상당한 ② 기밀의; 신뢰할 수 있는 ③ 강제적인, 의무적인 ④ 유능한, 능력이 있는 ⑤ 경쟁하다, 겨루다

대표 예제 3

해석 나는 업사이클링을 정말 사랑하고 그것은 놀라운 <u>강력한</u>(→ 잠재력)이 있다.

어휘 definitely 정말로, 분명히 awesome 놀라운

대표 예제 4

해석 조선왕조실록은 다른 어떤 나라의 역사적 기록들보다 더 객관적이고 신뢰할 만하다고 여겨진다.
① 이의, 반대 ② 객관적인 ③ 각자의, 각각의 ④ 감각의 ⑤ 순간적인

어휘 reliable 신뢰할 만한

대표 예제 5

해석 아테나의 도움으로, 텔레마쿠스는 어려움의 시기에 스스로를 보호하고 그의 아버지를 찾는 데 <u>성공할</u> 수 있었다.
(= 하려고 애썼거나 원했던 것을 하다)
① 성공하다 ② 바꾸다 ③ 경쟁하다 ④ 초과하다 ⑤ 나아가다

어휘 protect 보호하다 difficulty 어려움

대표 예제 6

해석 연이 날고 있는 상태를 그대로 유지하려면, 힘들이 서로 균형을 잡을 수 있도록 양력과 중력의 양이 <u>같아야</u> 한다.
① 유력한, 강력한 ② 늦은; 늦게 ③ 비교의, 상대적인 ④ 활기찬, 활발한 ⑤ 똑같은, 동일한

어휘 amount 양 lift 양력 weight 중력 force 힘

대표 예제 7

(1) 유럽 토끼들이 식물을 먹고 그 씨앗을 퍼뜨림으로써 생태계에 '영향을 미친다'는 내용이 되어야 하므로 ② affection을 affect로 고쳐 써야 한다.

지문 해석 유럽 토끼들은 여러 면으로 생태계의 균형을 맞춰 준다. 우선, 그것들은 식물을 먹고 그 씨앗을 퍼뜨림으로써

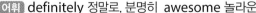

생태계에 영향을 미친다. 이는 열린 공간을 만들 뿐 아니라 식물의 다양성을 유지하는 데도 도움을 준다.

(2) **해석** 어떤 것을 전과 같은 수준으로 지속되게 하다

대표 예제 8

밑줄 친 changes는 '바꾸다'라는 의미로, 이와 바꾸어 쓸 수 있는 단어는 alters이다.

해석 인공조명은 이 화학 물질들의 생산을 줄이고 개화 주기를 바꾼다.

① 바꾸다, 고치다 ② 출석하다, 참석하다 ③ 비교하다; 비유하다
④ 경쟁하다, 겨루다 ⑤ 강요하다, 억지로 시키다

대표 예제 9

③ '어떤 것이 진실이라고 믿다'는 credit(믿다, 신용하다)의 영영 풀이이다.

해석 ① 경쟁하다, 겨루다: 어떤 사람 혹은 사물보다 더 성공하려고 노력하다

② 고려할 만한, 상당한: 꽤 큰, 특히 영향을 미칠 정도로 충분히 큰
④ 유력한, 강력한: 강력하고 효과적인
⑤ 이의, 반대: 어떤 것에 반대하거나 승인하지 않는 이유

어휘 fairly 꽤, 상당히 effective 효과적인 oppose 반대하다 disapprove 승인하지 않다

대표 예제 10

④는 '확신; 신뢰; 비밀 – 기밀의; 신뢰할 수 있는'이라는 의미로 '명사 – 형용사' 관계이고 나머지는 모두 '동사 – 형용사' 관계이다.

해석 ① 경쟁하다, 겨루다 – 유능한, 능력이 있는 ② 비교하다, 비유하다 – 비교의, 상대적인 ③ 강요하다, 억지로 시키다 – 강제적인, 의무적인 ⑤ 기억[암기]하다 – 기념의

대표 예제 11

해석 (1) 나는 가혹한 환경을 이겨내기 위한 그들의 지혜와 강인한 투지를 느낄 수 있었다.

(2) 식물들은 휴식을 취하고 그것들의 일상 기능에 필수적인 화학 물질들을 만들기 위해 어둠을 필요로 한다.

어휘 wisdom 지혜 determination 투지 overcome 극복하다 harsh 가혹한 rest 휴식을 취하다

대표 예제 12

필자가 영화 '쿨 러닝'의 주인공들을 보며 스스로에게 동기를 부여했다는 내용이 되어야 자연스럽다. 따라서 ④ motivation (동기 부여)을 motivate(~에 동기를 주다)로 고쳐 써야 한다.

지문 해석 나에게는 역할 모델이 있다. 그들은 영화 '쿨 러닝'에 나오는 주인공이다. 그 영화는 올림픽 메달을 따기 바랐던 자메이카 봅슬레이 선수들에 관한 것이다. 하지만, 자메이카는 눈이 거의 오지 않는 섬나라이다. 그들은 다른 사람들에게 비웃음을 받았지만, 그것이 그들의 노력을 막진 못했다. 그들이 봅슬레이 타는 연습을 하는 모든 장면이 정말 재미있고 감동적이었다. 그것은 그들의 상황이 내 상황과 매우 비슷해 보였기 때문일 수도 있다. 사실, 나는 크로스컨트리 스키 선수이다. 나와 내 동료들이 사람들의 관심이나 응원을 받지 못할 때 나는 때때로 좌절감을 느낀다. 하지만 그럴 때마다, 나는 '쿨 러닝'에 나오는 인물들을 생각하며 스스로에게 동기를 부여한다. 그들은 내가 더 명확한 목표를 세우고 계속해서 나 자신에게 도전하게 해 준다.

어휘 Jamaican 자메이카의 bobsledder 봅슬레이 선수 bobsled 봅슬레이 athlete 운동선수 colleague 동료

대표 예제 13

(A) 언어 사용자들의 차이점을 연구한 주체이므로 experts(전문가들)가 알맞다.

(B) 개인의 독특한 언어 특징 때문에 전문가들이 용의자 그룹에서 문서의 글쓴이를 '알아낼' 수 있다는 말이 자연스럽다.

지문 해석 언어는 그것의 사용자들이 같은 규칙을 나누기 때문에 소통을 가능하게 만든다. 그러나 이것은 그 규칙이 정확하게 모든 사람에게 같다는 것을 의미하지 않는다. 한 사용자와 다른 사용자는 구별된다. 언어 사용자들은 직접 그것을 인식하지는 못할 수 있지만, 차이점들은 계속 존재한다. 어떤 전문가들은 이 차이점들을 연구하는 데 관심이 있다. 그들은 다양한 개인들이 사용한 언어를 분석한다. 이 분석은 모든 사람이 독특한 언어 특징을 보여 주기 때문에 가능하다. 어떤 사람은 다른 사람과 달리 특정한 단어와 구를 매우 종종 사용하거나, 다른 글쓰기 스타일을 가질지도 모른다. 어떤 경우에, 이 개인적인 언어는 너무 독특해서 전문가들이 용의자 그룹에서 문서의 글쓴이를 알아낼 수 있다. 범죄 조사에서, 경찰은 문서 분석을 이런 전문가들에게 넘길 수 있다.

어휘 analyze 분석하다 individual 개인 unique 독특한 characteristic 특징 phrase 구, 어구 specialist 전문가 suspect 용의자 criminal 범죄의 investigation 조사

01 valuable **02** ② **03** confidence **04** (r)espectfully

01 조선왕조실록이 오늘날 우리의 삶을 풍요롭게 한다고 했으므로 동시에 일상적인 일에 대한 '귀중한' 통찰력을 제공한다는 내용이 이어지는 것이 자연스럽다. 따라서 네모에 들어갈 말로는 valuable(귀중한)이 알맞다. valueless는 '가치 없는'이라는 의미이다.

　지문 해석 요즘에는 누구든지 언제 어디서나 조선왕조실록을 온라인으로 접할 수 있다. 우리는 그것이 영화, 텔레비전 프로그램, 소설에 활용되는 것을 본다. 그것은 전반적으로 우리의 삶을 풍요롭게 하는 동시에 우리에게 일상적인 일에 대한 귀중한 통찰력을 제공한다. 진실로, 조선왕조실록은 한국의 위대한 기록 보존 문화의 대표적 사례이다.

02 Mark가 실종되고 나서 팀원들은 그가 죽었다고 생각하고 화성을 떠났다고 했고, 뒤에 역접의 접속사 However가 나왔으므로 그가 아직 '살아 있다(alive)'는 내용이 이어지는 것이 자연스럽다.

　지문 해석 2030년, 아레스 3 탐사대는 화성으로 보내진다. 임무를 수행하던 중, 그들은 사고를 겪게 되고, 여섯 명의 팀원 중 한 명인 Mark Watney는 실종된다. 그가 죽었다고 생각하고, 나머지 팀원들은 '헤르메스(Hermes)'라고 불리는 우주선에 올라 화성을 떠난다. 그러나, Mark는 여전히 활기차며(→ 살아 있으며) 험난한 행성 위에 홀로 있  는 자신을 발견한다. 이제, 그는 살아남기 위해 자신의 전문 지식과 경험, 그리고 아이디어에 의존해야만 한다.

03 **해석** 어떤 사람 또는 사물이 좋거나 잘될 거라고 믿을 수 있다는 느낌

　지문 해석 오늘 우리는 인류 역사상 가장 오래 지속되는 문화를 가진 호주 원주민들에게 경의를 표합니다. 우리는 호주 정부가 과거에 그들을 부당하게 대우했던 것을 반성합니다. 특히 우리나라 역사에서 가장 암울했던 시기인 빼앗긴 세대였던 사람들에게 가했던 학대에 대해 반성합니다. 이제 국가가 과거의 잘못을 바로잡고 당당하게 미래로 나아감으로써 호주 역사에서 새로운 페이지를 넘길 때가 되었습니다.

우리는 원주민들에게 깊은 아픔과 고통을 준 이전 의회와 정부의 법과 정책에 대해 사과드립니다. 특히 원주민과 토레스 해협 섬사람들의 아이들을 그들의 가족, 공동체, 그리고 국가로부터 빼앗은 것에 대해 사과드립니다.

우리 호주 의회는 이 사과가 국가 치유의 일환으로서 의도대로 받아들여지기를 정중히 요청합니다.

04 호주 의회가 과거 원주민들에게 행했던 부당한 대우와 학대에 대해 사과하고 이 사과를 받아들여 줄 것을 요청하고 있는 내용이므로 빈칸에 들어갈 말로는 respectfully(정중히)가 알맞다.

01 (1) identity (2) attention **02** (1) imaginary (2) necessary **03** (1) (l)iterally (2) (i)ncredible **04** (1) equality (2) practical **05** ② **06** ②

01 **해석** (1) 가족의 범위를 넘어서 우리의 정체성을 확장하는 방법으로 우리는 종종 친구들을 선택한다.

(2) 일부 사람들에게 주의를 기울이고 다른 사람들에게 그렇게 하지 않는 것이 여러분이 남을 무시하고 있다거나 거

만하게 굴고 있다는 것을 의미하지는 않는다.

04 해석 (1) 다른 집단의 사람들이 비슷한 사회적 지위를 얻고 같은 대우를 받을 권리
(2) 생각이나 상상보다는 실제 상황이나 행동과 관련된

05 (A) 분노를 조절하는 다양한 방식을 배운 사람은 더 '유능하다'라는 의미가 되어야 하므로 competent(유능한, 능력이 있는)가 들어가는 것이 알맞다.
(B) 능력과 '자신감'을 가질 때 좌절과 분노를 불러일으키는 상황들에 대처할 힘이 생긴다는 의미가 되어야 하므로 confidence(자신감)가 들어가는 것이 알맞다.
(C) 분노를 조절하는 기술을 개발하게 되면 도전에 효과적으로 대처하는 낙천주의라는 '감각'을 강화한다는 내용이 되어야 하므로 sense(감각)가 들어가는 것이 알맞다.
지문 해석 분노 조절의 목적은 건강한 방식으로 분노를 표출하기 위해 당신이 가지는 선택 사항을 늘리는 것이다. 다양한 분노 조절 전략을 배움으로써 당신은 분노 감정에 대응하는 방식에 있어 통제, 선택 사항들, 그리고 융통성을 발전시킨다. 분노를 조절하는 다양한 방식을 배운 사람은 더 유능하고 자신감이 있다. 그리고 능력과 자신감으로 좌절과 분노를 유발한 상황들에 대처하기 위해 필요한 힘이 생긴다. 일련의 그러한 기술들의 개발은 더 나아가 우리에게 생긴 도전에 효과적으로 대처하는 낙천주의 감각을 강화한다. 대조적으로, 매번 동일한 방식으로 분노에 대응하는 개인은 다양한 상황에 자신의 대응을 건설적으로 적응시키는 능력을 거의 가지고 있지 않다.

06 ② 가십의 대상이 되는 사람들은 어쩌면 미래에 적이 될 수도 있는 사람들이므로 '잠재적인' 적이라고 하는 것이 알맞다. 따라서 ② potent(강력한)를 potential(잠재적인)로 고치는 것이 알맞다.
지문 해석 사회적 관계는 우리의 생존과 웰빙을 위해 매우 필수적이어서 우리는 관계를 형성하기 위해 다른 사람과 협력할 뿐만 아니라, 친구를 얻기 위해 다른 사람과 경쟁하기도 한다. 그리고 자주 우리는 동시에 둘 다를 한다. 가십을 생각해 보자. 가십을 통해 우리는 친구들과 흥미로운 세부 사항을 공유하면서 유대를 형성한다. 그러나 동시에 우리는 가십의 대상들 중에서 강력한(→ 잠재적인) 적을 만들어낸다. 또는 누가 '그들의' 파티에 참석할 것인지를 알아보기 위해 경쟁하는 라이벌 관계의 휴일 파티를 생각해 보라. 우리는 심지어 소셜 미디어에서도 사람들이 가장 많은 친구들과 팔로워들을 얻기 위해 경쟁할 때 이러한 긴장감을 볼 수 있다. 동시에 경쟁적 배제는 또한 협력도 만들어낼 수 있다. 고등학교 친목 동아리와 컨트리 클럽은 이러한 공식을 사용하여 큰 효과를 발휘한다. 그들이 충성과 지속적인 사회적 유대를 형성하는 것은 선택적인 포함 '그리고 배제'를 통해서이다.

2주 창의·융합·코딩 전략 ①

pp. 66~67

A 1. ⓔ 2. ⓖ 3. ⓑ 4. ⓒ 5. ⓘ
B 1. expert 2. affection 3. latest 4. beside 5. motivate
C [Across] ❹ objection ❻ potent ❾ observation ❿ sensible
　[Down] ❶ credit ❷ motivate ❸ considerable ❺ alternative ❼ literally ❽ compete

B

해석
1. 광고 전문가들은 우리가 기억하는 광고 방송들이 우리를 이야기 속으로 끌어들이는 경향이 있다는 것을 알게 되었다.

2. 어린 시절 그는 Lucy 아주머니에 대한 엄청난 애정을 가지고 있었다.

3. 나는 최신 휴대 전화를 '반드시' 가져야 하는 그런 사람들 중 한 명은 아니다.

4. 그 덩치 큰 흑인 소녀는 Amy의 공책 옆에 그녀의 공책을 놓았다.

5. 당신의 아이의 지능과 재능을 칭찬하는 것은 그의 자존감을 높이고 그에게 동기를 부여하는 것처럼 보일지도 모른다.

C

해석

[Across]

❹ 어떤 것을 반대하거나 승인하지 않는 것에 대한 이유

❻ 강력하고 효과적인

❾ 일정 기간 동안 어떤 사물이나 사람을 주의 깊게 관찰하는 과정

❿ 합리적이고, 실용적이며, 좋은 판단을 하는

[Down]

❶ 어떤 것이 진실이라고 믿다

❷ 누군가가 어떤 것을 하거나 성취하고 싶게 만들다

❸ 특히 영향을 미칠 정도로 꽤 큰

❺ 당신이 가진 것과 다르고 대신 사용될 수 있는

❼ 단어나 표현의 가장 기본적이거나 본래적인 의미에 따라

❽ 어떤 사람 또는 사물보다 더 성공하려고 애쓰다

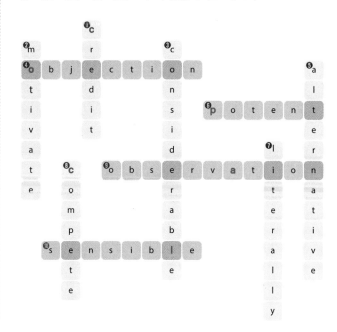

2주 창의·융합·코딩 전략 ②

pp. 68~69

D 1. exposure **2.** maintenance **3.** identify **4.** motivation **5.** sensitive **6.** valuable

E 1. sensitive **2.** motivation **3.** exposure **4.** valuable

F 1. likely **2.** hardly **3.** potential **4.** imaginary

E

해석

1. 그녀는 비판에 너무 민감하다.

2. Eric은 충분히 영리한 학생이다. 그는 단지 동기 부여가 안 되었을 뿐이다.

3. 방사선에 아주 잠깐 노출되는 것만으로도 매우 위험하다.

4. 이 골동품들은 굉장히 가치 있다.

신유형·신경향·서술형 전략

pp. 72~75

1 (A) incline (B) attribute (C) contribute

2 affects

3 (A) cooperation (B) affect

4 (A) (i)nfluence (B) (o)vergeneralize

5 (A) through (B) identities (C) potential

6 (A) (p)otential (B) (i)dentity

7 ③, accessing → assessing

8 (A) (d)elay (B) (d)emands

1 (A) 이야기를 구성하고 싶어 하는 사람들의 특성에 관해 이야기하고 있으므로 '~하는 경향이 있다'라는 말이 들어가는 것이 자연스럽다.
(B) 사람들이 어떤 사건에 대해 그 원인을 찾아 그것을 '탓으로 돌린다'는 내용이 들어가는 것이 알맞다.
(C) 바로 앞에서 어떤 사건을 발생시키는 원인이 한 가지만 있는 것은 아니라고 했으므로 어떤 결과에 '원인이 되는' 복잡한 일련의 사건들이 있다는 내용이 이어지는 것이 자연스럽다.
어휘 innately 선천적으로 persuasive 설득력 있는
medium 수단, 매체 generalization 일반화
cause-and-effect 인과 관계의 pairing 한 쌍
make sense 의미가 통하다, 이치에 맞다
causal 인과 관계의 attribution 귀착시킴, 귀속
stop ~ from v-ing ~가 …하지 못하도록 막다
assign ~의 탓으로 하다, (원인을) ~에 돌리다

2 **해석** 사람들은 사건들의 원인을 찾고 일반화하려는 경향이 있지만, 경우에 따라서는 결과에 영향을 미치는 원인이 단 하나만 있는 것이 아니다.

3 (A) 사회가 변화하면서 경계가 사라져 가고 있는 성 역할과 개인 간의 성격 차이에 관해 언급하고 있으므로 '단호함'과 상반되는 개념인 '협조성'이 들어가는 것이 알맞다.
(B) 문화와 성별이 사람들에게 '영향을 미칠' 수 있다는 점을 먼저 인정해야 하지만, 과잉 일반화는 피해야 한다는 결론을 이끌어 내는 것이 적절하다.
어휘 gender 성별 conflict 갈등 tendency 경향
socialization 사회화 encourage 권장하다
competitive 경쟁적인 boundary 경계 strict 엄격한
prior 이전의 significant 중요한, 상당한
variability 가변성, 다양성 assertiveness 단호함
resolution 해결 be aware of ~을 인지하다
stereotype 고정 관념을 형성하다 interpret 해석하다
overgeneralization 과잉 일반화

4 **해석** 문화와 성이 사람들이 갈등을 다루는 방식에 (A) 영향을 미칠지도 모르지만, 우리는 그것들을 (B) 과잉 일반화하지 않고 개인적인 차이를 고려하도록 주의해야 한다.

5 (A) 음악은 공통의 관심사나 취미뿐만 아니라 예술가에 대한 감정적 연결을 '통해서' 사람들을 연결시킨다는 내용이다.
(B) 다른 사람과의 관계, 그리고 다른 사람들이 우리를 어떻게 보느냐에서 형성되는 사회적 산물은 '정체성'이라는 말이 들어가는 것이 자연스럽다.
(C) 대중음악 팬들에게 음악이 하는 역할은 그들의 정체성을 찾게 하는 '잠재적인' 장소임을 알 수 있다. 따라서 potential (잠재적인)이 들어가는 것이 자연스럽다.
지문 해석 음악은 공통의 관심사나 취미를 통해서뿐만 아니라 특정한 노래, 공동체, 그리고 예술가에 대한 감정적 연결을 통해서도 사람들을 서로 연결시킨다. 그 자신을 찾아가는 과정 속에서 다른 사람들의 중요성은 의미가 있다. 사회학 교수인 Agger가 진술한 것처럼, "정체성은 주로 다른 사람들과의 관계에서 그리고 우리 생각에 그들이 우리를 어떻게 보느냐에서 형성되는 사회적 산물이다." 그리고 사회음악학자인 Frith는 대중음악이 그러한 연결을 가지고 있다고 주장한다. 그러므로, 음악 팬들에게, 사람들이 그 속에서 의미를 찾는 장르, 예술가, 그리고 노래는 자신의 정체성이 다른 사람들과 연관되어 자리 잡힐 수 있는 잠재적인 '장소'로서 기능을 한다. 말하자면 그것은 사람들의 정체성의 적어도 일부분을 있어야 할 곳에 묶어두는 사슬로서 역할을 한다. 공유된 음악적 열정을 통해 만들어진 연결은 공동체라는 느낌을 제공해 줄 수 있는 비슷한 사람들의 집단이 있다는 점에서 안전과 안정감을 제공한다.
어휘 connection 연결 community 공동체
significance 중요성 meaningful 의미 있는
state 진술하다 in relation to ~와 관련하여
function 기능을 하다 security 안심, 안도감

6 **해석** 음악은 사람들을 서로 연결해 줄 수 있고, 다른 사람과의 관계를 통해 (B) 정체성을 자리 잡도록 하는 (A) 잠재적인 장소로서 기능을 할 수 있다.

7 ③ 어떤 선택을 결정하기에 앞서 그 선택지들을 '평가하는' 일이 선행되어야 하므로 ③ accessing을 assessing으로 고쳐 써야 한다.
지문 해석 FOBO 혹은 더 나은 선택에 대한 두려움은 더 나은 어떤 것이 생길 것이라는 불안감인데, 이것은 결정을 내릴 때 기존의 선택지에 전념하는 것을 탐탁지 않게 한다. 그것은

여러분이 모든 선택지를 열어 두고 위험을 피하도록 만드는 풍족함의 고통이다. 여러분의 선택지들을 접근하고(→ 평가하고), 하나를 선택하고 여러분의 하루를 살아가기보다는, 여러분은 꼭 해야 할 것을 미룬다. 그것은 알람 시계의 다시 알림 버튼을 누르고는 결국 이불을 머리 위로 뒤집어쓰고 다시 잠들어 버리는 것과 다르지 않다. 아마도 여러분이 고생하여 알게 되었듯이 다시 알림 버튼을 많이 누르게 되면, 결국 늦게 되어 사무실로 달리게 되고, 여러분의 하루와 기분을 망치게 된다. 다시 알림 버튼을 누르는 것이 그때는 기분이 아주

좋겠지만, 그것은 결국 대가를 요구한다.

어휘 anxiety 불안감 undesirable 달갑지 않은 commit 전념하다 abundance 풍부 avoid 피하다 risk 위험 delay 미루다 inevitable 불가피한 end up 결국 ~하게 되다 ruin 망치다 ultimately 결국

8 **해석** 더 나은 선택에 대한 두려움은 알람 시계의 다시 알림 버튼처럼 당신이 선택하는 것을 (A) 미루게 하고, 결국 대가를 (B) 요구한다.

적중 예상 전략 1회

pp. 76~79

01 ① **02** ③ **03** ⑤ **04** general **05** persevere → preserve **06** ④ **07** ① **08** ③ **09** (1) depend (2) obtain **10** (d)escribe **11** ② **12** ① **13** (A) admit (B) attribute **14** ④

---

01 **해석** 어떤 것이 특정한 것의 결과라고 말하거나 생각하다:
① ~의 덕분으로 보다, ~의 탓으로 돌리다
② 기여하다, 기부하다; 원인이 되다 ③ (사실일 것으로) 추정[상정]하다 ④ 저항하다, 반대하다 ⑤ 주장하다

02 **해석** 과거의 교사들은 모둠 활동이나 학생들이 팀워크 기술을 배우는 것을 덜 권장했다.
① 나누다 ② 잃다 ④ 공유하다 ⑤ 석방하다; 석방

03 **해석** 그 개들이 울타리를 뛰어넘은 어느 날, 그들은 새끼 양 중 몇몇을 공격해서 심하게 다치게 했다. (= 어떤 사람이나 사물을 해치려고 의도적으로 폭력을 사용하다)
① 적응시켰다 ② 채택했다 ③ 칭찬했다 ④ 끌어당겼다

04 **해석** 스포츠가 폭력을 감소시키는 방법이라는 일반적인 믿음이 있어 왔다.
어휘 belief 믿음 reduce 감소시키다 violence 폭력

05 **해석** 그녀는 Ceyhan 강 근처의, 터키에서 가장 중요한

고고학적 유적지들 중 일부를 이겨내는(→ 보존하는) 것을 도왔고, Karatepe에 야외 박물관을 건립했다.
어휘 archaeological 고고학의 site 유적지

06 ④ '보통 큰 소리와 함께 작은 조각들로 폭발하거나 어떤 것을 폭발시키다'는 explode(폭발하다)의 영영 풀이이다.
해석 ① 접근(법): 어떤 장소에 들어가거나 무언가를 사용하거나 누군가를 만날 권리
② 예측, 예보: 어떤 일이 일어날지 생각하는 것에 대한 언급
③ 협력, 협동: 누군가와 함께 일하거나 그들이 요청한 일을 하는 행동
⑤ (배·비행기 등을) 타고: 배, 비행기, 또는 기타를 타고

07 **해석** 당신이 무엇인가를 알지 못한다면, 그것을 가능한 한 빨리 인정하고 즉시 조치를 취하라 — 즉, 질문을 하라.
② 보내다 ③ 떠돌나, 방황하다 ④ 궁금해하다 ⑤ 주장하디

08 ③ compliment는 '칭찬, 찬사; 칭찬하다'라는 의미이고 '보충물'이라는 의미의 단어는 complement이다.

09 해석 (1) 사람들은 상황에 따라 변하는 가치관을 가지고 있다.

(2) 그들은 쥐들에게 파트너를 위한 음식을 얻기 위해 막대기를 잡아당기는 협동적 과업을 훈련시켰다.

10 해석 당신은 그러한 멋진 친구를 속속들이 알고 있다고 느끼더라도, 당신 친구의 '내면'을 묘사하는 것은 정말로 매우 어렵다는 것을 알게 될 것이다.

(= 누군가 혹은 무언가가 어떤지 말하거나 쓰다)

어휘 indeed 정말로 through and through 속속들이

11 바로 앞에서 가짜 미소는 주로 얼굴의 절반 아래쪽 부분에만 영향을 미친다고 했으므로 눈은 (가짜 미소와) 관련이 없다는 말이 들어가는 것이 적절하다. 따라서 빈칸에 들어갈 말로 알맞은 것은 ② involved이다.

해석 ① 구성했다 ③ ~할 가치가 있었다 ④ 진화했다 ⑤ 보존했다

지문 해석 당신이 미소를 관찰했는데 그것이 진짜가 아니라고 느낄 수 있는 경우가 있었다. 진짜 미소와 진실하지 못한 미소를 알아보는 가장 명확한 방법은 가짜 미소는 오직 얼굴의 절반 아래쪽 부분, 주로 입에만 영향을 미친다는 것이다. 눈은 실제 관련이 없다.

어휘 occasion 경우 observe 관찰하다
genuine 진짜의 obvious 명확한 identify 확인하다
insincere 진실하지 못한 fake 가짜의 primarily 주로

12 인간이 말하는 능력을 발달시키면서 동시에 발달시킨 능력은 '먹잇감'이나 포식자를 속이는 것이었으므로 ①을 prey(먹잇감)로 바꾸어 써야 한다. pray는 '기도하다'라는 의미이므로 문맥상 어울리지 않는다.

지문 해석 인간의 말하는 능력이 발달함에 따라, 우리의 기도(→ 먹잇감)를 속이고 포식자를 속이는 능력뿐만 아니라 다른 인간들을 속이는 능력 역시 발달했다. 이것은 또한 이로울 수 있었다. 경쟁 부족의 구성원들에게 서쪽으로 이동하는 순록의 무리가 동쪽으로 이동했다고 설득할 수 있는 사람들은 생존을 위한 전쟁에서 승리했다. 언어적 속임수는 초기 인간에게 그러한 생존의 이점을 주어서 일부 진화 생물학자들은 말하는 능력과 거짓말하는 능력이 함께 발달했다고 믿는다.

어휘 capacity 능력 trick 속이다 deceive 속이다
predator 포식자 advantageous 이로운
persuade 설득하다 rival 경쟁하는 tribe 부족
westward-moving 서쪽으로 이동하는 herd 무리
migrate 이동하다 verbal 언어적 deceitfulness 속임수
evolutionary 진화의 hand in hand 함께

13 (A) 사람들이 가짜 뉴스의 내용을 공유한 적이 있다는 것을 '인정한다(admit)'는 내용이 들어가는 것이 자연스럽다.

(B) 가짜 뉴스가 확산되는 것을 의도적으로 무지한 사람들의 '탓으로 돌리'고 싶다는 내용이 되어야 하므로 attribute가 알맞다.

지문 해석 2016 Pew Research Center 조사에 따르면, 23퍼센트의 사람들이 한 인기 있는 사회 관계망 사이트에서 우연으로든 의도적으로든 가짜 뉴스의 내용을 공유한 적이 있다고 인정한다. 나는 이것을 의도적으로 무지한 사람들의 탓으로 돌리고 싶은 마음이 든다. 그러나 뉴스 생태계가 너무나 붐비고 복잡해져서 나는 그곳을 항해하는 것이 힘든 이유를 이해할 수 있다. 의심이 들 때, 우리는 내용을 스스로 교차 확인할 필요가 있다. 사실 확인이라는 간단한 행위는 잘못된 정보가 우리의 생각을 형성하는 것을 막아 준다. 무엇이 진실인지 혹은 거짓인지, 사실인지 혹은 의견인지를 더 잘 이해하기 위해, 우리는 FactCheck.org와 같은 웹사이트를 참고할 수 있다.

어휘 share 공유하다 accidentally 우연히
on purpose 고의로, 일부러 tempting 솔깃한
willfully 의도적으로 ignorant 무지한
ecosystem 생태계 overcrowded 너무 붐비는
navigate 항해하다 consult 참고하다

14 첫 번째 문장에서 스코틀랜드의 Glasgow시 정부가 우연히 범죄 예방책을 발견했다고 했고, ④ 뒤에 이어지는 내용에서 파란색 전등이 경찰차 전등을 연상시켜 범죄를 예방하게 되었다고 했으므로 ④에는 범죄 활동의 극적인 '감소(decline)'를 경험했다는 내용이 되는 것이 자연스럽다.

지문 해석 2000년에 스코틀랜드의 Glasgow시 정부는 중요한 범죄 예방책을 우연히 발견한 것으로 보였다. 공무원들이 팀을 고용하여 일련의 파란색 전등을 다양한 눈에

잘 띄는 장소에 설치함으로써 도시를 아름답게 했다. 이론상으로 파란색 전등은 밤에 도시의 상당 부분을 밝히는 노란색과 흰색 전등보다 더 매력적이고 차분하게 만들며 정말로 그 파란색 전등들은 진정시키는 빛을 발하는 듯했다. 몇 달이 지나서 도시의 범죄 통계학자들이 주목할 만한 경향을 알아차렸는데, 새롭게 파란색으로 휩싸인 장소들에서 범죄 활동의 극적인 경향을(→ 감소를) 경험했다는 것이다. Glasgow에서의 파란색 전등은 경찰차 위의 전등을 흉내 내 경찰이 언제나 지켜보고 있음을 암시하는 듯했다. 그 전

등은 결코 범죄를 줄이기 위해 설계되진 않았지만, 그 파란색 전등은 정확히 범죄를 예방하고 있는 것처럼 보였다.
어휘 stumble 발견하다 remarkable 중요한 strategy 전략 official 공무원 beautify 아름답게 하다 calming 차분한 illuminate 밝게 하다 soothing 진정시키는 statistician 통계학자 striking 놀랄 만한 dramatic 극적인 mimic 흉내 내다 (- mimicked - mimicked) atop ~의 꼭대기의 imply 암시하다

적중 예상 전략 2회

01 ⑤ **02** ② **03** alive **04** success → succeed **05** ③ **06** ④ **07** ① **08** ④ **09** ③ **10** (1) maintenance (2) composition **11** ① **12** ⑤ **13** ③ **14** ⑤

01 **해석** 건강과 질병의 확산은 우리가 어떻게 살고 우리의 도시가 어떻게 작동하느냐와 매우 밀접하게 연관되어 있다.
① 강제적인, 의무적인 ② 거의 ~ 아니다 ③ ~ 외에도, 게다가 ④ 가능성 있는; ~할 것 같은

02 **해석** 때때로 어려운 목표를 달성하는 최선의 방법은 그것이 가능하다는 생각을 그만하고, 그저 한 번에 한 단계씩 해 나가는 것이다.
① 이의, 반대 ③ 동기 부여 ④ 관찰 ⑤ 동일함; 신원; 정체성

03 **해석** 현재를 살아가는 모든 어른들이 삶의 어느 순간에 다음의 다양한 표현을 사용하거나 다른 사람으로부터 들어보았을 것이라고 생각하는 것은 온당하다: "그 모든 시간이 어디로 간 거지?"

04 **해석** 그녀는 Serene에게 성공하고 싶으면 계속 노력해야 한다고 말했다.

05 **해석** 무대 불안을 줄이기 위해 연사가 자신의 원고를 암기하는 것이 중요하다.
① 존경; 존경하다 ② 관찰하다; 준수하다 ④ ~에 동기를

주다; (남에게) 흥미를 느끼게 하다 ⑤ 기념의; 기념물
어휘 script 원고 onstage anxiety 무대 불안

06 ④ '어떤 것이 사실이라고 믿다'는 credit(믿다, 신용하다)의 영영 풀이이다.
해석 ① 애정; 감정: 좋아하거나 사랑하거나 배려하는 감정
② 고려할 만한, 상당한: 특히 영향을 미칠 정도로 꽤 큰
③ 자신(감), 확신; 신뢰; 비밀: 어떤 사람 혹은 사물이 좋을 것이라고 믿을 수 있다는 느낌
⑤ 가능성, 잠재력: 어떤 것이 특정한 방식으로 발전할 가능성

07 **해석** 우리가 정보와 관련된 맥락을 확인하는 것은 매우 중요하다. (= 문제, 필요, 사실 등을 알아보고 그것이 존재한다는 것을 보여 주다)
② 동일함; 신원; 정체성 ③ 중시하다; 가치, 가치관 ④ 감각; 느끼다 ⑤ 기억[암기]하다

08 **해석** 관념이나 상상보다는 경험, 실제 상황, 또는 행동과 관련이 있는: ④ 실용적인
① 최근의, 최신의 ② 필요한, 필수적인 ③ 역사의, 역사에 관한 ⑤ 산업의, 공업의

09 [해석] 독점 효과는 노동 시장에서도 일어날 수 있다.
① 믿다, 신용하다 ② 바꾸다, 고치다 ④ 비교하다; 비유하다 ⑤ 유지하다; 주장하다

10 [해석] (1) 그는 비가동 시간, 회복을 위한 휴지기, 또는 기계의 일반적인 유지 보수에 최소한의 관심을 기울였다.
(2) 이 우주선은 행성의 구성 성분과 특성을 실험하는 기구들을 운반한다.

11 (A) 상대방을 격려하는 말이므로 오랫동안 '열심히(hard)' 노력하면 원하는 것은 무엇이든 할 수 있다는 말이 알맞다.
(B) 누군가가 더 열심히 할 수 있도록 '동기를 부여 하기(motivate)' 위해 앞에 언급된 표현과 비슷한 주장을 했을지도 모른다는 말이 알맞다.
(C) 흐름상 환경, 신체, 심리 등 여러 가지 요인들이 우리의 '잠재력(potential)'을 제한한다는 내용이 들어가는 것이 자연스럽다.
[지문 해석] 나는 여러분이 "만약 충분히 오랫동안 열심히 노력하기만 한다면, 여러분이 원하는 것은 무엇이든 할 수 있다."와 같은 말을 들어본 적이 있을 거라고 확신한다. 아마도 여러분은 심지어 누군가를 더 노력하도록 동기를 부여하려고 비슷한 주장을 했을지도 모른다. 물론, 이러한 말들은 훌륭하게 들리지만, 확실히 그것들은 사실일 리가 없다. 우리 중 우리가 되고 싶어 하는 프로 운동선수, 예능인, 또는 영화배우가 될 수 있는 사람은 거의 없다. 환경적, 신체적, 심리적인 요인들이 우리의 잠재력을 제한하고 우리가 살아가면서 할 수 있는 것들의 범위를 제한한다. '더 열심히 노력하는 것'이 재능, 장비, 방법을 대체할 수는 없지만, 이것이 절망의 결과를 초래해서는 안 된다. 오히려, 우리는 우리의 한계 내에서 우리가 될 수 있는 최고가 되려고 해야 한다. 우리는 우리의 적소(適所)를 찾으려고 노력한다. 우리가 취업 연령에 도달할 때쯤이면, 우리가 효과적으로 수행할 수 있는 한정된 범위의 직업이 있다.
[어휘] persist 계속하다 assertion 주장
professional 전문의, 프로의 athlete 운동선수
environmental 환경적인 physical 신체적인
psychological 심리적인 factor 요인 limit 제한하다
narrow ~을 제한하다 substitute 대체하다
equipment 장비 despair 절망 attempt 시도하다
limitation 한계 employment 취업 finite 한정된

12 ⑤ 앞에서 불균형한 음식을 섭취하는 농업 인구와 달리 고대 수렵 채집 생활인들은 매일 다양한 식사를 했다고 했으므로 이것이 그들이 '필요로 하는(necessary)' 모든 영양소를 얻는 것을 보장해 주었다는 말이 들어가는 것이 알맞다.
[지문 해석] 수렵 채집 생활인들을 굶주림과 영양실조로부터 보호했던 성공 비결은 그들의 다양화된 음식이었다. 농부들은 매우 제한되고 불균형한 음식을 섭취하는 경향이 있다. 특히 전근대기에, 농업 인구가 섭취하는 칼로리의 대부분은 밀, 감자, 또는 쌀과 같은 인간에게 필요한 비타민, 미네랄, 그리고 다른 영양 성분들 중 일부가 부족한 단일 농작물로부터 왔다. 전통적인 중국의 전형적인 농부는 아침, 점심, 저녁으로 쌀을 먹었다. 만약 그 농부가 운이 좋다면, 그 사람은 다음날에도 같은 것을 먹을 것이라고 기대할 수 있었다. 대조적으로 고대 수렵 채집 생활인들은 수십 가지의 다양한 음식물을 규칙적으로 먹었다. 농부의 고대 조상인 수렵 채집 생활인은 아마도 아침으로 산딸기와 버섯을, 점심으로 과일과 달팽이를, 저녁으로 달래를 곁들인 토끼 고기 스테이크를 먹었을 것이다. 내일의 메뉴는 완전히 달랐을지도 모른다. 이러한 다양성은 고대 수렵 채집 생활인들이 필수품(→ 필요로 하는) 모든 영양소를 얻는 것을 보장해 주었다.
[어휘] starvation 굶주림 malnutrition 영양실조
varied 다양한 limited 제한된 unbalanced 불균형한
premodern 전근대기 agricultural 농업의 wheat 밀
nutritional 영양의 typical 전형적인 peasant 농부
ancestor 조상 snail 달팽이 wild onion 달래
ensure 보장하다

13 (A) 마케팅 산업에서 중점을 두는 관심사는 방송 광고를 소비자들에게 '노출'시키는 문제이므로 exposure(노출)가 알맞다.
(B) 광고주들은 소비자들이 광고를 빨리 감거나 건너뛰지 않도록 쿠폰을 숨겨 놓으며 기술에 '적응하려고' 노력한다는 내용이 자연스러우므로 adapt(적응하다)가 알맞다.
(C) 구매자들을 유인하려는 방송 공급자와 광고주들의 행동을 예측할 수 있는 주체는 산업 '전문가들(experts)'이다.
[지문 해석] 오늘날 마케팅 산업의 한 가지 실질적 관심사는 리모컨과 이동 통신 수단의 시대에 방송 광고 노출 전쟁에서 어떻게 승리하는가이다. 디지털 영상 녹화 장치의 인기

가 증가함에 따라 소비자들은 광고를 완전히 음소거하거나 빨리 감거나 건너뛸 수 있다. 어떤 광고주들은 TV 광고 프레임 속에 쿠폰을 몰래 숨겨 놓으며 이러한 기술들에 적응하려 노력한다. 다른 광고주들은 시청자들이 광고를 건너뛰지 못하게 하려고 자신들의 광고를 좀 더 흥미 있고 재미있게 만들려고 필사적으로 노력한다. 반면 다른 광고주들은 TV 광고를 완전히 포기해 버린다. 일부 산업 전문가들은 결국 구매자들이 메시지를 보도록 장려하기 위해 유선 방송 공급자와 광고주들이 유인책을 제공할 수밖에 없을 것이라고 예상한다. 이러한 유인책은 쿠폰 또는 광고 시청에 따른 유선 방송 수신료 감면의 형태를 띨 것이다.

어휘 concern 관심사 battle 전쟁 popularity 인기
fast-forward 고속으로 앞으로 감다
skip 건너뛰다, 생략하다 commercial 광고 plant 심다
desperately 필사적으로 discourage 단념시키다
incentive 유인, 자극 reduction 감면, 절감

14 ⑤ 뒤에 포유류들이 살 수 있는 서식지로 언급된 북극, 남극, 심해, 열대 우림, 사막 등은 믿을 수 없을 정도로 다양한 장소들이므로 ⑤ credible(믿을 만한)을 incredible(믿을 수 없는, 놀라운)로 바꾸어 쓰는 것이 적절하다.

지문 해석 씹기는 삼킴을 위한 더 작은 조각들과 소화 효소

가 작용하는 더 노출된 표면으로 이어진다. 다시 말해서, 한 입의 음식으로부터 더 많은 연료와 원료를 추출하는 것을 의미한다. 이것은 포유류에게 특히 중요한데, 왜냐하면 그들이 체내에서 자신의 몸을 따뜻하게 하기 때문이다. 씹기는 포유류에게 낮은 물론 서늘한 밤 동안에도 활동하고, 더 추운 기후나 기온이 변하는 장소에서 사는 데 필요한 에너지를 준다. 그것은 그들에게 더 먼 거리를 가고, 천적을 피하고, 먹이를 포획하고 새끼를 낳고 돌볼 수 있게 하는 더 높은 수준의 활동과 이동 속도를 유지하게 한다. 포유류는 어느 정도는 그들의 이빨로 인해 북극 툰드라부터 남극의 유빙까지, 심해부터 고도가 높은 산꼭대기까지 그리고 열대 우림부터 사막까지 믿을 만한(→ 놀라운) 다양한 서식지에서 살 수 있다.

어휘 chew 씹다 particle 조각 swallow 삼키다
digestive 소화의 extraction 추출 fuel 연료
raw material 원료 mouthful 한 입 가득
mammal 포유류 sustain 지속하다, 견디다
capture 포획하다 habitat 서식지 tundra 툰드라
pack ice 유빙 high-altitude 고도가 높은
in no small measure 적지 않게, 어느 정도

Memo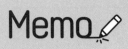

핵심 개념부터 실전까지, 고품격 수능 대비서

고등 수능전략
전과목 시리즈

체계적인 수능 대비

하루 6쪽, 주 3일 학습으로
핵심 개념과 유형, 실전까지
빠르고 확실하게 준비 완료!

신유형 문제까지 정복

수능에 자주 나오는 유형부터
신유형·신경향 문제까지
다양한 유형의 문제를 마스터!

실전 감각 익히기

수능과 모의평가 유형의 구성으로
단기간에 실전 감각을 익혀
실제 수능에 완벽하게 대비!

개념과 유형, 실전을 한 번에!

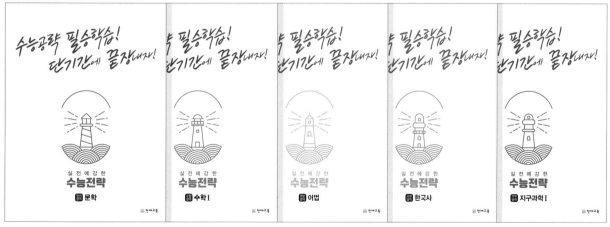

국어: 고2~3(문학/독서/언어와 매체/화법과 작문)
수학: 고2~3(수학Ⅰ/수학Ⅱ/확률과 통계/미적분)
영어: 고2~3(어법/독해 150/독해 300/어휘/듣기)

사회: 고2~3(한국사/사회·문화/생활과 윤리/한국지리)
과학: 고2~3(물리학Ⅰ/화학Ⅰ/생명과학Ⅰ/지구과학Ⅰ)

정답은
이안에
있어!

배움으로 행복한 내일을 꿈꾸는
천재교육 커뮤니티 안내 · · ·

 교재 안내부터 구매까지 한 번에!
천재교육 홈페이지

천지교육 홈페이지에서는 자사가 발행하는 참고서,
교과서에 대한 소개는 물론 도서 구매도 할 수 있습니다.
회원에게 지급되는 별을 모아 다양한 상품 응모에도
도전해 보세요.

 구독, 좋아요는 필수! 핵유용 정보 가득한
천재교육 유튜브 <천재TV>

신간에 대한 자세한 정보가 궁금하세요?
참고서를 어떻게 활용해야 할지 고민인가요?
공부 외 다양한 고민을 해결해 줄 채널이 필요한가요?
학생들에게 꼭 필요한 콘텐츠로 가득한 천재TV로 놀러 오세요!

 다양한 교육 꿀팁에 깜짝 이벤트는 덤!
천재교육 인스타그램

천재교육의 새롭고 중요한 소식을 가장 먼저 접하고 싶다면?
천재교육 인스타그램 팔로우가 필수!
누구보다 빠르고 재미있게 천재교육의 소식을 전달합니다.
깜짝 이벤트도 수시로 진행되니 놓치지 마세요!

book.chunjae.co.kr

교재 내용 문의	교재 홈페이지 ▶ 고등 ▶ 교재상담
교재 내용 외 문의	교재 홈페이지 ▶ 고객센터 ▶ 1:1문의
발간 후 발견되는 오류	교재 홈페이지 ▶ 고등 ▶ 학습지원 ▶ 학습자료실

53740

ISBN 979-11-259-6730-9

정가 15,000원

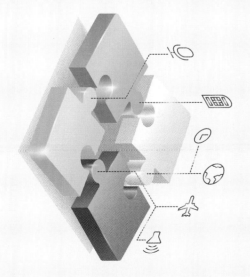

시험적중
내신적략
고등 영어 어휘

시험에 꼭 나오는
개념BOOK 2

memo

개념BOOK 하나면
영어 공부 끝!

Book 2

차례

파생어

attract vs. attack | adapt vs. adopt

- attract 동 끌다, 끌어당기다
- attack 동 ❶ ____ ; 습격하다
- adapt 동 적응시키다; 각색하다
- adopt 동 ❷ ____ ; 입양하다

Starting from birth, babies are immediately attracted / attacked to faces.

⬆ 태어나면서부터, 아기는 즉각적으로 사람 얼굴에 끌린다.

답 ❶ 공격하다 ❷ 채택하다

개념 CHECK

괄호 안에서 알맞은 것을 고르시오.

- Impalas have the ability to (adapt / adopt) to different environments of the savannas.

(임팔라는 대초원의 여러 환경에 적응하는 능력이 있다.)

답 adapt

---

succeed vs. success | value vs. valuable

- succeed 동 성공하다; 계승하다
- success 명 ❶ ____ ; 성공한 사람[일]
- value 동 중시하다 명 가치, 가치관
- valuable 형 ❷ ____ , 귀중한
  (↔ valueless 형 가치 없는, 하찮은)

Do you agree that water is our most value / valuable natural resource?

⬆ 여러분은 물이 우리의 가장 귀중한 천연 자원이라는 것에 동의하십니까?

© Chinnapong/shutterstock

답 ❶ 성공 ❷ 가치 있는

개념 CHECK

괄호 안에서 알맞은 것을 고르시오.

- Too often, we convince ourselves that massive (succeed / success) requires massive action.

(너무 자주 우리는 거대한 성공에는 거대한 행동이 필요하다고 굳게 믿는다.)

답 success

41 sensitive vs. sensory | short vs. shortly

- sensitive　형 민감한
- sensory　형 ① _____
- short　형 짧은; 부족한
- shortly　부 ② _____ : 동의어문제

Trees are sensitive / sensory to local climate conditions, such as rain and temperature.

➡ 나무는 비와 온도 같은 지역의 기후 조건에 민감하다.

답 ① 감각의 ② 곧

개념 CHECK
밑줄 안에서 알맞은 것을 고르시오.

- Be as creative as you like, and write one (short / shortly) sentence about the selfie.

(마음껏 창의력을 발휘하고, 셀카 사진에 관한 하나의 짧은 문장을 쓰세요.)

답 | short

---

2 hospitality vs. hostility | precious vs. previous

- hospitality　명 환대, 대접
- hostility　명 ① _____ , 적개심
- precious　형 소중한, 귀중한
- previous　형 ② _____ , 앞의

Families don't grow strong unless parents invest precious / previous time in them.

➡ 부모가 소중한 시간을 가족을 위해 투자하지 않으면 가족은 강해지지 않는다.

답 ① 적의 ② 이전의

개념 CHECK
밑줄 안에서 알맞은 것을 고르시오.

- For twenty years the (hospitality / hostility) grew, spreading to their families and the community.

(20년 동안 증오심이 자랐고, 그들의 가족과 지역 사회에 전해졌다.)

답 | hostility

respectable vs. respective | sense vs. sensible

- respectable 형 존경할 만한, 훌륭한
- respective 형 ❶ , 각각의
- sense 명 감각 통 느끼다
- sensible 형 ❷ ; 현명한

Before the show started, he took his son to see the animals in their [respectable / respective] cages.

↑ 쇼가 시작되기 전, 그는 자신의 아들을 데리고 각자의 우리에 있는 동물들을 보러갔다.

답 ❶ 각자의 ❷ 분별 있는

개념 CHECK

괄호 안에서 알맞은 것을 고르시오.

Life is a balancing act, and so is our (sense / sensible) of morality.

(인생은 균형을 맞추는 행위이고, 우리의 도덕심 또한 그러하다.)

답 sense

---

preserve vs. persevere | prediction vs. protection

- preserve 통 보존하다, 보호하다
- persevere 통 ❶ , 끈기 있게 노력하다
- prediction 명 예측, 예보
- protection 명 ❷ , 옹호

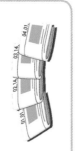

Reading daily horoscopes in the morning is beneficial as they provide [predictions / protection] about the rest of the day.

↑ 아침에 매일 별자리 운세를 읽는 것은 그것들이 남은 하루에 대한 예측을 제공하기 때문에 유익하다.

답 ❶ 인내하다 ❷ 보호

개념 CHECK

괄호 안에서 알맞은 것을 고르시오.

She helped (preserve / persevere) some of Turkey's most important archaeological sites.

(그녀는 터키에서 가장 중요한 고고학적 유적지 중 일부를 보존하는 것을 도왔다.)

답 preserve

39 observe vs. observation | respect vs. respectful

- observe
  - 통 관찰하다; 준수하다
- observation
  - 명 ❶ [_____]
- respect
  - 명 존경 통 존경하다
- respectful
  - 형 ❷ [_____], 정중한
  - (respectfully 부 공손하게)

Ask yourself: Were | observed / observations | recorded during or after the experiment?

➡ 당신 자신에게 물어라: 관찰들이 실험 도중에 혹은 후에 기록되었나?

답 ❶ 관찰 ❷ 공손한

개념 CHECK

괄호 안에서 알맞은 것을 고르시오.

- Audience feedback assists the speaker in creating a (respect / respectful) connection with the audience.

  (청중의 반응은 연사가 청중과 존중하는 관계를 만드는 것을 도와준다.)

답 | respectful

---

4 possibility vs. responsibility | simultaneous vs. spontaneous

- possibility
  - 명 가능성, 기회
- responsibility
  - 명 ❶ [_____], 의무, 책무
- simultaneous
  - 형 동시의, 동시에 일어나는
- spontaneous
  - 형 ❷ [_____], 자연스러운

It has confronted them with the | simultaneous / spontaneous | availability of countless genres of music.

➡ 그것은 무수한 장르의 음악을 동시에 이용할 수 있는 상황에 맞닥뜨리게 되었다.

답 ❶ 책임 ❷ 자발적인

개념 CHECK

괄호 안에서 알맞은 것을 고르시오.

- The beginning of growth comes when you begin to personally accept (possibility / responsibility) for your choices.

  (성장의 시작은 당신이 자신의 선택에 대한 책임을 스스로 받아들이기 시작할 때 일어난다.)

답 | responsibility

38 mostly vs. almost | objection vs. objective

- mostly　　부 대개, 주로
- almost　　부 **①**（= nearly）
- objection　 명 이의, 반대
- objective　 명 **②**, 목표　형 객관적인

Mostly / Almost all major sporting activities are played with a ball.

↑ 거의 모든 주요 스포츠 활동은 공을 갖고 행해진다.

답 **①** 거의 **②** 목적

괄호 안에서 알맞은 것을 고르시오.

- We can make an (objection / objective) and informed decision.

(우리는 객관적이고 정보에 근거한 결정을 내릴 수 있다.)

답 | objective

---

5 aboard vs. abroad | complement vs. compliment

- aboard　　　부 (배·비행기 등을) 타고
- abroad　　　부 **①** , 해외에
- complement　 명 보충물　동 ~을 보충[보완]하다
- compliment　 명 **②** , 찬사　동 칭찬하다

Most research missions in space are accomplished through the use of spacecraft without crews aboard / abroad .

↑ 우주에서의 대부분의 연구 임무는 승무원이 탑승하지 않은 우주선을 사용해서 이루어진다.

답 **①** 외국에 **②** 칭찬

괄호 안에서 알맞은 것을 고르시오.

- We are looking for a diversified team where members (complement / compliment) one another.

(우리는 구성원들이 서로를 보완해 주는 다양화된 팀을 찾고 있다.)

답 | complement

37 motivate vs. motivation | moment vs. momentary

- motivate 통 ~에게 동기를 주다; (남에게) 흥미를 느끼게 하다
- motivation 명 ❶
- moment 명 순간, 찰나; 중요(성)
- momentary 형 ❷

What really works to [motivate / motivation] people to achieve their goals?

➡ 무엇이 사람들로 하여금 자신의 목표를 성취하도록 동기를 부여하기 위해 정말 효과가 있는가?

답 | ❶ 동기 부여 ❷ 순간적인

개념 CHECK

괄호 안에서 알맞은 것을 고르시오.

• At any (moment / momentary), you can choose to start showing more respect for yourself.

(언제든지 여러분은 자신을 더 존중하기 시작하기로 선택할 수 있다.)

답 | moment

6 cooperation vs. corporation | explode vs. explore

- cooperation 명 협력, 협동
- corporation 명 ❶ , 법인, 단체
- explode 통 폭발하다
- explore 통 ❷

Allow children time to [explode / explore] ways of handling and playing the instruments for themselves before showing them.

➡ 아이들에게 방법을 알려 주기 전에 악기를 직접 다루고 연주하는 방법을 탐구할 시간을 주어라.

답 | ❶ 회사 ❷ 탐험하다

개념 CHECK

괄호 안에서 알맞은 것을 고르시오.

• One of the better-known examples of the (cooperation / corporation) between chance and a researcher is the invention of penicillin.

(우연과 연구자의 협업에 대해 잘 알려진 예 중 하나는 페니실린의 발명이다.)

답 | cooperation

36 lively vs. alive | memorize vs. memorial

- lively 형 활기찬, 활발한
- alive 형
- memorize 동 기억[암기]하다
- memorial 형   명 기념물

Associating what you are learning with what you already know helps you [memorize / memorial] the learning material.

↑ 여러분이 배우는 것을 이미 알고 있는 것과 관련지어 생각하는 것이 학습 내용을 외우는 데 도움이 된다.

답 ❶ 살아 있는 ❷ 기념의

개념 CHECK

괄호 안에서 알맞은 것을 고르시오.

- Something was moving in the tunnels, something (lively / alive), and it wasn't a rat.

(뭔가 살아 있는 것이 터널 속에서 움직이고 있었고, 그것은 쥐가 아니었다.)

답 | alive

---

7 acquire vs. require | formal vs. former

- acquire 동 얻다, 획득하다
- require 동  ; 요구하다
- formal 형 공식적인, 격식을 차린
- former 형   , 먼저의

Play allows children to [acquire / require] values and personality traits that will be important in adulthood.

↑ 놀이는 아이들이 성인기에 중요할 가치와 성격적 특성을 습득하도록 한다.

답 ❶ 필요로 하다 ❷ 앞의

개념 CHECK

괄호 안에서 알맞은 것을 고르시오.

- Written language is more (formal / former) and distant, which makes the readers lose attention.

(문어체는 더 형식적이고 거리감이 들게 하여 독자들이 주의를 잃게 만든다.)

답 | formal

likely vs. alike | literally vs. literary

- likely 형 가능성 있는 ①
- alike 형 비슷한, 서로 같은 부 마찬가지로, 동등하게
- literally 부 문자 그대로
- literary 형 ②

Friends, even best friends, don't have to be exactly likely / alike .

➡ 친구들, 심지어 가장 친한 친구라도 꼭 똑같을 필요는 없다.

답 ① ~할 것 같은 ② 문학의

개념 CHECK
괄호 안에서 알맞은 것을 고르시오.

- You are looking down on the child, (literary / literally) and metaphorically.
(당신은 아이를 글자 그대로 그리고 비유적으로 내려다보고 있다.)

답 | literally

general vs. generous | pray vs. prey

- general 형 일반적인
- generous 형 ①
- pray 예 기도하다
- prey 명 먹이 예 ②

There are times when you feel general / generous but there are other times when you just don't want to be bothered.

➡ 여러분이 관대하다고 느낄 때도 있지만 그저 방해받고 싶지 않은 그럴 때도 있다.

답 ① 관대한 ② 잡아먹다

개념 CHECK
괄호 안에서 알맞은 것을 고르시오.

- The key feature that distinguishes predator species from (pray / prey) species isn't the presence of claws.
(포식자 종과 피식자 종을 구별하는 주요 특징은 발톱의 존재가 아니다.)

답 | prey

34 industry vs. industrial | late vs. latest

- industry 　명 산업; 근면
- industrial 　형 ❶ _____, 공업의
- late 　형 늦은 　부 늦게
- latest 　형 ❷ _____, 최신의

I'm not one of those people who just "must" have the late / latest phone.

☞ 나는 최신 휴대 전화를 '반드시' 가져야 하는 그런 사람들 중 한 명은 아니다.

답 ❶ 산업의 ❷ 최근의

개념 CHECK

괄호 안에서 알맞은 것을 고르시오.

- Farm and (industry / industrial) jobs had slowly dried up, and nothing had replaced them.

(농장과 산업 일자리들이 천천히 고갈되었고, 아무것도 그것들을 대체하지 못했다.)

답 | industrial

---

9 through vs. thorough | incline vs. decline

- through 　전 ~을 통하여; 관통하여
- thorough 　형 ❶ _____, 면밀한
- incline 　동 ~하고 싶어지다; ~하는 경향이 있다
- decline 　동 ❷ _____, 쇠퇴하다 　명 감소, 쇠퇴

Music connects people to one another through / thorough emotional connections to particular songs, communities, and artists.

☞ 음악은 특정한 노래, 공동체, 그리고 예술가에 대한 감정적 연결을 **통해서** 사람들을 서로 연결시킨다.

답 ❶ 철저한 ❷ 감소하다

개념 CHECK

괄호 안에서 알맞은 것을 고르시오.

- In spite of reconstruction efforts, cities (inclined / declined) in many areas.

(재건 노력에도 불구하고 도시는 많은 지역에서 쇠퇴하였다.)

답 | declined

33 imaginary vs. imaginative | practice vs. practical

Being [imaginary / imaginative] gives us feelings of happiness and adds excitement to our lives.

⇒ 상상력이 풍부하다는 것은 우리에게 행복감을 주고 싶어 즐거움을 더한다.

- imaginary 형 가상의
- imaginative 형 ①
- practice 명 관습, 관례; 관행; 연습
- practical 형 ②

답 ① 상상력이 풍부한 ② 실용적인

개념 CHECK

괄호 안에서 알맞은 것을 고르시오.

• Lying weakens the general (practice / practical) of truth telling on which human communication relies.
(거짓말은 인간의 의사소통이 신뢰하는 진실 말하기의 일반적 관행을 약화시킵니다.)

답 | practice

---

10 wander vs. wonder | access vs. assess

Amy [wandered / wondered] if Mina chose her because she had felt sorry for the new kids.

⇒ Amy는 Mina가 전학생을 안쓰럽게 여겨 자신을 선택했는지 궁금했다.

- wander 통 떠돌다, 방황하다
- wonder 통 ①
- access 명 접근(법) 통 접근하다
- assess 통 ②

답 ① 궁금해하다 ② 평가하다

개념 CHECK

괄호 안에서 알맞은 것을 고르시오.

• Get the (access / assess) link by text message 10 minutes before the meeting and click it.
(회의 10분 전에 문자 메시지로 전송되는 접속 링크를 받아서 클릭하시오.)

답 | access

diverse vs. reverse | admit vs. transmit

- diverse 형 다양한
- reverse 형 ❶
- admit 동 받아들이다, 인정하다; 가입을 허락하다
- transmit 동 ❷

Intellectual humility is admitting / transmitting you are human and there are limits to the knowledge you have.

➔ 지적 겸손이란 여러분이 인간이고 여러분이 가진 지식에 한계가 있다는 것을 인정하는 것이다.

답 ❶ 반대의(으로) ❷ 보내다

개념 CHECK
괄호 안에서 알맞은 것을 고르시오.
- This group is more likely to enjoy eating (diverse / reverse) kinds of food.

(이러한 집단은 다양한 종류의 음식을 먹는 것을 즐기는 경향이 더 많다.)

답 diverse

---

identify vs. identity | equal vs. equality

- identify 동 (사람·물건을) 확인하다; 분간[식별]하다
- identity 명 ❶ ; 신원; 정체성
- equal 형 똑같은, 동일한 동 같다, 비등하다
- equality 명 ❷ , 균등

People find it very difficult to correctly identify / identity fruit-flavoured drinks if the colour is wrong, for instance an orange drink that is coloured green.

➔ 만약 예를 들어 초록색 빛깔의 오렌지 음료와 같이 색깔이 잘못되어 있다면, 사람들은 과일 맛이 나는 음료를 정확하게 식별하는 것이 매우 어렵다는 것을 알게 된다.

답 ❶ 동일함 ❷ 평등

개념 CHECK
괄호 안에서 알맞은 것을 고르시오.
- We would have a better life in a more (equal / equality) and cooperative society.

(더 평등하고 협력하는 사회에서 우리는 더 나은 삶을 살게 될 것이다.)

답 equal

31 potent vs. potential | history vs. historical

- potent　　형 유력한, 강력한
- potential　형 잠재적인, ❶ [　　　]　명 가능성, 잠재력
- history　　명 역사
- historical　형 ❷ [　　　], 역사에 관한

Students remember [history / historical] facts when they are tied to a story.

→ 학생들은 역사적 사실이 이야기에 결합되어 있을 때 그것을 기억한다.

답 ❶ 가능성이 있는 ❷ 역사의

개념 CHECK
괄호 안에서 알맞은 것을 고르시오.

- Environmental, physical, and psychological factors limit our (potent / potential).

(환경적, 신체적, 심리적인 요인들이 우리의 잠재력을 제한하고 있다.)

답 | potential

---

12 aspect vs. prospect | resist vs. insist

- aspect　　명 측면, 면
- prospect　명 ❶ [　　　], 전망
- resist　　동 저항하다, 반대하다
- insist　　동 ❷ [　　　]

They argue that [resisting / insisting] students turn off the TV or radio when doing homework will not necessarily improve their academic performance.

→ 그들은 숙제를 할 때 학생들이 TV나 라디오를 꺼야 한다고 주장하는 것이 반드시 그들의 학업 성적을 높이는 것은 아니라고 주장한다.

답 ❶ 가망 ❷ 주장하다

개념 CHECK
괄호 안에서 알맞은 것을 고르시오.

- Create a video that effectively communicates a specific (aspect / prospect) of science.

(과학의 특정 양상을 효과적으로 전달하는 영상물을 만들어 보세요.)

답 | aspect

30 exposure vs. exposition | hard vs. hardly

- exposure ⃝명 노출; 폭로
- exposition ⃝명 ① [　] ; 전시
- hard ⃝형 단단한, 어려운
- hardly ⃝부 ② [　]

If the tree has experienced stressful conditions, such as a drought, the tree might [hard / **hardly**] grow at all during that time.

↑ 만약 나무가 가뭄과 같은 힘든 기후 조건을 경험하게 되면, 그러한 기간에는 나무가 거의 성장하지 **못할** 수 있다.

답 ① 박람회 ② 거의 ~아니다

개념 CHECK

괄호 안에서 알맞은 것을 고르시오.

- The principles of gradual (**exposure** / exposition) are still very useful.
(점진적인 노출의 원칙은 여전히 매우 유용하다.)

답 exposure

---

13 intend vs. pretend | contract vs. distract

- intend ⃝동 의도하다
- pretend ⃝동 ① [　]
- contract ⃝동 계약하다; 수축하다 ⃝명 계약
- distract ⃝동 (주의 등을) 딴 데로 ② [　]

A hypertext connection may not help you understand what you're reading, and it may even [contract / **distract**] you.

↑ 하이퍼텍스트 연결은 여러분이 읽고 있는 것을 이해하는 데 도움이 되지 않을 수도 있고 심지어 여러분을 산만하게 만들 수도 있다.

답 ① ~인 체하다 ② 돌리다

개념 CHECK

괄호 안에서 알맞은 것을 고르시오.

- We are mostly doing what we (**intend** / pretend) to do.
(대체로 우리는 우리가 하고자 하는 것을 하고 있다.)

답 intend

emerge vs. emergency | expert vs. expertise

- emerge 동 나타나다; (문제가) 생기다
- emergency 명 ㅣ
- expert 명 전문가, 권위자
- expertise 명 ㅣ, 전문 지식

The tense crowd below broke into cheers as they saw Jacob emerge / emergency from the building with the boy.

➡ 아래쪽에 있던 긴장한 군중들은 Jacob이 그 소년과 함께 건물에서 나오는 것을 보고 환호성을 터뜨렸다.

정답 ① 비상사태 ② 전문적 기술

assume vs. consume | attribute vs. contribute

- assume 동 (사실일 것으로) 추정[상정]하다
- consume 동 ㅣ ; 먹어치우다
- attribute 동 ~의 덕분으로 보다, ~의 탓으로 돌리다 / 명 속성, 자질
- contribute 동 ㅣ , 기부하다; 원인이 되다

Every day, humans assume / consume lots of virtual water and the content of virtual water varies according to products.

➡ 매일 인간은 다량의 가상의 물을 소비하는데 가상의 물의 함유량은 제품에 따라 다르다.

정답 ① 소비하다 ② 기여하다

개념 CHECK

밑줄 안에서 알맞은 것을 고르시오.

• (Experts / Expertises) advise people to "take the stairs instead of the elevator."

(전문가들은 사람들에게 "승강기 대신 계단을 이용하라"라고 조언한다.)

정답 ㅣ Experts

개념 CHECK

밑줄 안에서 알맞은 것을 고르시오.

• It's tempting for me to (attribute / contribute) it to people being willfully ignorant.

(나는 고것을 의도적으로 무지한 사람들의 탓으로 돌리고 싶은 마음이 든다.)

정답 ㅣ attribute

(28) maintain vs. maintenance | necessity vs. necessary

- maintain   [동] 유지하다; 주장하다
- maintenance   [명] ①   , 관리, 보수
- necessity   [명] 필요성; 필수품
- necessary   [형] ②   ; 필수적인

Human beings are driven by a natural desire to form and maintain / maintenance interpersonal relationships.

↑ 인간은 대인 관계를 형성하고 유지하려는 타고난 욕구에 의해 움직인다.

답 ① 유지 ② 필요한

개념 CHECK

괄호 안에서 알맞은 것을 고르시오.

- Advertising has become a (necessity / necessary) in everybody's daily life.

(광고는 일상생활에서 필수적인 것이 되었다.)

답 | necessity

---

(15) compose vs. dispose | confirm vs. conform

- compose   [동] 구성하다; 작곡하다
- dispose   [동] ①   , 정리하다
- confirm   [동] 확인하다
- conform   [동] ②   ; 순응하다

He is believed to have composed / disposed more than 70 works, but only about 10 remain today.

↑ 그는 70곡 이상을 작곡했던 것으로 여겨지나 대략 10개만이 현재 남아 있다.

답 ① 배치하다 ② 따르다

개념 CHECK

괄호 안에서 알맞은 것을 고르시오.

- She (confirmed / conformed) the need to challenge old practices.

(그녀는 오래된 관행에 도전할 필요성을 확인했다.)

답 | confirmed

27 considerate vs. considerable | credit vs. credible

The babies' family and the doctors witnessed the intangible force of love and the credible / incredible power of giving.

↳ 그 아기들의 가족과 의사들은 만질 수 없는 사랑의 힘과 믿을 수 없는 나눔의 힘을 목격하였다.

- considerate 웹 배려하는, 이해심이 있는
  (↔ inconsiderate 웹 배려하지 않는)
- considerable 웹 ❶ , 상당한
- credit 웹 신용, 신뢰 图 믿다, 신용하다
- credible 웹 ❷
  (↔ incredible 웹 믿을 수 없는, 놀라운)

답 | ❶ 고려할 만한 ❷ 믿을 만한

개념 CHECK

괄호 안에서 알맞은 것을 고르시오.

- The search for the right song is associated with (considerate / considerable) effort.
(적절한 노래를 찾는 것은 상당한 노력과 관련이 있다.)

답 | considerable

16 conserve vs. deserve | attraction vs. distraction

In today's world, it is impossible to run away from attractions / distractions .

↳ 요즘 세상에 집중에 방해가 되는 것들로부터 도망치는 것은 불가능하다.

- conserve 图 보존하다
- deserve 图 ❶
- attraction 웹 끌어당김, 매력; 명소
- distraction 웹 ❷

답 | ❶ ~을 가치가 있다 ❷ 주의 산만

개념 CHECK

괄호 안에서 알맞은 것을 고르시오.

- Share your talents and (conserve / deserve) the environment.
(여러분의 재능을 나누고 환경을 보존하세요.)

답 | conserve

17 defend vs. depend | describe vs. prescribe

- defend 통 막다, 방어하다
- depend 통 ❶
- describe 통 묘사하다, 서술하다
- prescribe 통 ❷ ; 구성하다

We need to see a doctor, who may [describe / prescribe] medicines to control the infection.

↑ 우리가 감염을 통제할 수 있도록 약을 처방해 줄 수 있는 의사에게 진찰받는 것이 필요하다.

답 ❶ 의존하다 ❷ 처방하다

개념 CHECK

괄호 안에서 알맞은 것을 고르시오.

- People have changing values (defending / depending) on the situation.

(사람들은 상황에 따라 변하는 가치관을 가지고 있다.)

답 | depending

---

26 compose vs. composition | confidence vs. confidential

- compose 통 구성하다; 작곡하다
- composition 명 ❶ ; 작문; 작곡
- confidence 명 자신(감), 확신; 신뢰; 비밀
- confidential 형 ❷ ; 신뢰할 수 있는

The spacecraft carry instruments that test the [compose / compositions] and characteristics of planets.

↑ 이 우주선은 행성의 구성 성분과 특성을 실험하는 기구들을 운반한다.

답 ❶ 구성 ❷ 기밀의

개념 CHECK

괄호 안에서 알맞은 것을 고르시오.

- After all, (confidence / confidential) is often considered a positive trait.

(어쨌든, 자신감은 자주 긍정적인 특성으로 여겨진다.)

답 | confidence

25 compete vs. competent | compel vs. compulsory

A person who has learned a variety of ways to handle anger is more compete / competent and confident.

↳ 분노를 조절하는 다양한 방식을 배운 사람은 더 유능하고 자신감이 있다.

- compete 　통 경쟁하다, 겨루다
- competent 　형 ❶ , 능력이 있는
- compel 　통 강요하다, 억지로 시키다
- compulsory 　형 ❷ , 의무적인

답 ❶ 유능한 ❷ 강제적인

개념 CHECK

괄호 안에서 알맞은 것을 고르시오.

- For reasons unknown, most people feel (compelled / compulsory) to answer a ringing phone.

(무슨 영문인지, 대부분 사람들은 울리는 전화를 받아야 한다고 느낀다.)

답 | compelled

---

18 distinct vs. extinct | expand vs. expend

I think the reason kids like dinosaurs so much is that dinosaurs were big, were different from anything alive today, and are distinct / extinct .

↳ 아이들이 공룡을 그렇게 많이 좋아하는 이유는 공룡이 크고, 오늘날 살아 있는 그 어떤 것과도 다르고, 멸종되었기 때문이라고 생각한다.

- distinct 　형 별개의; 분명한
- extinct 　형 ❶
- expand 　통 확대하다
- expend 　통 들이다, 소비하다; ❷

답 ❶ 멸종된 ❷ 지출하다

개념 CHECK

괄호 안에서 알맞은 것을 고르시오.

- Finally, when the bladder is fully (expanded / expended), the fish is pushed to the surface.

(마침내 부레가 완전히 팽창되었을 때, 물고기는 수면으로 떠오른다.)

답 | expanded

24 close vs. closely | compare vs. comparative

- close 　형 가까운 　부 가까이 　동 닫다
- closely 　부 ① 　: 밀접하게
- compare 　동 비교하다, 비유하다
- comparative 　형 ② 　, 상대적인

Health and the spread of disease are very | close / closely |
linked to how we live and how our cities operate.

↑ 건강과 질병의 확산은 우리가 어떻게 살고 우리의 도시가 어떻게 작동하는지와 매우 **밀접하게** 연관되어 있다.

답 ❶ 면밀하게 ❷ 비교의

개념 CHECK
괄호 안에서 알맞은 것을 고르시오.

- The only one you should (compare / comparative) yourself to is you.

(여러분 자신과 비교해야 하는 유일한 대상은 여러분뿐이다.)

답 compare

---

19 estate vs. estimate | involve vs. evolve

- estate 　명 재산, 소유권
- estimate 　동 ① 　, 어림잡다 　명 추정(치)
- involve 　동 관련시키다, 수반하다
- evolve 　동 ②

Going from outside into a darkened movie theater
| involves / evolves | dark adaptation.

↑ 외부에서 캄캄해진 영화관으로 돌아가는 것은 암순응(눈의)과 관련이 있다.

답 ❶ 추정하다 ❷ 진화하다

개념 CHECK
괄호 안에서 알맞은 것을 고르시오.

- They had to (estate / estimate) how many other students would do the task.

(그들은 얼마나 많은 다른 학생들이 그 일을 할 것인가를 예상해야 했다.)

답 estimate

23 attend vs. attention | beside vs. besides

- attend 동 출석하다, 참석하다
- attention 명 ❶ , 주목
- beside 전 ~ 옆에, ~의 가까이에
- besides 전 ❷ , 게다가 전 ~ 이외에도

➜ 나는 건너편 카페로 가서 테이블에 앉으며 내 옆에 있는 의자 위에 가방을 놓았다.

I walked across to a cafe and sat down at a table, putting my bag on the seat [beside / besides] me.

답 ❶ 주의 ❷ ~ 외에도

개념 CHECK

괄호 안에서 알맞은 것을 고르시오.

- He had never been able to (attend / attention) school for more than four years.

(그는 결코 4년 이상 학교에 다닐 수 없었다.)

답 | attend

---

20 collect vs. correct | instant vs. constant

- collect 동 모으다, 수집하다
- correct 동 ❶ , 바로잡다 형 정확한
- instant 형 즉각적인
- constant 형 변함없는 형 ❷

Droughts, forest fires, superstorms, and ice ages led to long stretches of difficult conditions, and starvation was a [instant / constant] threat.

➜ 가뭄, 산불, 슈퍼스톰 그리고 빙하기가 어려운 장기적 상황으로 이어졌고, 굶주림은 지속적인 위협이었다.

답 ❶ 고치다 ❷ 끊임없는

개념 CHECK

괄호 안에서 알맞은 것을 고르시오.

- You can (collect / correct) any mistake and nobody will ever know the difference.

(당신은 어떤 실수라도 수정할 수 있고 누구도 결코 그 변화를 모를 것이다.)

답 | correct

22 affect vs. affection | alter vs. alternative

- affect   통 영향을 미치다
- affection   평  ① ; 감정
- alter   통 바꾸다, 고치다
- alternative   통 대안;   평 ② 대안의; 양자택일의

His artwork helps you see the world differently and reminds you there are [alter / alternative] ways of using shape, objects, and colors.

↑ 그의 예술 작품은 여러분이 세상을 다르게 보도록 돕고 여러분에게 형체, 사물, 색을 사용하는 대안적인 방식들이 있다는 것을 상기시킨다.

답 ① 애정 ② 양자택일

개념 CHECK
괄호 안에서 알맞은 것을 고르시오.

- During his childhood, he had a great (affect / affection) for his aunt Lucy.
(어린 시절 그는 Lucy 아주머니에 대한 엄청난 애정을 가지고 있었다.)

답 | affection

---

21 contain vs. maintain | obtain vs. retain

- contain   통 포함하다
- maintain   통 ① ; 주장하다
- obtain   통 얻다
- retain   통 유지하다, ②

People planted a variety of crops in different areas, in the hope of [obtaining / retaining] a reasonably stable food supply.

↑ 사람들은 상당히 안정적인 식량 공급을 얻기를 기대하며 여러 지역에 다양한 작물을 심었다.

답 ① 유지하다 ② 보유하다

개념 CHECK
괄호 안에서 알맞은 것을 고르시오.

- Artificial light typically (contains / maintains) only a few wavelengths of light.
(인공조명은 전형적으로 단지 몇 개의 빛 파장만 포함하고 있다.)

답 | contains